똑 똑 한

하루 수학

5·2

배우고 때로 익히면
또한 기쁘지 아니한가.
- 공자 -

주별 Contents

똑똑한 하루 수학 이 책의 특징

도입 이번 주에는 무엇을 공부할까?

이번 주에 공부할 내용을 만화로 재미있게!

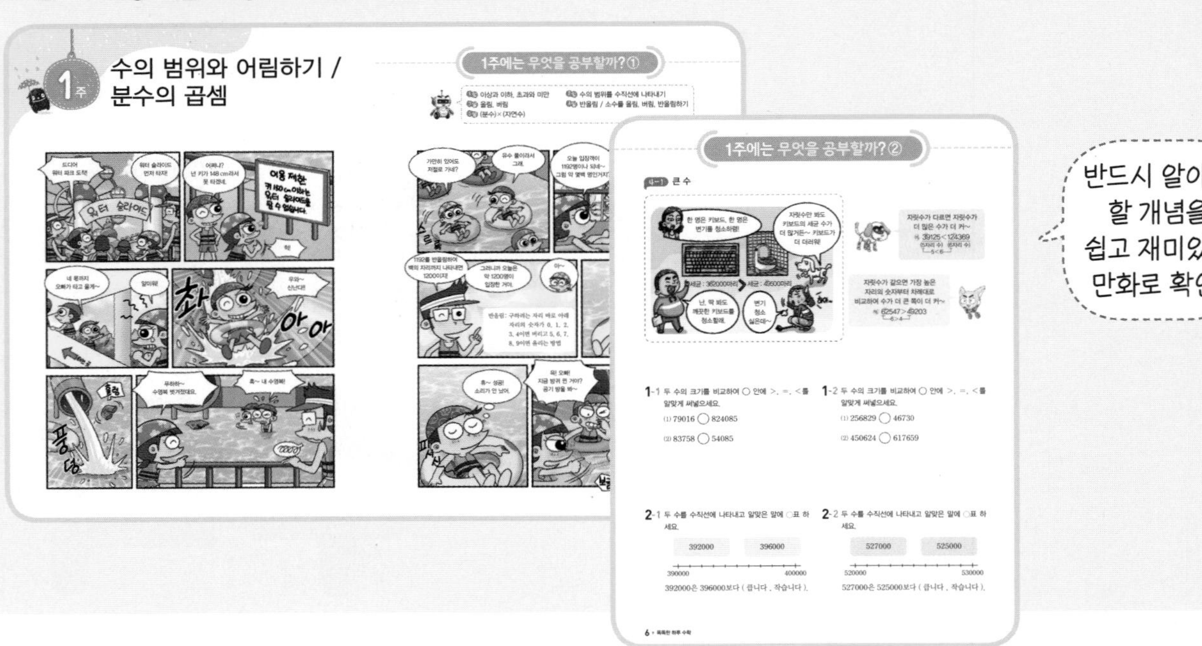

반드시 알아야 할 개념을 쉽고 재미있는 만화로 확인!

개념 완성 개념 • 원리 확인

교과서 개념을 만화로 쏙쏙!

핵심 개념이 한눈에 쏙쏙!

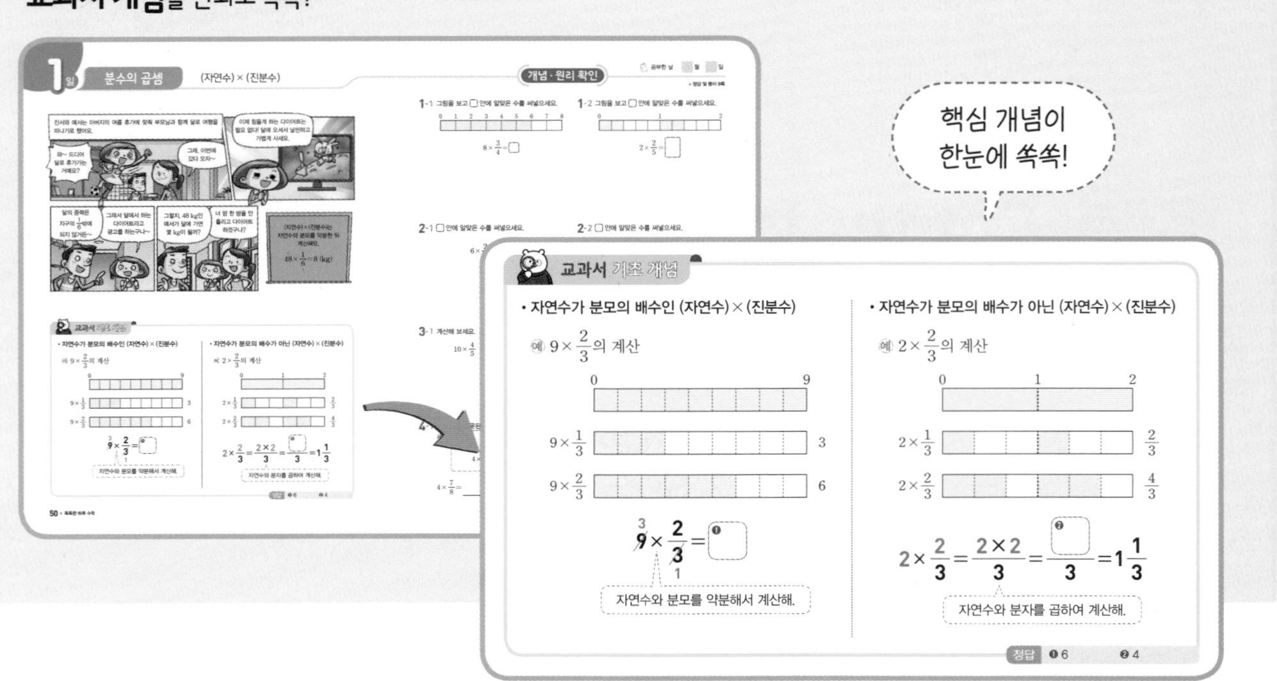

기초 집중 연습

반드시 알아야 할 문제를 **반복**하여 완벽하게 익히기!

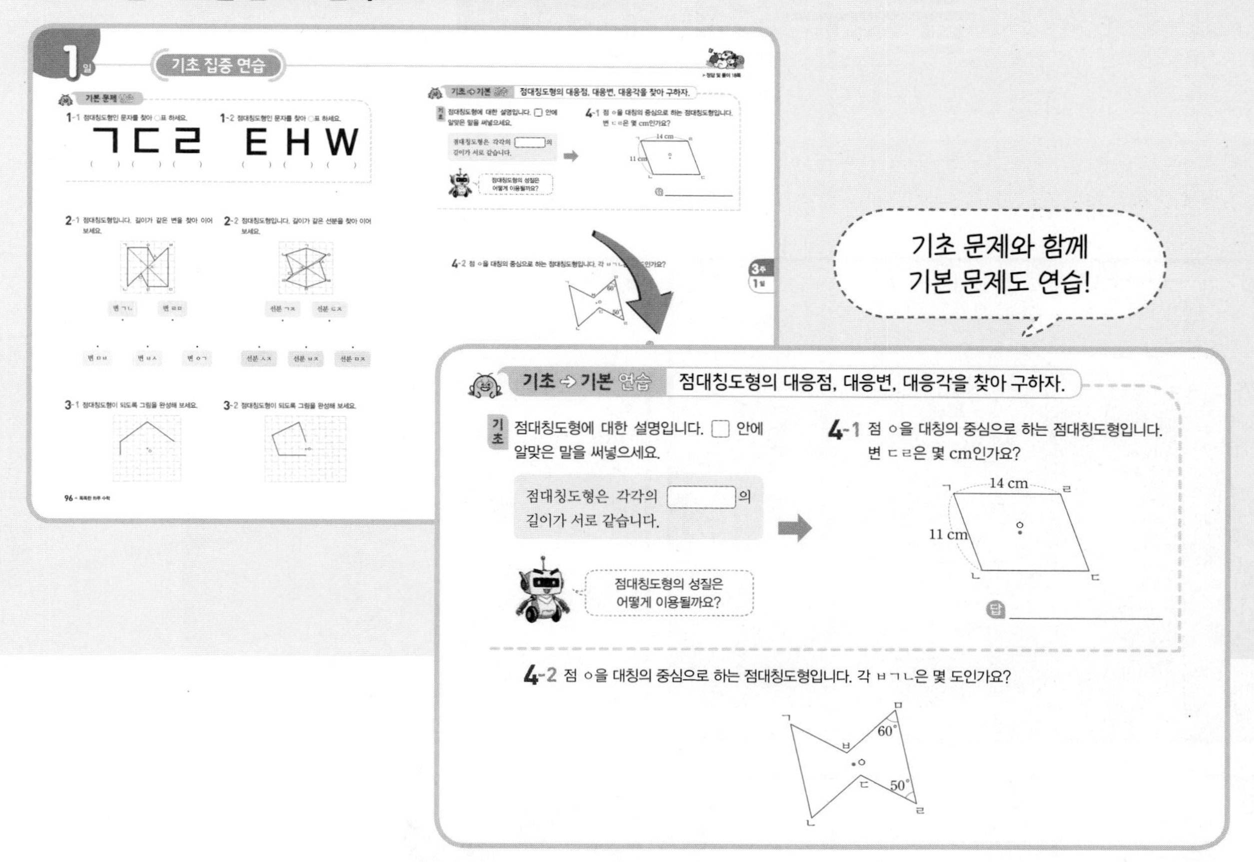

평가 + 창의 · 융합 · 코딩

한 주에 **배운 내용**을 **테스트**로 마무리!

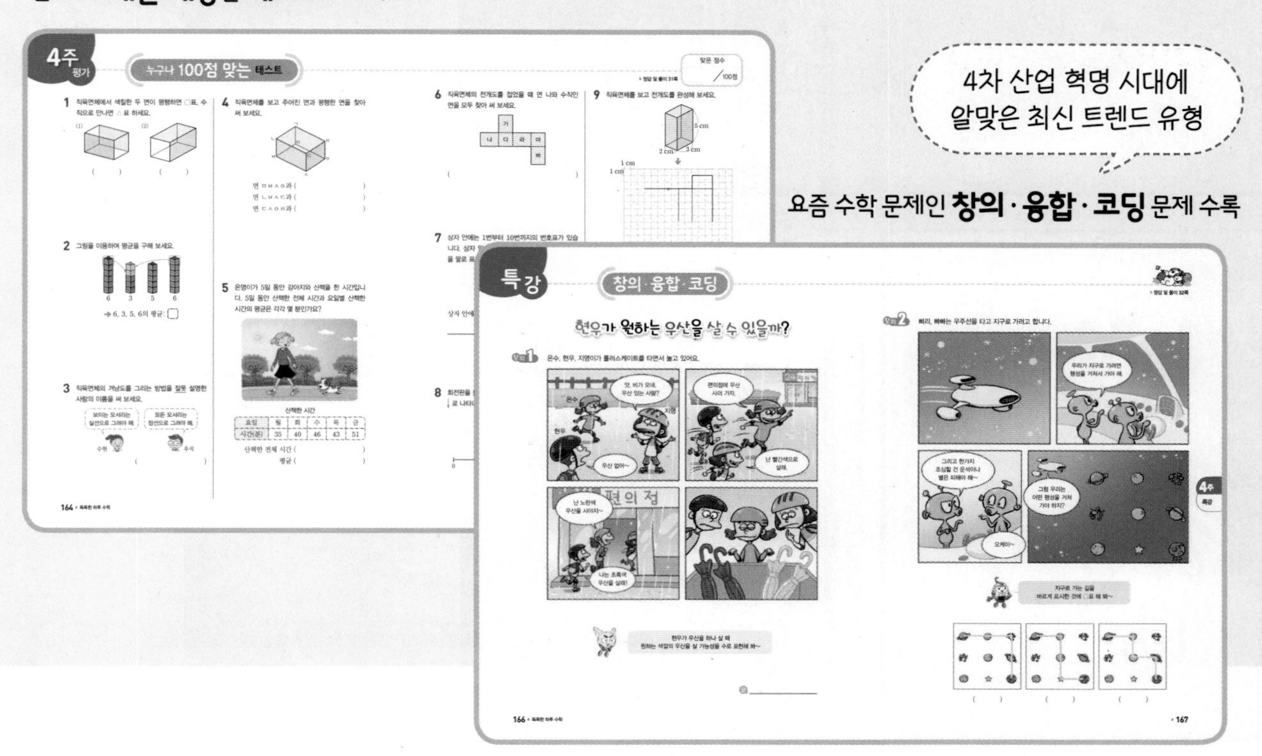

1주 수의 범위와 어림하기 / 분수의 곱셈

1주에는 무엇을 공부할까? ①

1일 이상과 이하, 초과와 미만
2일 수의 범위를 수직선에 나타내기
3일 올림, 버림
4일 반올림 / 소수를 올림, 버림, 반올림하기
5일 (분수)×(자연수)

반올림: 구하려는 자리 바로 아래 자리의 숫자가 0, 1, 2, 3, 4이면 버리고 5, 6, 7, 8, 9이면 올리는 방법

1주에는 무엇을 공부할까? ②

4-1 큰 수

자릿수가 다르면 자릿수가 더 많은 수가 더 커~

예 39125 < 124369
(5자리 수) (6자리 수)
5 < 6

자릿수가 같으면 가장 높은 자리의 숫자부터 차례대로 비교하여 수가 더 큰 쪽이 더 커~

예 62547 > 49203
6 > 4

1-1 두 수의 크기를 비교하여 ◯ 안에 >, =, <를 알맞게 써넣으세요.

(1) 79016 ◯ 824085

(2) 83758 ◯ 54085

1-2 두 수의 크기를 비교하여 ◯ 안에 >, =, <를 알맞게 써넣으세요.

(1) 256829 ◯ 46730

(2) 450624 ◯ 617659

2-1 두 수를 수직선에 나타내고 알맞은 말에 ○표 하세요.

392000 　 396000

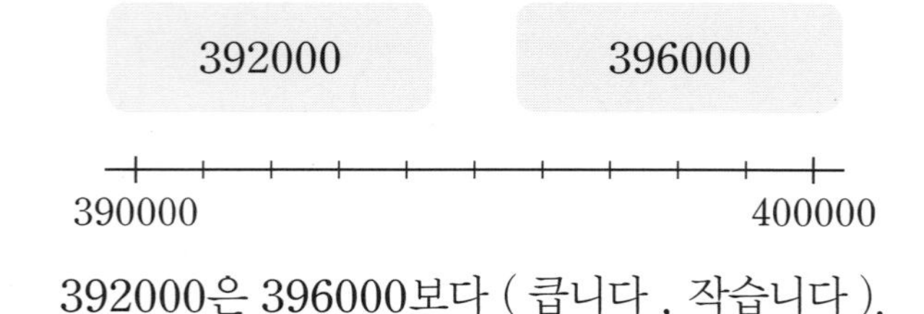

392000은 396000보다 (큽니다 , 작습니다).

2-2 두 수를 수직선에 나타내고 알맞은 말에 ○표 하세요.

527000 　 525000

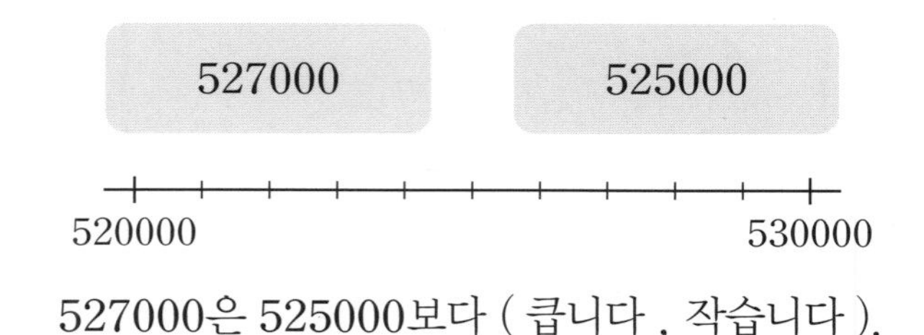

527000은 525000보다 (큽니다 , 작습니다).

▶정답 및 풀이 1쪽

5-1 약분과 통분

분모와 분자를 공약수로 나누어 간단한 분수로 만드는 것을 약분한다고 해!

$\frac{2}{4}$를 분모와 분자의 공약수인 2로 약분하면 $\frac{1}{2}$이 돼~

3-1 약분한 분수를 모두 써 보세요.

$\frac{18}{24}$ → $\frac{\square}{\square}$, $\frac{\square}{\square}$, $\frac{\square}{\square}$

3-2 약분한 분수를 모두 써 보세요.

$\frac{16}{40}$ → $\frac{\square}{\square}$, $\frac{\square}{\square}$, $\frac{\square}{\square}$

4-1 약분한 분수를 찾아 이어 보세요.

$\frac{2}{6}$ •	• $\frac{5}{9}$
$\frac{10}{18}$ •	• $\frac{3}{4}$
$\frac{24}{32}$ •	• $\frac{1}{3}$

4-2 약분한 분수를 찾아 이어 보세요.

$\frac{8}{12}$ •	• $\frac{3}{4}$
$\frac{9}{15}$ •	• $\frac{2}{3}$
$\frac{12}{16}$ •	• $\frac{3}{5}$

이상과 이하

나랑 삼촌은 90점 이상이니까……
동생아~ 빵은 네가 사 와야겠다!

칫!

교과서 기초 개념

• 이상 알아보기

■ 이상인 수 : ■와 같거나 큰 수

㉠ 80 이상인 수

➔ 80.0, 80.3, 82.0, 83.5 등과 같이 80과 같거나 큰 수

수직선에 나타낼 때에는
80에 ●을 이용하여 나타내고
오른쪽으로 선을 그어.

79 ❶ 81 82 83 84 85

❶ (   )

• 이하 알아보기

▲ 이하인 수 : ▲와 같거나 작은 수

㉠ 50 이하인 수

➔ 50.0, 49.8, 47.0, 46.5 등과 같이 50과 같거나 작은 수

수직선에 나타낼 때에는
50에 ●을 이용하여 나타내고
왼쪽으로 선을 그어.

45 46 47 48 49 ❷ 51

❷ (   )

정답 ❶ 80 ❷ 50

개념·원리 확인

▶정답 및 풀이 1쪽

1-1 알맞은 말에 ○표 하세요.

8과 같거나 큰 수

➔ 8 (이상 , 이하)인 수

1-2 알맞은 말에 ○표 하세요.

15와 같거나 작은 수

➔ 15 (이상 , 이하)인 수

2-1 주어진 범위에 속하는 수에 모두 ○표 하세요.

36 이상인 수

(35 , 30 , 40 , 38)

2-2 주어진 범위에 속하는 수에 모두 ○표 하세요.

82 이하인 수

(90 , 82 , 83 , 78)

3-1 수직선에 나타낸 수의 범위를 쓰려고 합니다. □ 안에 알맞은 수를 써넣으세요.

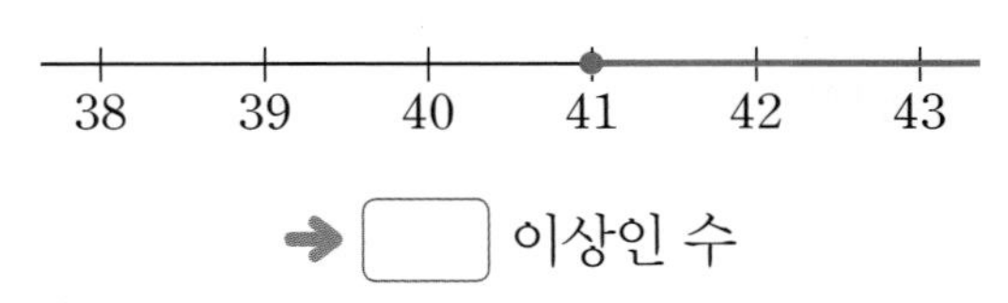

➔ □ 이상인 수

3-2 수직선에 나타낸 수의 범위를 쓰려고 합니다. □ 안에 알맞은 말을 써넣으세요.

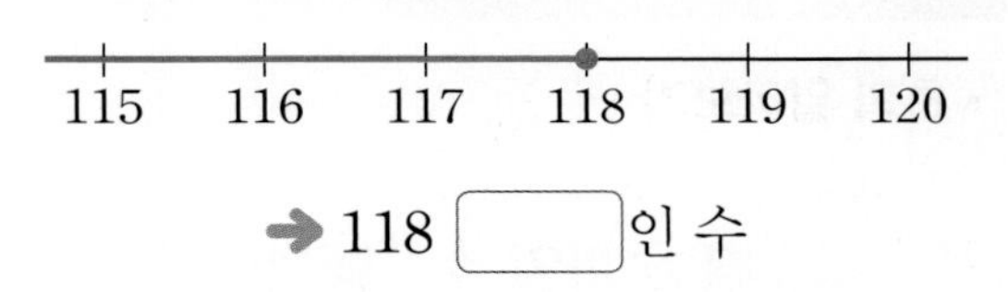

➔ 118 □인 수

4-1 수직선에 나타내어 보세요.

33 이상인 수

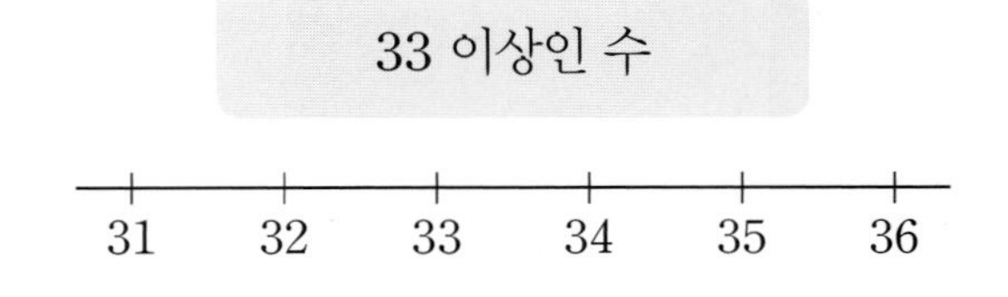

4-2 수직선에 나타내어 보세요.

145 이하인 수

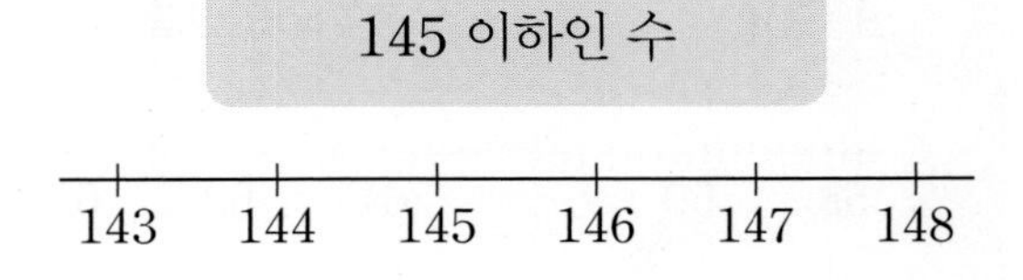

1일 수의 범위와 어림하기 초과와 미만

교과서 기초 개념

• 초과 알아보기

■ 초과인 수 : ■보다 큰 수

㉠ 60 초과인 수

➜ 60.1, 61.0, 62.6, 63.5 등과 같이 60보다 큰 수

└➜ 60은 포함되지 않습니다.

수직선에 나타낼 때에는 60에 ○을 이용하여 나타내고 오른쪽으로 선을 그어.

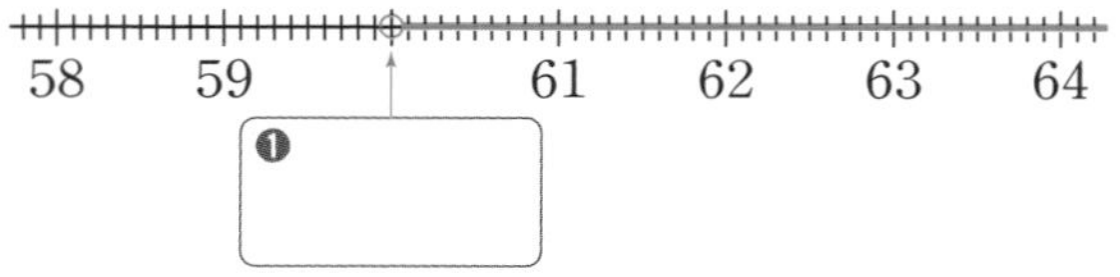

(수직선: 58, 59, ❶ □, 61, 62, 63, 64)

• 미만 알아보기

▲ 미만인 수 : ▲보다 작은 수

㉠ 37 미만인 수

➜ 36.9, 36.0, 34.3, 33.0 등과 같이 37보다 작은 수

└➜ 37은 포함되지 않습니다.

수직선에 나타낼 때에는 37에 ○을 이용하여 나타내고 왼쪽으로 선을 그어.

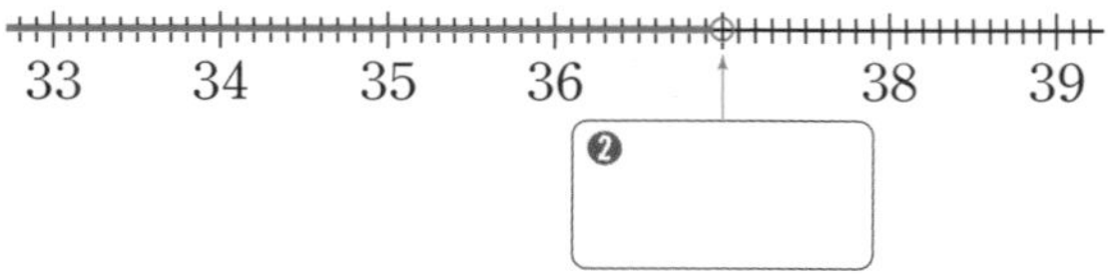

(수직선: 33, 34, 35, 36, ❷ □, 38, 39)

정답 ❶ 60 ❷ 37

개념·원리 확인

▶ 정답 및 풀이 2쪽

1-1 알맞은 말에 ○표 하세요.

5보다 큰 수

➔ 5 (초과 , 미만)인 수

1-2 알맞은 말에 ○표 하세요.

12보다 작은 수

➔ 12 (초과 , 미만)인 수

2-1 주어진 범위에 속하는 수에 모두 ○표 하세요.

41 초과인 수

(39 , 41 , 42 , 48)

2-2 주어진 범위에 속하는 수에 모두 ○표 하세요.

168 미만인 수

(168 , 170 , 160 , 165)

3-1 수직선에 나타낸 수의 범위를 쓰려고 합니다. □ 안에 알맞은 수를 써넣으세요.

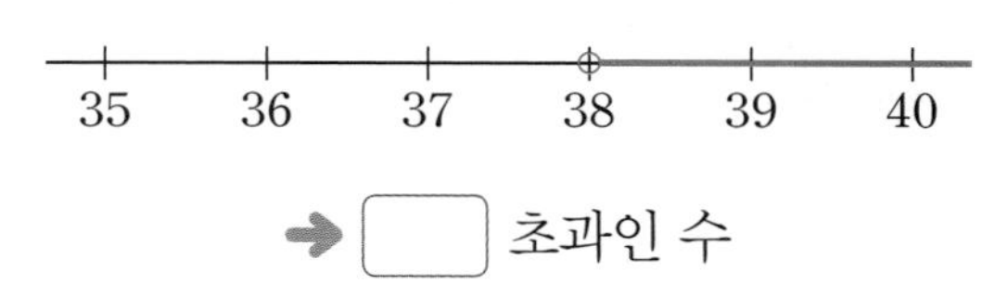

➔ □ 초과인 수

3-2 수직선에 나타낸 수의 범위를 쓰려고 합니다. □ 안에 알맞은 말을 써넣으세요.

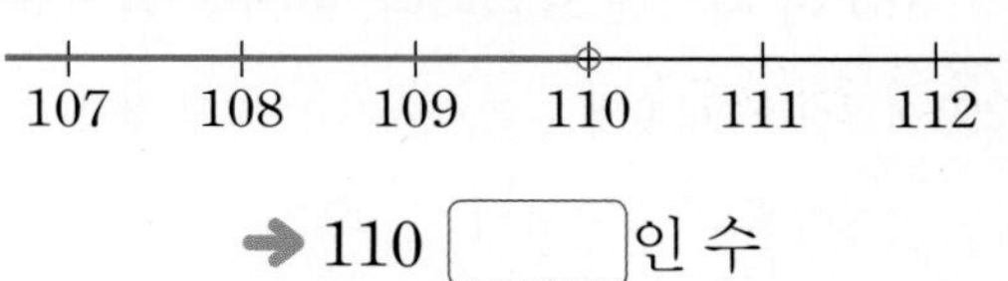

➔ 110 □인 수

4-1 수직선에 나타내어 보세요.

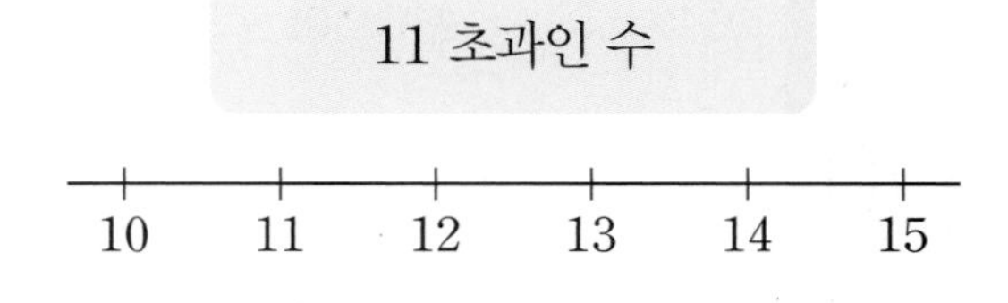

4-2 수직선에 나타내어 보세요.

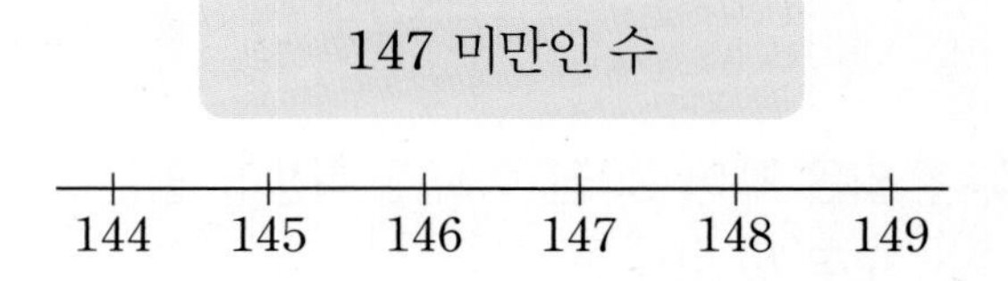

1일

기초 집중 연습

기본 문제 연습

1-1 15 이상인 수에 ○표, 15 이하인 수에 △표 하세요.

12 13 14 15 16 17

1-2 50 초과인 수에 ○표, 50 미만인 수에 △표 하세요.

47 48 49 50 51 52

2-1 38 이상인 수를 모두 찾아 써 보세요.

35 47 31 39 38

( )

2-2 20 미만인 수를 모두 찾아 써 보세요.

18 22 26 13 20

( )

[3-1 ~ 4-1] 서희네 모둠 학생들이 읽은 책의 수를 조사하여 나타낸 표입니다. 물음에 답하세요.

서희네 모둠 학생들이 읽은 책의 수

이름	서희	우진	지환	승기
책의 수(권)	30	35	31	19

3-1 읽은 책이 30권과 같거나 적은 학생의 이름을 모두 써 보세요.

( )

4-1 읽은 책이 30권 이하인 학생이 읽은 책의 수를 모두 써 보세요.

( )

[3-2 ~ 4-2] 현우네 모둠 학생들의 키를 조사하여 나타낸 표입니다. 물음에 답하세요.

현우네 모둠 학생들의 키

이름	현우	은혜	승철	민주
키(cm)	143.2	150.1	145.0	152.4

3-2 키가 145 cm보다 큰 학생의 이름을 모두 써 보세요.

( )

4-2 키가 145 cm 초과인 학생의 키를 모두 써 보세요.

( )

▶ 정답 및 풀이 2쪽

기초 → 문장제 연습 수의 범위에 기준값이 포함되는지, 포함되지 않는지 알아보자.

기초 90 이상인 수에 모두 ○표 하세요.

84 90 94 88 89

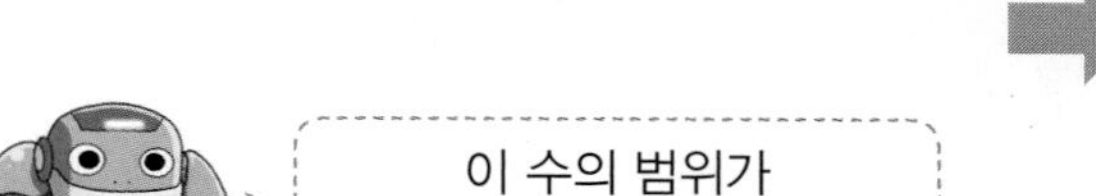

이 수의 범위가 어떤 상황에서 이용될까요?

5-1 재준이네 반 학생들의 수학 점수를 조사하여 나타낸 표입니다. 수학 점수가 90점 이상인 학생의 이름을 모두 써 보세요.

재준이네 반 학생들의 수학 점수

이름	재준	슬기	현지	준석	건우
수학 점수(점)	84	90	94	88	89

 답 ______________________

5-2 정은이네 반 학생들이 돌린 훌라후프 횟수입니다. 훌라후프 횟수가 70회 초과인 학생의 이름을 모두 써 보세요.

정은이네 반 학생들이 돌린 훌라후프 횟수

이름	정은	지민	소진	지호	희찬
횟수(회)	78	42	99	68	70

 답 ______________________

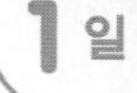

5-3 어느 TV 프로그램이 시작할 때 나오는 화면입니다. 이 프로그램을 볼 수 <u>없는</u> 사람의 이름을 모두 써 보세요.

정은	지민	다영	경호
13세	10세	12세	11세

 답 ______________________

수의 범위를 수직선에 나타내기 (1)

교과서 기초 개념

• ● 이상 ■ 이하인 수를 수직선에 나타내기

예 6 이상 9 이하인 수

➔ 6과 같거나 크고 9와 같거나 작은 수

이상, 이하는 자기 자신을 포함한다.

채워진 동그라미

수직선에 6과 9는 ●을 이용하여 나타내고 6과 9 사이의 수를 선으로 연결해~

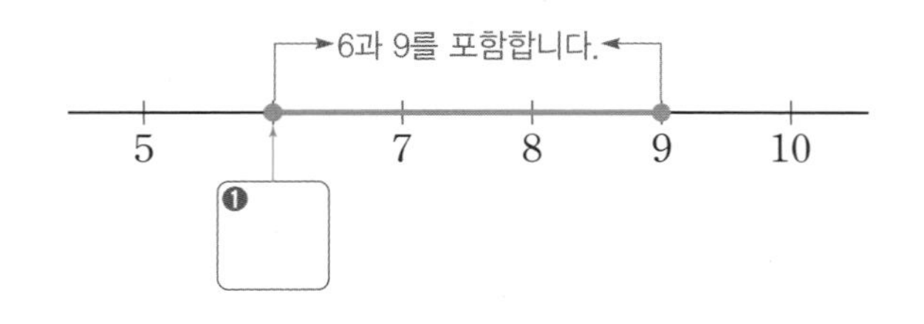

• ● 초과 ■ 미만인 수를 수직선에 나타내기

예 6 초과 9 미만인 수

➔ 6보다 크고 9보다 작은 수

초과, 미만은 자기 자신을 포함하지 않는다.

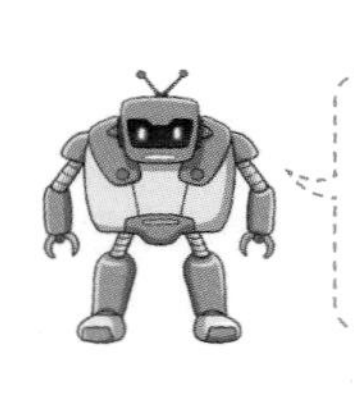

빈 동그라미

수직선에 6과 9는 ○을 이용하여 나타내고 6과 9 사이의 수를 선으로 연결해~

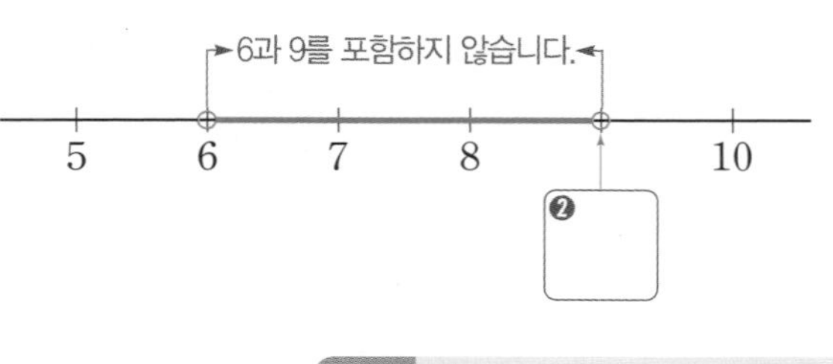

정답 ❶ 6 ❷ 9

개념 · 원리 확인

▶ 정답 및 풀이 2쪽

1-1 주어진 범위에 속하는 수에 모두 ○표 하세요.

25 이상 27 이하인 수

(24 , 25 , 26 , 27 , 28)

1-2 주어진 범위에 속하는 수에 모두 ○표 하세요.

10 초과 13 미만인 수

(10 , 11 , 12 , 13 , 14)

2-1 3 이상 6 이하인 수의 범위를 수직선에 바르게 나타낸 것에 ○표 하세요.

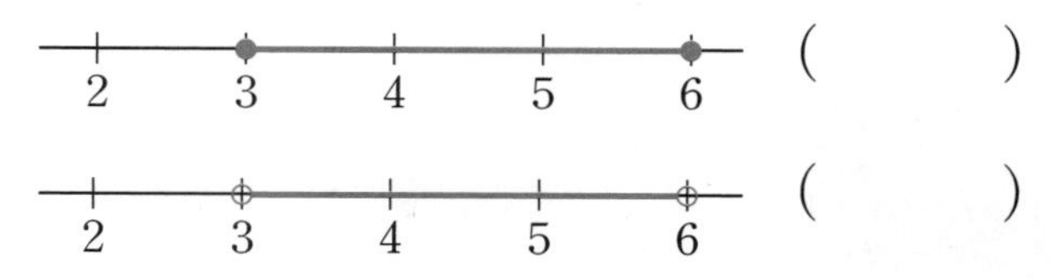

2-2 7 초과 9 미만인 수의 범위를 수직선에 바르게 나타낸 것에 ○표 하세요.

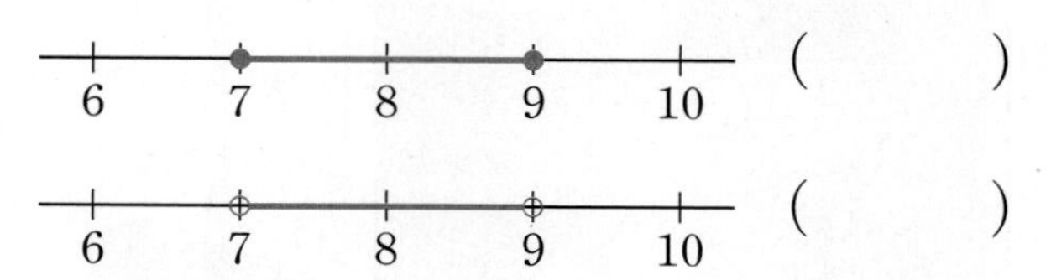

[3-1 ~ 3-2] 수직선에 나타낸 수의 범위를 쓰려고 합니다. 이상, 이하, 초과, 미만 중 □ 안에 알맞은 말을 써넣으세요.

3-1

16 17 18 19 20 21

➜ 17 □ 20 □인 수

3-2

21 22 23 24 25 26

➜ 23 □ 26 □인 수

4-1 수직선에 나타내어 보세요.

45 이상 48 이하인 수

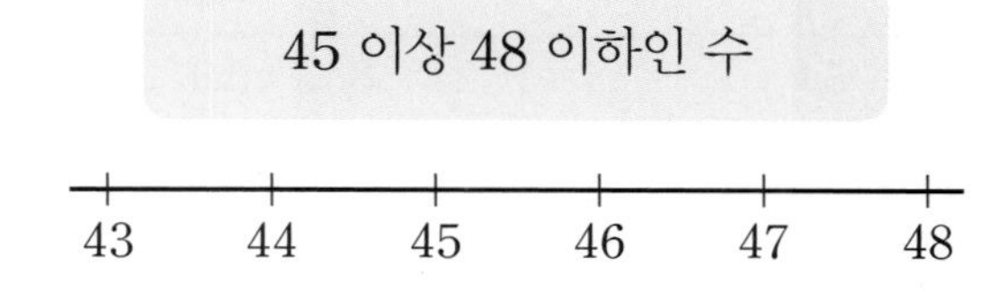

4-2 수직선에 나타내어 보세요.

31 초과 35 미만인 수

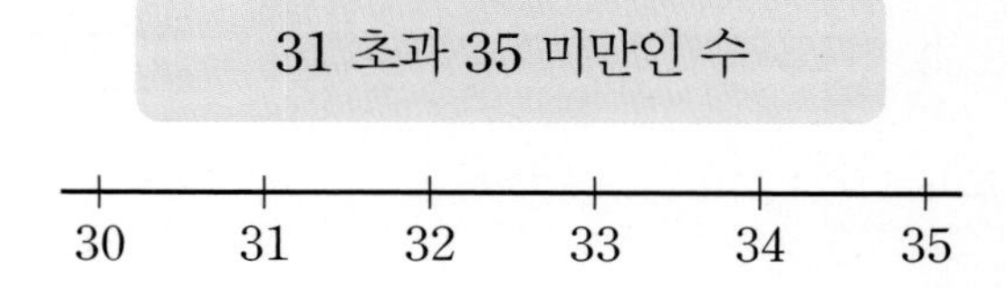

수의 범위를 수직선에 나타내기 (2)

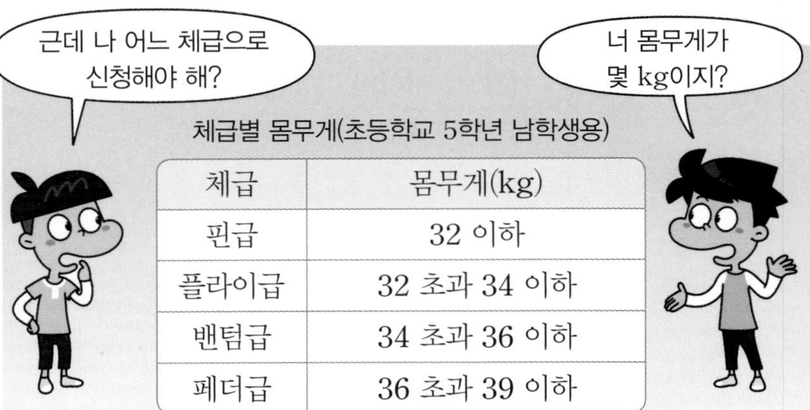

체급	몸무게(kg)
핀급	32 이하
플라이급	32 초과 34 이하
밴텀급	34 초과 36 이하
페더급	36 초과 39 이하

교과서 기초 개념

• ● 이상 ■ 미만인 수를 수직선에 나타내기

예 6 이상 9 미만인 수

➔ 6과 같거나 크고 9보다 작은 수

수직선에 6은 ●을, 9는 ○을 이용하여 나타내고 6과 9 사이의 수를 선으로 연결해~

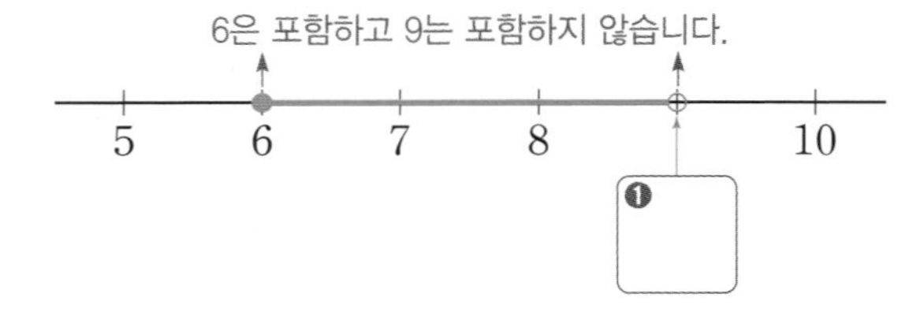

• ● 초과 ■ 이하인 수를 수직선에 나타내기

예 6 초과 9 이하인 수

➔ 6보다 크고 9와 같거나 작은 수

수직선에 6은 ○을, 9는 ●을 이용하여 나타내고 6과 9 사이의 수를 선으로 연결해~

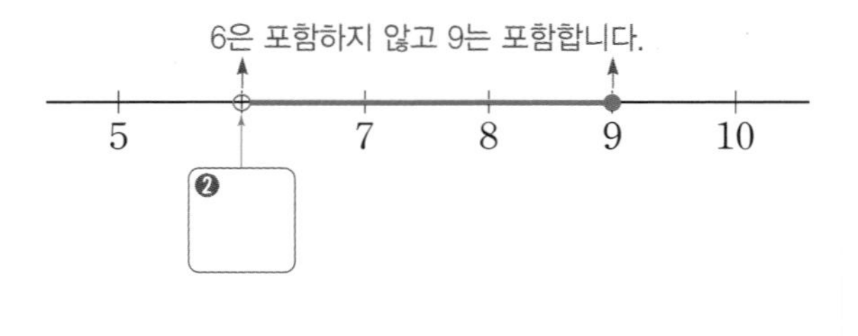

정답 ❶ 9 ❷ 6

▶ 정답 및 풀이 3쪽

1-1 45 이상 48 미만인 수를 모두 찾아 써 보세요.

49 43 48 47 45

(   )

1-2 24 초과 30 이하인 수를 모두 찾아 써 보세요.

26 37 40 24 30

(   )

2-1 수직선에 나타낸 수의 범위를 바르게 나타낸 것에 ○표 하세요.

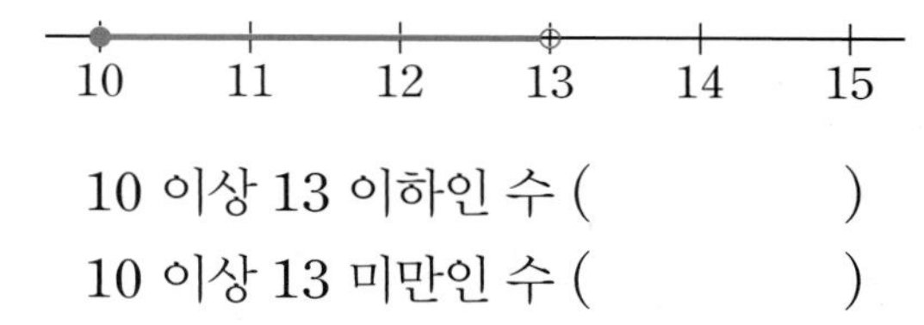

10 이상 13 이하인 수 (   )

10 이상 13 미만인 수 (   )

2-2 수직선에 나타낸 수의 범위를 바르게 나타낸 것에 ○표 하세요.

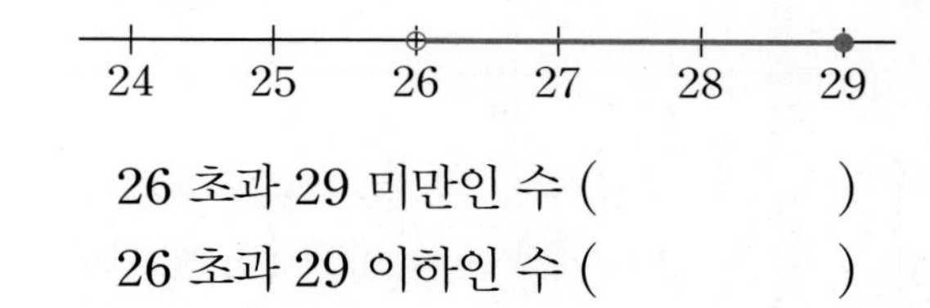

26 초과 29 미만인 수 (   )

26 초과 29 이하인 수 (   )

[3-1 ~ 3-2] 수직선에 나타낸 수의 범위를 보고 알맞은 말에 ○표 하세요.

3-1 29 30 31 32 33 34

30 (이상 , 초과) 34 (이하 , 미만)인 수

3-2 118 119 120 121 122 123

119 (이상 , 초과) 122 (이하 , 미만)인 수

4-1 수직선에 나타내어 보세요.

15 이상 19 미만인 수

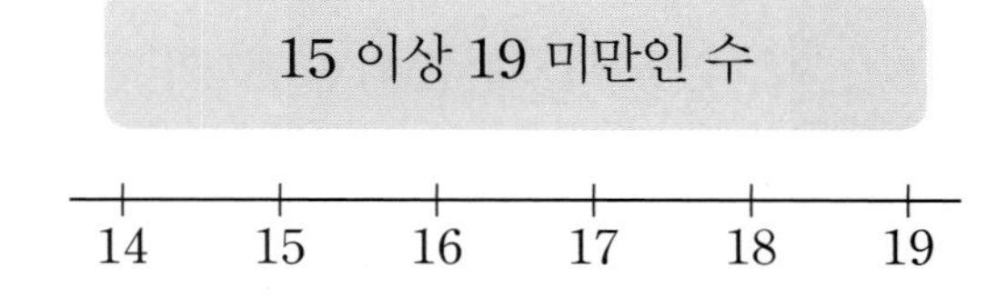

4-2 수직선에 나타내어 보세요.

59 초과 62 이하인 수

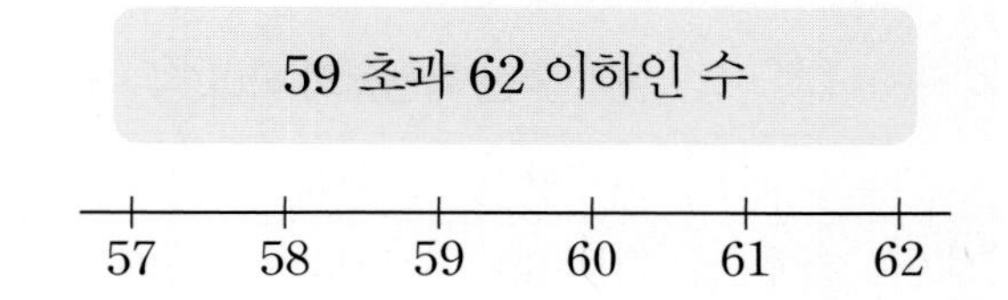

기초 집중 연습

기본 문제 연습

[1-1 ~ 1-2] 수직선에 나타낸 수의 범위를 써 보세요.

1-1

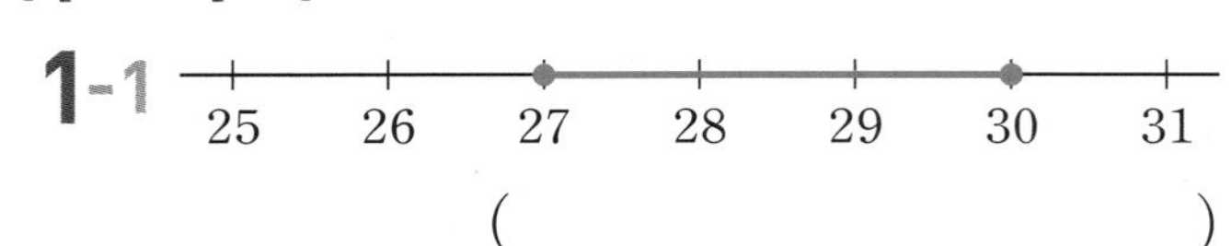

(　　　　　　　　　　)

1-2

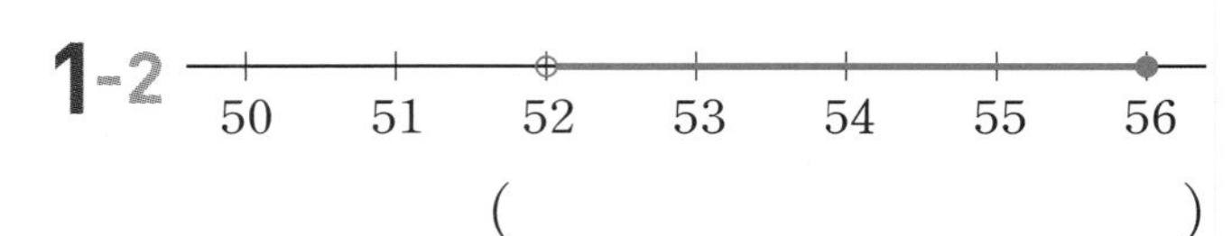

(　　　　　　　　　　)

[2-1 ~ 2-2] 수직선에 나타낸 수의 범위에 속하는 수를 찾아 기호를 써 보세요.

2-1

77　78　79　80　81　82　83

㉠ 79　㉡ 77　㉢ 81

(　　　　　　　　　　)

2-2

41　42　43　44　45　46　47

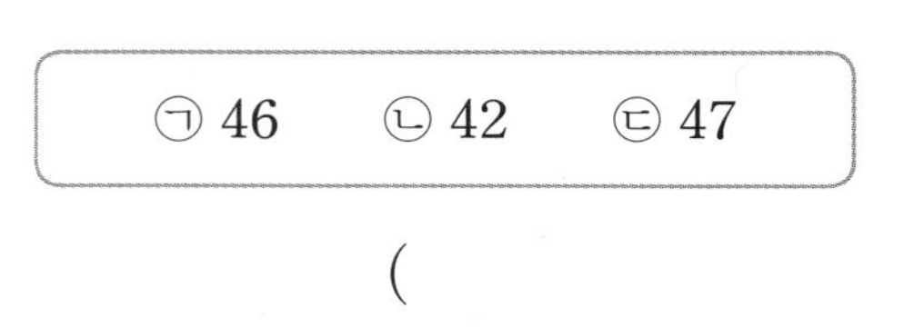

(　　　　　　　　　　)

[3-1 ~ 3-2] 주어진 수의 범위에 포함되는 자연수를 모두 써 보세요.

3-1

21 초과 24 이하인 수

(　　　　　　　　　　)

3-2

15 이상 18 미만인 수

(　　　　　　　　　　)

4-1 현기네 반 학생들의 국어 점수를 조사하여 나타낸 표입니다. 국어 점수가 80점 이상 90점 이하인 학생은 모두 몇 명인가요?

현기네 반 학생들의 국어 점수

이름	현기	성훈	지선	윤석
점수(점)	80	94	89	96

(　　　　　　　　　　)

4-2 영후네 반 학생들의 공 던지기 기록을 조사하여 나타낸 표입니다. 공 던지기 기록이 25 m 초과 30 m 미만인 학생은 모두 몇 명인가요?

영후네 반 학생들의 공 던지기 기록

이름	영후	경진	민우	민지
기록(m)	25.5	31.4	29.9	30.0

(　　　　　　　　　　)

▶정답 및 풀이 3쪽

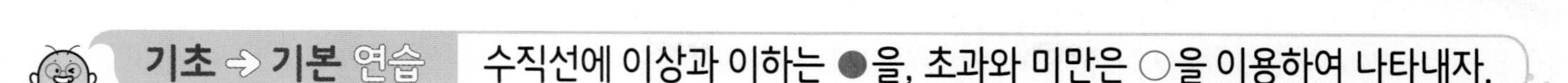

기초 → 기본 연습 수직선에 이상과 이하는 ●을, 초과와 미만은 ○을 이용하여 나타내자.

기초 오른쪽은 오래매달리기 등급별 기록을 나타낸 표입니다. 형진이의 기록이 27초일 때 형진이가 속한 등급의 기록의 범위를 써 보세요.

등급별 기록

등급	기록(초)
1	30 이상
2	25 이상 30 미만
3	25 미만

답 ______________________

5-1 기초 의 표에서 형진이의 기록이 27초일 때 형진이가 속한 등급의 기록의 범위를 수직선에 나타내어 보세요.

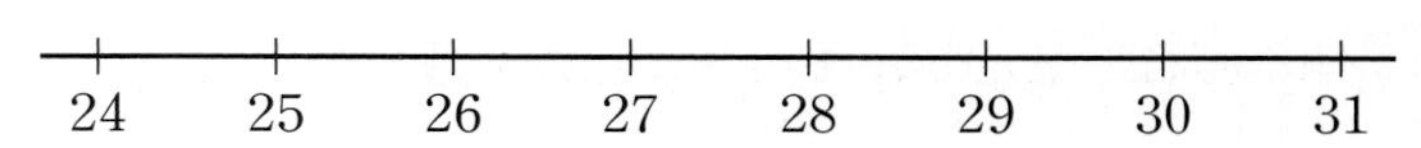

5-2 대호네 학교 남자 태권도 선수들의 체급별 몸무게를 나타낸 표입니다. 대호의 몸무게가 35 kg일 때 대호가 속한 체급의 몸무게의 범위를 수직선에 나타내어 보세요.

체급별 몸무게(초등학교 5학년 남학생용)

체급	몸무게(kg)
핀급	32 이하
플라이급	32 초과 34 이하
밴텀급	34 초과 36 이하
페더급	36 초과 39 이하

32 33 34 35 36 37 38 39

5-3 오른쪽은 놀이 기구별 탑승 가능한 키를 나타낸 표입니다. 수호의 키가 138 cm일 때 수호가 탈 수 있는 놀이 기구의 탑승 가능한 키의 범위를 수직선에 나타내어 보세요.

90 100 110 120 130 140 150

놀이 기구별 탑승 가능한 키

놀이 기구	키(cm)
UFO 팽이	100 초과 120 이하
꼬마 비행기	100 이상 130 미만
붕붕 자동차	100 이상 140 미만

올림

교과서 기초 개념

• 올림 알아보기

올림 : 구하려는 자리의 아래 수를 올려서 나타내는 방법

예 125를 올림하여 십의 자리까지 나타내기

십의 자리 아래 수를 올림

125 → 130

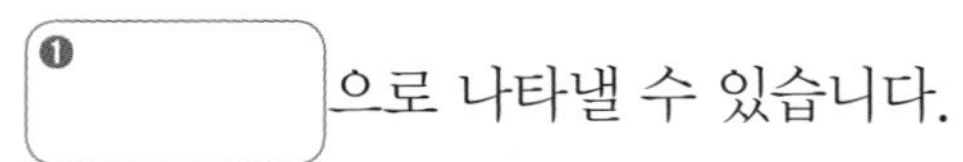

십의 자리 아래 수인 5를 10으로 보고 ❶ [ ] 으로 나타낼 수 있습니다.

예 125를 올림하여 백의 자리까지 나타내기

백의 자리 아래 수를 올림

125 → 200

백의 자리 아래 수인 25를 100으로 보고 ❷ [ ] 으로 나타낼 수 있습니다.

올림을 할 때 구하려는 자리의 아래 수가 0이 아니면 구하려는 자리로 올려서 나타내~

그리고 구하려는 자리의 아래 수는 모두 0으로 나타내면 돼.

정답 ❶ 130 ❷ 200

공부한 날 월 일

▶정답 및 풀이 3쪽

[1-1 ~ 1-2] 지원이네 학교 5학년 학생 211명에게 필통을 한 개씩 나누어 주려고 합니다. 필통을 주어진 묶음으로 산다면 필통은 최소 몇 개 사야 하는지 구해 보세요.

1-1 10개씩 묶음으로 살 때

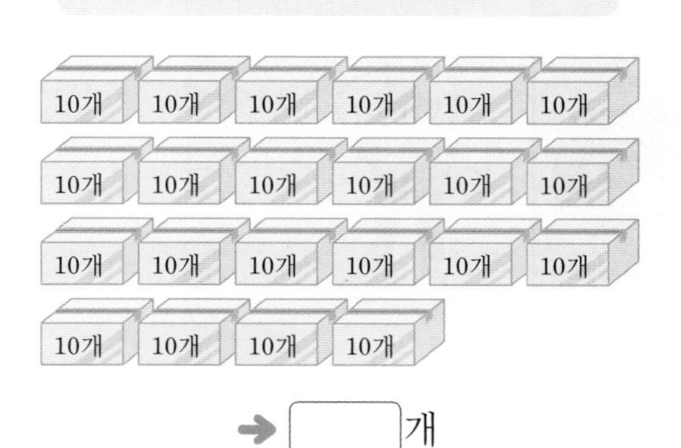

➔ ☐개

1-2 100개씩 묶음으로 살 때

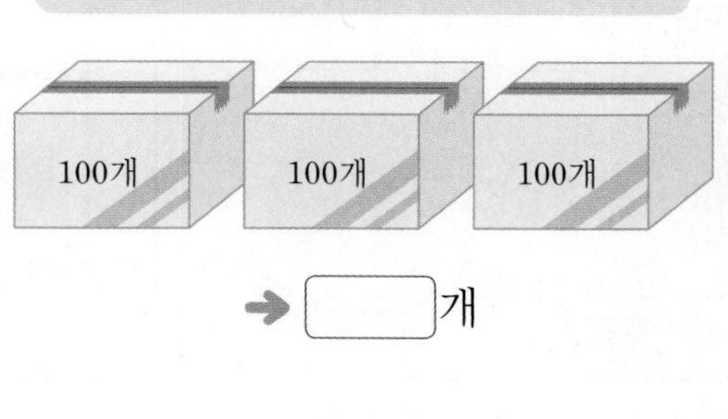

➔ ☐개

[2-1 ~ 2-2] 주어진 수를 올림하여 십의 자리까지 나타낸 수에 ○표 하세요.

2-1 138 ➔ (120 , 130 , 140)

2-2 284 ➔ (270 , 280 , 290)

3-1 주어진 수를 올림하여 십의 자리까지 나타내려고 합니다. ☐ 안에 알맞은 수를 써넣으세요.

476 ➔ 4☐☐

3-2 주어진 수를 올림하여 백의 자리까지 나타내려고 합니다. ☐ 안에 알맞은 수를 써넣으세요.

305 ➔ 4☐☐

[4-1 ~ 4-2] 주어진 수를 올림하여 백의 자리까지 나타내어 보세요.

4-1 159 ➔ (　　　　　)

4-2 713 ➔ (　　　　　)

버림

교과서 기초 개념

• 버림 알아보기

버림 : 구하려는 자리의 아래 수를 버려서 나타내는 방법

㉠ 125를 버림하여 십의 자리까지 나타내기

십의 자리 아래 수를 버림

125 → 120

십의 자리 아래 수인 5를 0으로 보고

❶ [ ] 으로 나타낼 수 있습니다.

㉠ 125를 버림하여 백의 자리까지 나타내기

백의 자리 아래 수를 버림

125 → 100

백의 자리 아래 수인 25를 0으로 보고

❷ [ ] 으로 나타낼 수 있습니다.

버림을 할 때 구하려는 자리 아래 수를 모두 0으로 바꾸면 돼.

맞아, 구하려는 자리 수는 그대로야.

정답 ❶ 120 ❷ 100

개념 · 원리 확인

▶정답 및 풀이 4쪽

[1-1 ~ 1-2] 찬희가 저금통에 동전을 저금했습니다. 저금한 돈이 24350원일 때 주어진 지폐로 최대 얼마까지 바꿀 수 있는지 구해 보세요.

1-1

1000원짜리 지폐로 바꿀 때

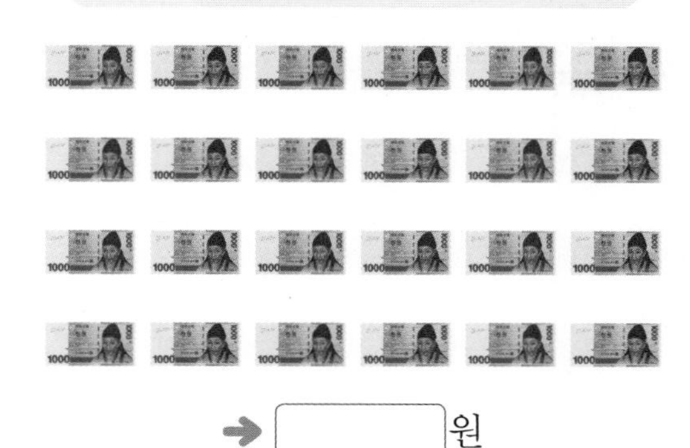

➔ ☐원

1-2

10000원짜리 지폐로 바꿀 때

➔ ☐원

[2-1 ~ 2-2] 주어진 수를 버림하여 십의 자리까지 나타낸 수에 ○표 하세요.

2-1 594 ➔ (570 , 580 , 590)

2-2 1368 ➔ (1350 , 1360 , 1370)

3-1 주어진 수를 버림하여 십의 자리까지 나타내려고 합니다. ☐ 안에 알맞은 수를 써넣으세요.

883 ➔ 8☐☐

3-2 주어진 수를 버림하여 백의 자리까지 나타내려고 합니다. ☐ 안에 알맞은 수를 써넣으세요.

3742 ➔ 3☐☐☐

[4-1 ~ 4-2] 주어진 수를 버림하여 백의 자리까지 나타내어 보세요.

4-1 469 ➔ (　　　　　　)

4-2 6503 ➔ (　　　　　　)

3일 기초 집중 연습

기본 문제 연습

1-1 올림하여 주어진 자리까지 나타내어 보세요.

수	십의 자리까지	백의 자리까지
763		

1-2 버림하여 주어진 자리까지 나타내어 보세요.

수	십의 자리까지	백의 자리까지
925		

2-1 주어진 수를 올림하여 천의 자리까지 나타내어 보세요.

3415

( )

2-2 주어진 수를 버림하여 천의 자리까지 나타내어 보세요.

1370

( )

3-1 올림하여 십의 자리까지 나타낸 수가 잘못된 친구의 이름을 써 보세요.

정우: 605 → 610

민하: 4861 → 4860

( )

3-2 버림하여 십의 자리까지 나타낸 수가 잘못된 친구의 이름을 써 보세요.

아라: 362 → 360

윤수: 5814 → 5820

( )

4-1 올림하여 백의 자리까지 나타내면 7600이 되는 수를 찾아 기호를 써 보세요.

㉠ 7602 ㉡ 7599 ㉢ 7480

( )

4-2 버림하여 백의 자리까지 나타내면 4800이 되는 수를 찾아 기호를 써 보세요.

㉠ 4759 ㉡ 4803 ㉢ 4685

( )

▶정답 및 풀이 4쪽

기초 → 문장제 연습 올림과 버림 중 어떤 방법으로 어림해야 하는지 먼저 알아보자.

기초 수를 올림하여 천의 자리까지 나타내어 보세요.

43500

답 ____________

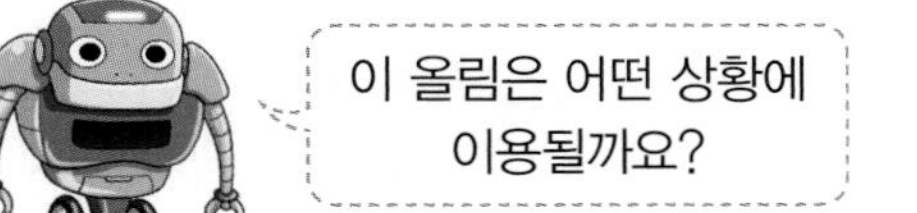

5-1 수지는 신발 가게에서 43500원짜리 운동화를 한 켤레 샀습니다. 1000원짜리 지폐로만 운동화값을 낸다면 최소 얼마를 내야 하나요?

답 ____________

5-2 현진이는 어머니의 심부름을 하고 받은 동전을 모았습니다. 모은 동전을 세어 보니 31720원이었습니다. 이것을 1000원짜리 지폐로 바꾸면 최대 얼마까지 바꿀 수 있나요?

답 ____________

5-3 배 759상자를 트럭에 모두 실으려고 합니다. 트럭 한 대에 100상자씩 실을 수 있을 때 트럭은 최소 몇 대 필요하나요?

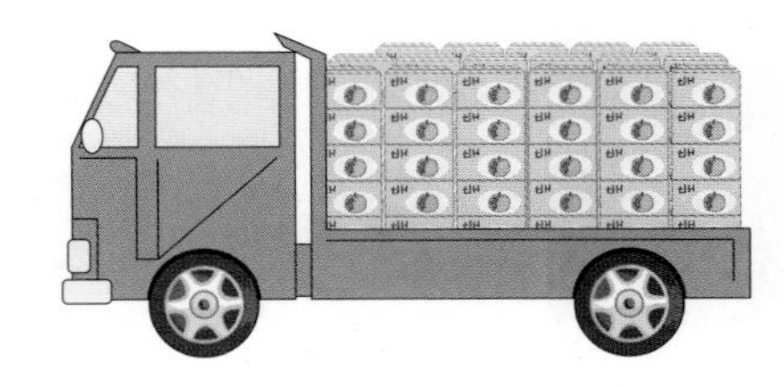

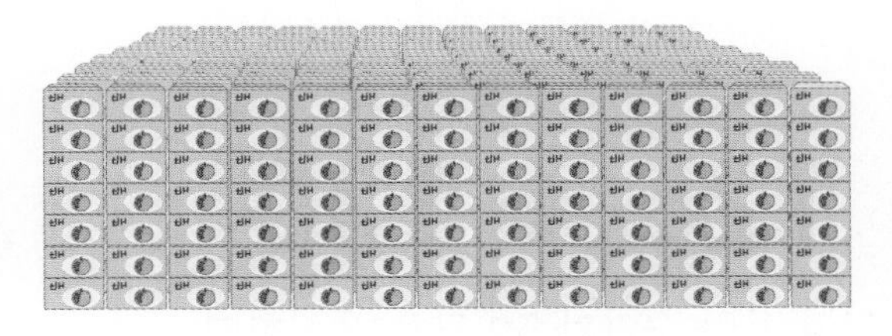

답 ____________

1주 3일

4일 수의 범위와 어림하기 반올림

교과서 기초 개념

• **반올림 알아보기**

> 반올림 : **구하려는 자리** 바로 아래 자리의 숫자가 **0, 1, 2, 3, 4**이면 버리고,
> **5, 6, 7, 8, 9**이면 올리는 방법

예) 125를 반올림하여 십의 자리까지 나타내기

일의 자리 숫자를 반올림

125 → 130

일의 자리 숫자가 5이므로 올림하여

❶ [ ] 으로 나타낼 수 있습니다.

예) 125를 반올림하여 백의 자리까지 나타내기

십의 자리 숫자를 반올림

125 → 100

십의 자리 숫자가 2이므로 버림하여

❷ [ ] 으로 나타낼 수 있습니다.

정답 ❶ 130 ❷ 100

개념 · 원리 확인

▶정답 및 풀이 5쪽

[1-1 ~ 1-2] 바둑돌이 348개 있습니다. 바둑돌의 수를 수직선에 ↓로 나타내고 □ 안에 알맞은 수를 써넣으세요.

1-1

340 350

348은 340과 350 중에서 □에 더 가까우므로 바둑돌은 약 □개라고 할 수 있습니다.

1-2

300 400

348은 300과 400 중에서 □에 더 가까우므로 바둑돌은 약 □개라고 할 수 있습니다.

[2-1 ~ 2-2] 주어진 수를 반올림하여 십의 자리까지 나타낸 수에 ○표 하세요.

2-1 162 ➔ (150 , 160 , 170)

2-2 479 ➔ (460 , 470 , 480)

3-1 주어진 수를 반올림하여 십의 자리까지 나타내려고 합니다. □ 안에 알맞은 수를 써넣으세요.

553 ➔ 5□□

3-2 주어진 수를 반올림하여 백의 자리까지 나타내려고 합니다. □ 안에 알맞은 수를 써넣으세요.

1564 ➔ 1□□□

[4-1 ~ 4-2] 수를 반올림하여 주어진 자리까지 나타내어 보세요.

4-1 백의 자리까지

608 ➔ ( )

4-2 천의 자리까지

2716 ➔ ( )

소수를 올림, 버림, 반올림하기

교과서 기초 개념

• **소수를 올림, 버림, 반올림하기**

예 1.635를 어림하여 소수 첫째 자리까지 나타내기

올림	버림	반올림
소수 첫째 자리 아래 수를 올림	소수 첫째 자리 아래 수를 버림	소수 둘째 자리 숫자를 반올림
1.635 → 1.7	**1.635 → 1.6**	**1.635 → 1.6**
소수 첫째 자리 아래 수를 0.1로 보고 ❶ [ ] 로 나타낼 수 있습니다.	소수 첫째 자리 아래 수를 0으로 보고 ❷ [ ] 으로 나타낼 수 있습니다.	소수 둘째 자리 숫자가 3이므로 버림하여 ❸ [ ] 으로 나타낼 수 있습니다.

정답 ❶ 1.7 ❷ 1.6 ❸ 1.6

▶정답 및 풀이 5쪽

[1-1 ~ 1-2] 주어진 소수를 올림하여 소수 첫째 자리까지 나타낸 수에 ○표 하세요.

1-1 8.75 → (8.7 , 8.8)

1-2 3.248 → (3.2 , 3.3)

[2-1 ~ 2-2] 주어진 소수를 버림하여 소수 둘째 자리까지 나타낸 수에 색칠해 보세요.

2-1 2.956

2.94 | 2.95 | 2.96

2-2 5.724

5.71 | 5.72 | 5.73

3-1 9.163을 올림하여 소수 둘째 자리까지 나타내려고 합니다. □ 안에 알맞은 수를 써넣으세요.

9.□□

3-2 8.765를 버림하여 소수 첫째 자리까지 나타내려고 합니다. □ 안에 알맞은 수를 써넣으세요.

8.□

[4-1 ~ 4-2] 소수를 반올림하여 주어진 자리까지 나타내어 보세요.

4-1 소수 첫째 자리까지

1.77 → (   )

4-2 소수 둘째 자리까지

3.165 → (   )

5-1 5.402를 올림하여 일의 자리까지 나타내어 보세요.

(   )

5-2 7.156을 반올림하여 일의 자리까지 나타내어 보세요.

(   )

1주 4일

4일 기초 집중 연습

기본 문제 연습

1-1 8276을 반올림하여 주어진 자리까지 나타내어 보세요.

십의 자리까지	백의 자리까지	천의 자리까지
8280		

1-2 3.051을 반올림하여 주어진 자리까지 나타내어 보세요.

일의 자리까지	소수 첫째 자리까지	소수 둘째 자리까지
3		

2-1 준희가 말한 소수를 올림하여 소수 첫째 자리까지 나타내어 보세요.

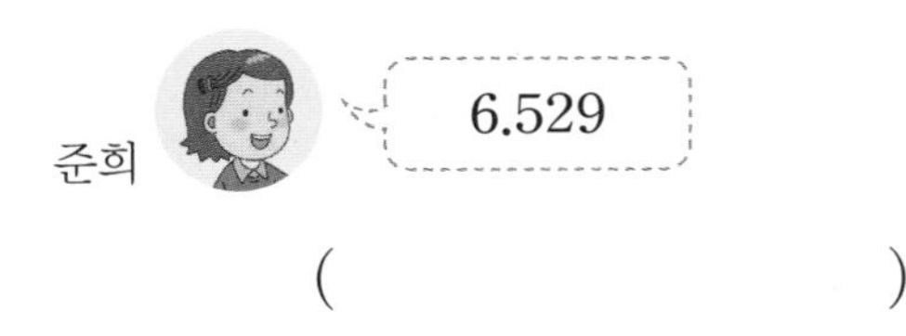

(　　　　　　　　　　)

2-2 우석이가 말한 소수를 버림하여 일의 자리까지 나타내어 보세요.

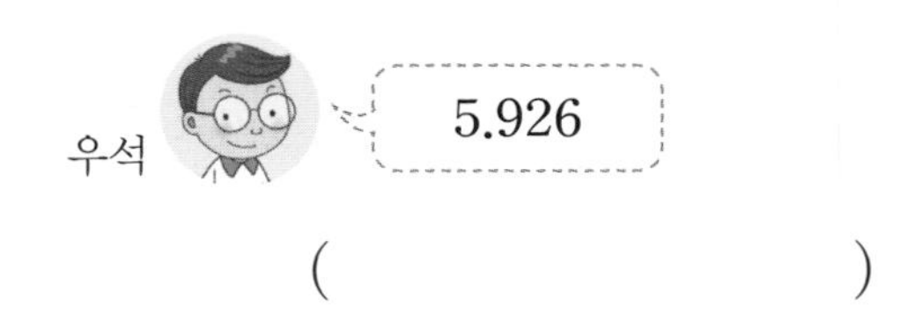

(　　　　　　　　　　)

3-1 반올림하여 십의 자리까지 나타내면 3920이 되는 수에 ○표 하세요.

3930　　3927　　3924

3-2 반올림하여 백의 자리까지 나타내면 1700이 되는 수에 ○표 하세요.

1762　　1651　　1804

4-1 7.724를 올림, 버림하여 소수 첫째 자리까지 각각 나타내어 보세요.

올림	버림

4-2 3.258을 올림, 반올림하여 소수 둘째 자리까지 각각 나타내어 보세요.

올림	반올림

▶정답 및 풀이 6쪽

기초 → 문장제 연습 반올림을 할 때는 구하려는 자리 바로 아래의 자리 숫자를 살펴보자.

기초 수를 반올림하여 천의 자리까지 나타내어 보세요.

58631

답 ______________

이 문제가 문장제에서는 어떻게 표현될까요?

5-1 어느 토요일에 놀이공원의 입장객 수입니다. 입장객 수를 반올림하여 천의 자리까지 나타내어 보세요.

58631명

답 ______________

5-2 윤수의 몸무게를 반올림하여 일의 자리까지 나타내어 보세요.

답 ______________

5-3 색 테이프의 길이는 약 몇 cm인지 반올림하여 일의 자리까지 나타내어 보세요.

답 약 ______________

(분수)×(자연수)(1)

교과서 기초 개념

• (단위분수)×(자연수)

예) $\frac{1}{4}\times 3$의 계산

단위분수의 분자와 자연수를 곱하여 계산합니다.

$$\frac{1}{4}\times 3=\frac{1\times 3}{4}=\frac{❶}{4}$$

참고

단위분수는 분자가 1인 분수이고
진분수는 분자가 분모보다 작은 분수입니다.

• (진분수)×(자연수)

예) $\frac{5}{9}\times 6$의 계산

방법 1 분자와 자연수를 곱한 후 약분하여 계산

$$\frac{5}{9}\times 6=\frac{5\times 6}{9}=\frac{\overset{10}{\cancel{30}}}{\underset{3}{\cancel{9}}}=\frac{10}{3}=3\frac{❷}{3}$$

방법 2 분모와 자연수를 약분하여 계산

$$\frac{5}{\underset{3}{\cancel{9}}}\times \overset{2}{\cancel{6}}=\frac{5\times 2}{3}=\frac{10}{3}=❸\frac{1}{3}$$

정답 ❶ 3 ❷ 1 ❸ 3

개념 · 원리 확인

▶정답 및 풀이 6쪽

[1-1 ~ 1-2] 그림을 보고 $\square$ 안에 알맞은 수를 써넣으세요.

1-1

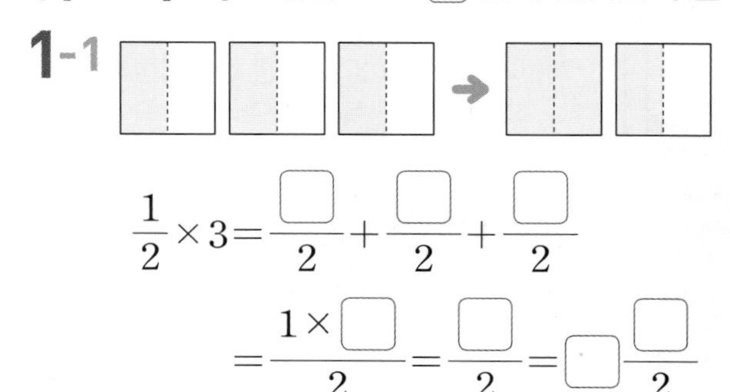

$$\frac{1}{2}\times 3=\frac{\square}{2}+\frac{\square}{2}+\frac{\square}{2}$$
$$=\frac{1\times\square}{2}=\frac{\square}{2}=\square\frac{\square}{2}$$

1-2

$$\frac{4}{5}\times 2=\frac{\square}{5}+\frac{\square}{5}$$
$$=\frac{4\times\square}{5}=\frac{\square}{5}=\square\frac{\square}{5}$$

2-1 $\frac{2}{9}\times 3$을 두 가지 방법으로 계산하려고 합니다. $\square$ 안에 알맞은 수를 써넣으세요.

방법 1

$$\frac{2}{9}\times 3=\frac{2\times 3}{9}=\frac{\overset{\square}{\cancel{6}}}{\underset{3}{\cancel{9}}}=\frac{\square}{3}$$

방법 2

$$\frac{2}{\underset{3}{\cancel{9}}}\times\overset{\square}{\cancel{3}}=\frac{2\times\square}{3}=\frac{\square}{3}$$

2-2 $\frac{7}{8}\times 6$을 두 가지 방법으로 계산하려고 합니다. $\square$ 안에 알맞은 수를 써넣으세요.

방법 1

$$\frac{7}{8}\times 6=\frac{7\times 6}{8}=\frac{\overset{\square}{\cancel{42}}}{\underset{4}{\cancel{8}}}=\frac{\square}{4}=\square\frac{\square}{4}$$

방법 2

$$\frac{7}{\underset{4}{\cancel{8}}}\times\overset{\square}{\cancel{6}}=\frac{7\times\square}{4}=\frac{\square}{4}=\square\frac{\square}{4}$$

[3-1 ~ 3-2] 보기 와 같은 방법으로 계산해 보세요.

보기

$$\frac{3}{20}\times 8=\frac{3\times 8}{20}=\frac{\overset{6}{\cancel{24}}}{\underset{5}{\cancel{20}}}=\frac{6}{5}=1\frac{1}{5}$$

3-1 $\frac{5}{6}\times 10$

3-2 $\frac{9}{10}\times 4$

교과서 기초 개념

• (대분수) × (자연수)

예 $1\frac{1}{5} \times 3$의 계산

방법 1 대분수를 **가분수로 바꾸어** 계산

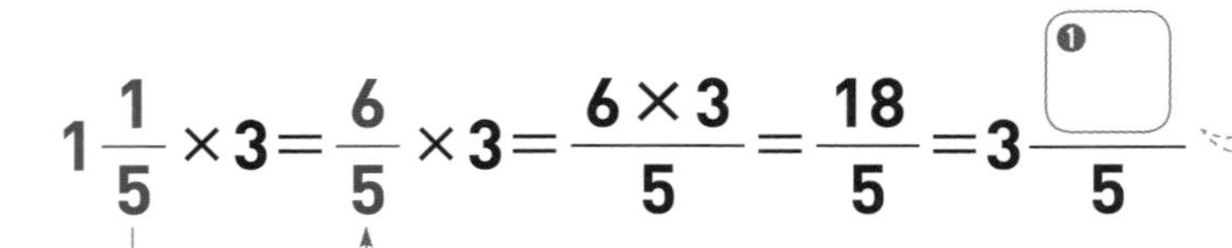

$$1\frac{1}{5} \times 3 = \frac{6}{5} \times 3 = \frac{6 \times 3}{5} = \frac{18}{5} = 3\frac{❶}{5}$$

대분수를 가분수로 바꾸기

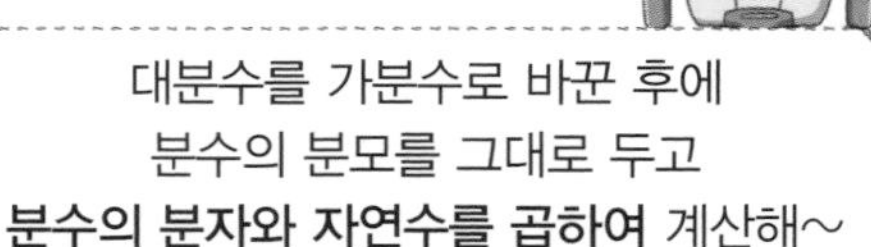

방법 2 대분수를 **자연수 부분과 진분수 부분으로 구분하여** 계산

$$1\frac{1}{5} \times 3 = (1 \times 3) + \left(\frac{1}{5} \times 3\right) = 3 + \frac{3}{5} = ❷\frac{3}{5}$$

$1\frac{1}{5}$을 $1 + \frac{1}{5}$로 생각한 후, 1×3, $\frac{1}{5} \times 3$으로 계산하여 더합니다.

정답 ❶ 3 ❷ 3

개념 · 원리 확인

▶정답 및 풀이 6쪽

[1-1 ~ 1-2] 그림을 보고 □ 안에 알맞은 수를 써넣으세요.

1-1

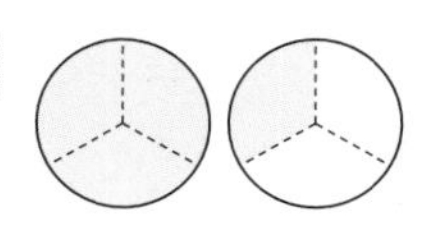
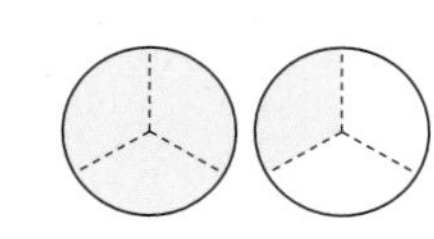
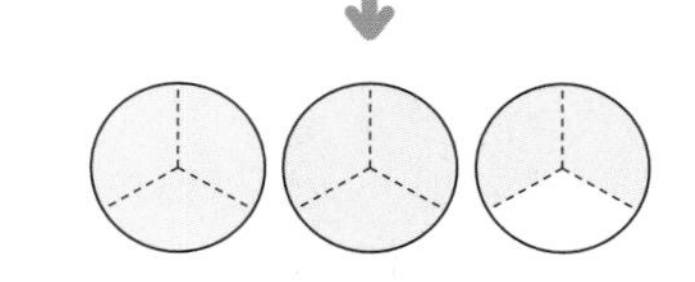

$$1\frac{1}{3}\times 2=\frac{4}{3}\times 2=\frac{\square\times 2}{3}$$

$$=\frac{\square}{3}=\square\frac{\square}{3}$$

1-2

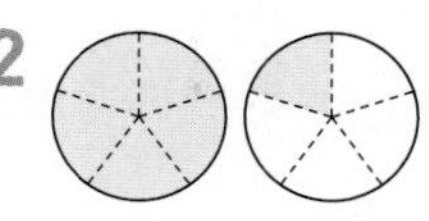
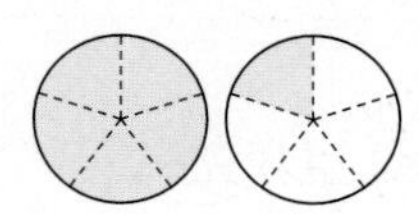
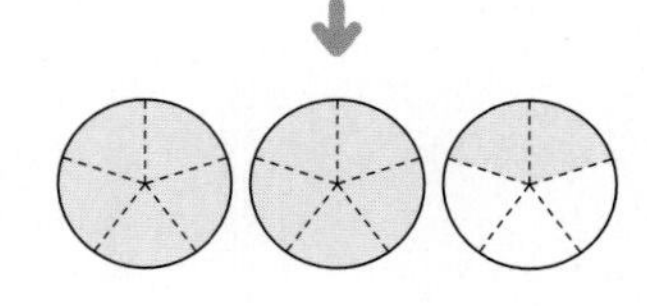

$$1\frac{1}{5}\times 2=(1\times 2)+\left(\frac{1}{5}\times 2\right)$$

$$=2+\frac{\square}{5}=\square\frac{\square}{5}$$

[2-1 ~ 2-4] 대분수를 가분수로 바꾸어 계산하려고 합니다. □ 안에 알맞은 수를 써넣으세요.

2-1 $1\frac{1}{4}\times 3=\frac{\square}{4}\times 3=\frac{\square\times 3}{4}$

$=\frac{\square}{4}=\square\frac{\square}{4}$

2-2 $2\frac{3}{8}\times 5=\frac{\square}{8}\times 5=\frac{\square\times 5}{8}$

$=\frac{\square}{8}=\square\frac{\square}{8}$

2-3 $1\frac{2}{5}\times 6=\frac{\square}{5}\times 6=\frac{\square\times 6}{5}$

$=\frac{\square}{5}=\square\frac{\square}{5}$

2-4 $1\frac{5}{6}\times 7=\frac{\square}{6}\times 7=\frac{\square\times 7}{6}$

$=\frac{\square}{6}=\square\frac{\square}{6}$

[3-1 ~ 3-2] 대분수를 자연수 부분과 진분수 부분으로 구분하여 계산하려고 합니다. □ 안에 알맞은 수를 써넣으세요.

3-1 $1\frac{2}{9}\times 4=(1\times 4)+\left(\frac{\square}{\square}\times 4\right)$

$=\square+\frac{8}{\square}=\square$

3-2 $2\frac{2}{7}\times 3=(2\times\square)+\left(\frac{\square}{\square}\times\square\right)$

$=\square+\frac{\square}{\square}=\square$

5일 기초 집중 연습

기본 문제 연습

1-1 계산해 보세요.

$\frac{1}{3}\times 8$

1-2 계산해 보세요.

$2\frac{1}{7}\times 3$

2-1 빈칸에 알맞은 수를 써넣으세요.

2-2 빈칸에 알맞은 수를 써넣으세요.

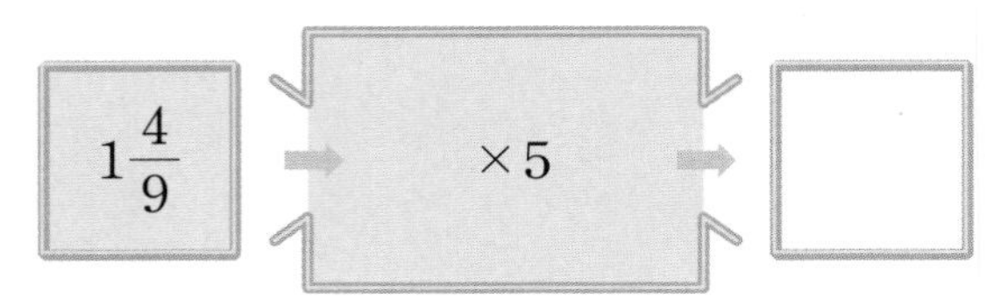

3-1 계산 결과를 찾아 이어 보세요.

$\frac{1}{6}\times 13$ •

$\frac{3}{8}\times 12$ •

• $2\frac{1}{6}$

• $3\frac{5}{6}$

• $4\frac{1}{2}$

3-2 계산 결과를 찾아 이어 보세요.

$2\frac{3}{4}\times 15$ •

$3\frac{1}{9}\times 10$ •

• $31\frac{1}{9}$

• $36\frac{1}{2}$

• $41\frac{1}{4}$

4-1 계산을 바르게 한 사람은 누구인가요?

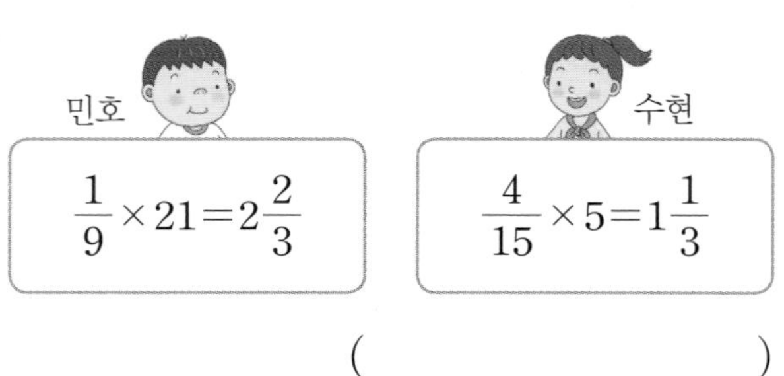

( )

4-2 계산을 잘못한 사람은 누구인가요?

( )

▶정답 및 풀이 7쪽

연산 → 문장제 연습 정다각형의 둘레는 (한 변의 길이)×(변의 수)로 구하자.

연산 계산해 보세요.

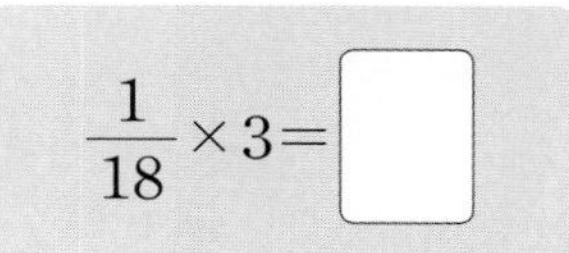

$\frac{1}{18}\times 3=\square$

이 곱셈식이 어떤 상황에 이용될까요?

5-1 한 변의 길이가 $\frac{1}{18}$ m인 정삼각형입니다. 이 정삼각형의 둘레는 몇 m인가요?

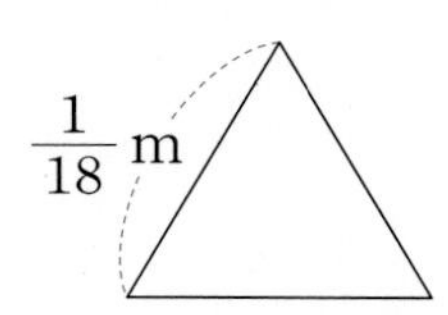

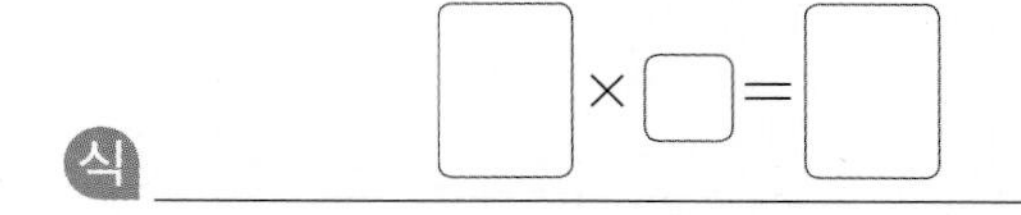

$\square\times\square=\square$

식 ______________________

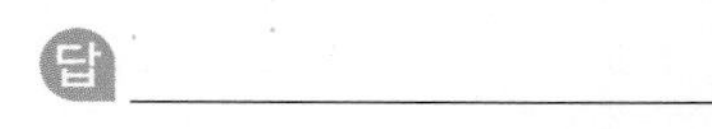

답 ______________

5-2 한 변의 길이가 $\frac{9}{10}$ cm인 정사각형입니다. 이 정사각형의 둘레는 몇 cm인가요?

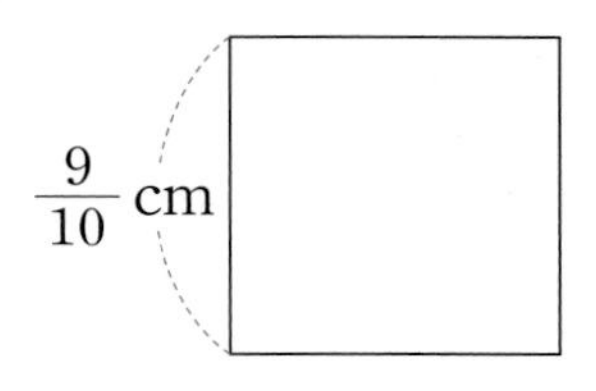

식 ______________________

답 ______________

5-3 한 변의 길이가 $1\frac{1}{7}$ cm인 정육각형입니다. 이 정육각형의 둘레는 몇 cm인가요?

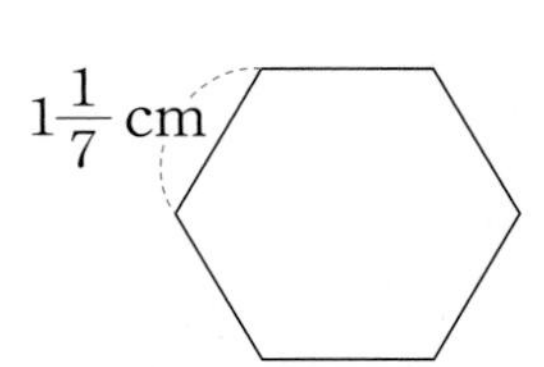

식 ______________________

답 ______________

누구나 100점 맞는 테스트

1 ☐ 안에 알맞은 말을 써넣으세요.

47, 49, 60 등과 같이 47과 같거나 큰 수를 47 ☐ 인 수라고 합니다.

2 주어진 수를 버림하여 백의 자리까지 나타낸 수에 ○표 하세요.

2156 ➔ (2000 , 2100 , 2200)

3 보기 와 같이 소수를 반올림하여 소수 둘째 자리까지 나타내어 보세요.

보기
9.207 ➔ 9.21

5.392 ➔ (   )

4 칠판에 적은 방법과 같이 계산해 보세요.

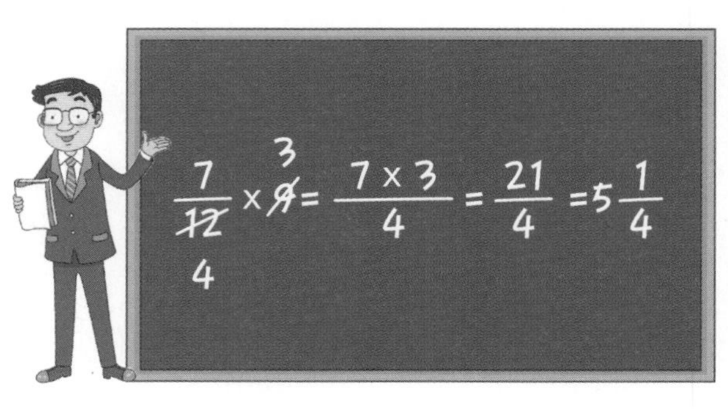

$\frac{8}{15} \times 20$ ________________

5 수직선에 나타내어 보세요.

16 이상 19 미만인 수

14　15　16　17　18　19　20

▶정답 및 풀이 7쪽

6 수직선에 나타낸 수의 범위를 써 보세요.

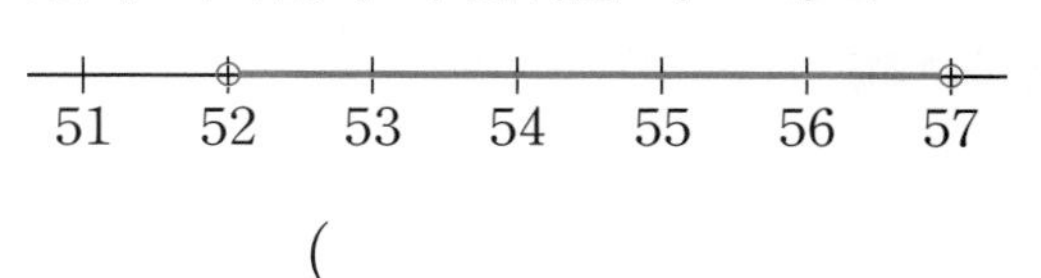

(　　　　　　　　　　)

7 태희네 아파트의 주민 수는 1638명입니다. 이 아파트의 주민 수를 반올림하여 천의 자리까지 나타내어 보세요.

(　　　　　　　　　　)

8 두 수의 곱을 빈칸에 써넣으세요.

$1\frac{7}{10}$	
3	

9 효연이네 모둠 학생들이 넘은 줄넘기 횟수입니다. 줄넘기 횟수가 80회 초과인 학생의 이름을 모두 써 보세요.

효연이네 모둠 학생들이 넘은 줄넘기 횟수

이름	효연	민호	서희	지아
횟수(회)	80	89	52	96

(　　　　　　　　　　)

10 수를 올림하여 천의 자리까지 나타낸 것입니다. 잘못 나타낸 친구의 이름을 써 보세요.

(　　　　　　　　　　)

범인이 버린 자동차는 어떤 색?

창의 1 형사들이 범인이 버린 자동차를 발견했습니다. 범인이 버린 자동차는 어떤 색인지 구해 보세요.

3 m는 [ ] cm와 같아~

높이가 3 m 미만인 자동차만 터널을 통과할 수 있대.

높이가 3 m보다 낮은 자동차는 [ ] 자동차와 [ ] 자동차야.

답 ____________

▶정답 및 풀이 8쪽

개를 가장 오래 키운 사람은 누굴까?

 주호 , 선희 , 정수 가 자신이 키우고 있는 개에 대해 이야기하고 있습니다.

표의 빈칸에 ○, ×를 채워 넣고
개를 가장 오래 키운 사람은 누구인지 써 보세요.

키운 기간 / 이름	2년	3년	4년
주호			
선희	×	○	×
정수			

답 ______________________

[3~4] 우석이가 사는 지역의 오늘의 날씨입니다. 물음에 답하세요.

오늘의 날씨		
(해와 구름)	구름 조금	17/29 ℃
자외선 6	미세 먼지 73	초미세 먼지 60

융합 3 구름의 양은 하늘 전체(10)에 구름이 얼마만큼 덮여 있는지를 판단하여 다음과 같이 구분합니다. 오늘 구름의 양의 범위를 찾아 써 보세요.

구분	맑음	구름 조금	구름 많음	흐림
구름의 양	2 이하	2 초과 5 이하	5 초과 8 이하	8 초과

____

초미세 먼지 농도 기준표를 보고 오늘의 초미세 먼지는 좋음, 보통, 나쁨, 매우 나쁨 중 무엇인지 □ 안에 알맞은 말을 써넣으세요.

구분	좋음	보통	나쁨	매우 나쁨
초미세 먼지 농도 (마이크로그램)	15 이하	16 이상 35 이하	36 이상 75 이하	76 이상

▶정답 및 풀이 8쪽

코딩 5 순서도의 시작에 $\frac{4}{5}$를 넣었을 때 출력되는 값을 구해 보세요.

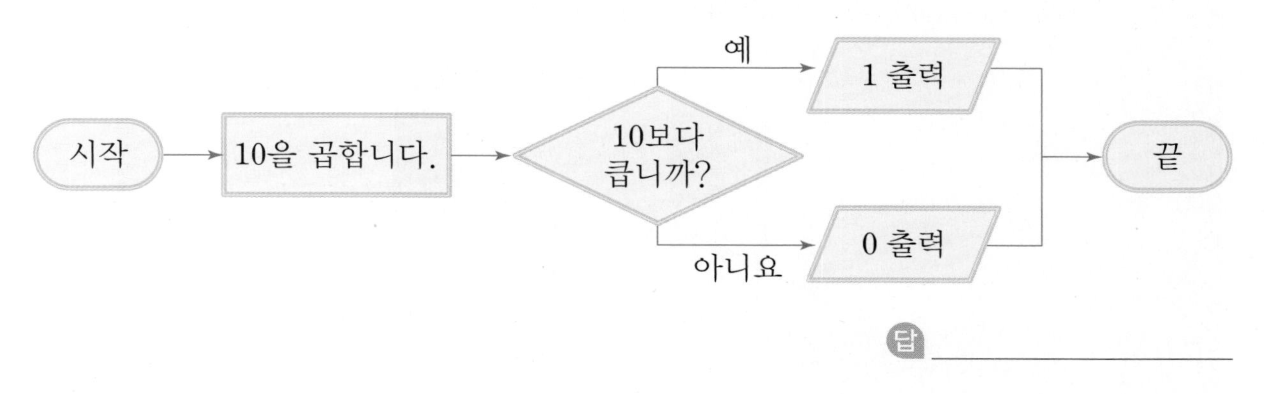

답 ______________

1주 특강

끓는 물이 담겨 있는 냄비에 국자를 넣고 국자가 뜨겁게 느껴질 때까지 걸린 시간을 재어 보았습니다. 뜨거워질 때까지 걸린 시간이 15초 초과 30초 이하인 국자를 찾아 써 보세요.

국자	걸린 시간(초)
금속 국자	5
플라스틱 국자	15
나무 국자	30

답 ______________

에라토스테네스는 지구의 둘레가 46250 km라고 계산했습니다. 에라토스테네스가 계산한 지구의 둘레를 반올림하여 백의 자리까지 나타내면 약 몇 km인가요?

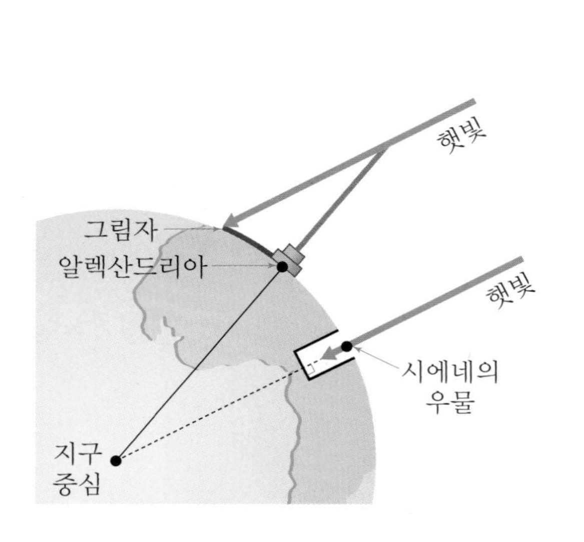

▲ 하짓날: 일 년 중 태양이 가장 높이 뜨고 낮의 길이가 가장 긴 날

답 약 ______________

융합 8 북두칠성의 별 ㉡과 북극성 사이의 거리는 별 ㉠과 ㉡ 사이의 거리의 5배입니다. 서준이가 다음과 같이 북두칠성의 모양을 그렸을 때 별 ㉡과 북극성 사이의 거리는 몇 cm인가요?

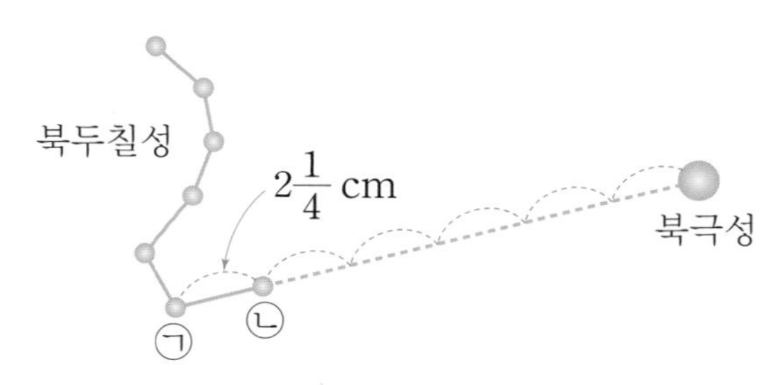

답 ______________

▶정답 및 풀이 8쪽

다음은 2020년 10월 경기도, 서울, 강원도 세 지역의 경제 활동 인구를 조사하여 나타낸 것입니다. 물음에 답하세요.

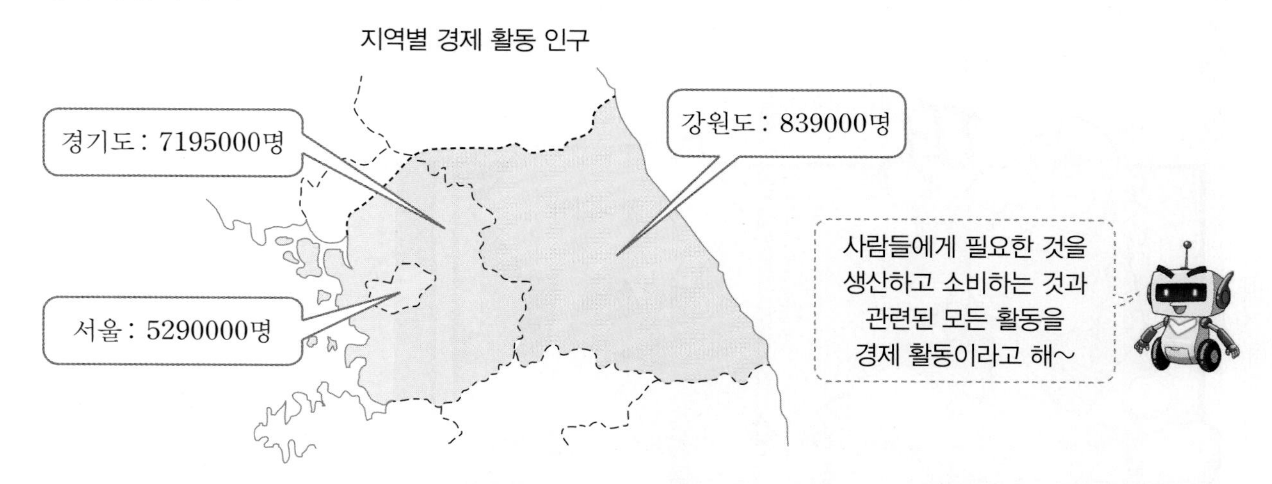

(1) 경기도, 서울, 강원도 세 지역의 경제 활동 인구를 반올림하여 십만의 자리까지 나타내어 보세요.

지역별 경제 활동 인구

지역	경기도	서울	강원도
인구(만 명)	720		

(2) 반올림하여 십만의 자리까지 나타낸 지역별 경제 활동 인구를 막대그래프로 나타내어 보세요.

지역별 경제 활동 인구

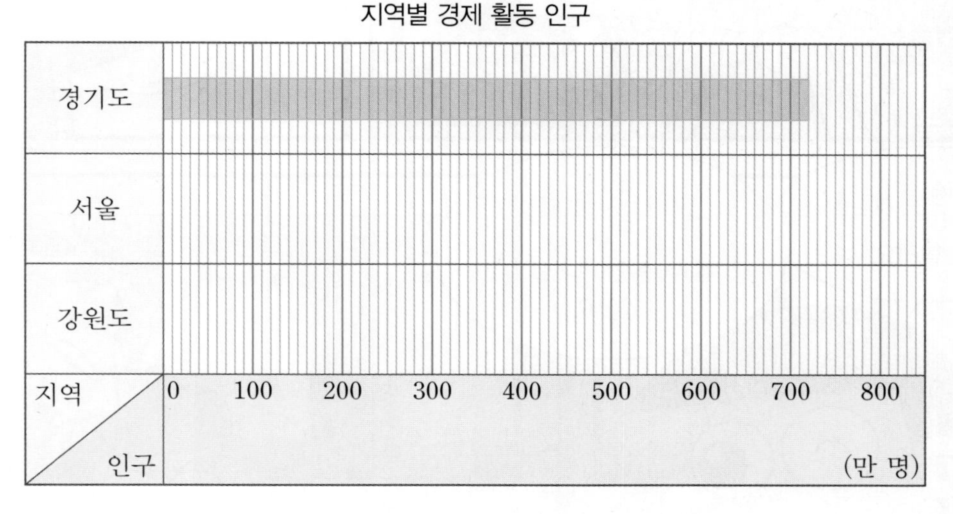

1주 특강

분수의 곱셈 / 합동과 대칭

펑
앗! 깜짝이야.
깜짝
너희들에게 남은 시간은 앞으로
각각 50분이다.
무엇을 할 테냐?
전 가족과 함께
시간을 보낼래요.
오호,
좋구나.
우와~ 신난다!
신난다고?
50분의 $\frac{4}{5}$는 게임을
실컷 할래요.
$\overset{10}{\cancel{50}} \times \frac{4}{\underset{1}{\cancel{5}}} = 40$(분)
40분 동안이나 할 수
있어요.
으휴~

2주에는 무엇을 공부할까?①

- 1일 (자연수)×(진분수), (자연수)×(대분수)
- 2일 (단위분수)×(단위분수), (진분수)×(단위분수) / (진분수)×(진분수), 세 분수의 곱셈
- 3일 (대분수)×(대분수), 여러 가지 분수의 곱셈
- 4일 도형의 합동, 합동인 도형의 성질
- 5일 선대칭도형(1), (2)

2주에는 무엇을 공부할까? ②

5-1 분수의 덧셈과 뺄셈

$$4\frac{3}{5}+3\frac{1}{2}=\frac{23}{5}+\frac{7}{2}=\frac{46}{10}+\frac{35}{10}=\frac{81}{10}=8\frac{1}{10}\ (\mathrm{L})$$

대분수의 덧셈은
대분수를 가분수로 바꾸어
계산하면 돼.

대분수의 덧셈은
자연수는 자연수끼리 더하고
분수는 분수끼리 통분하여
계산해도 돼.

1-1 빈 곳에 두 분수의 합을 써넣으세요.

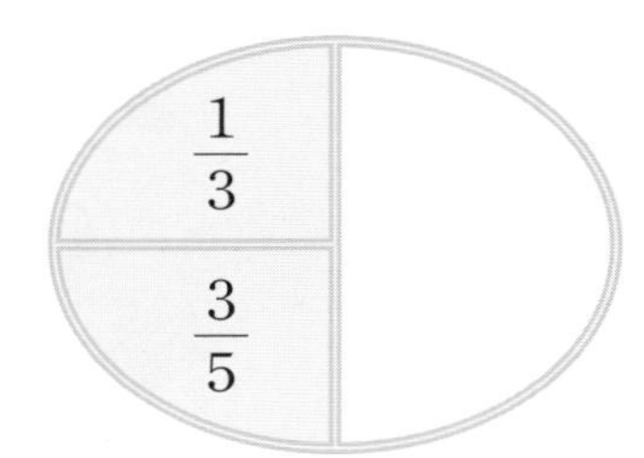

1-2 빈칸에 두 분수의 차를 써넣으세요.

$\frac{5}{6}$	$\frac{2}{3}$

2-1 보기 와 같은 방법으로 계산해 보세요.

보기

$$2\frac{3}{4}+1\frac{1}{3}=\frac{11}{4}+\frac{4}{3}=\frac{33}{12}+\frac{16}{12}$$
$$=\frac{49}{12}=4\frac{1}{12}$$

$6\frac{1}{2}+2\frac{4}{5}$ ____________________

____

2-2 보기 와 같은 방법으로 계산해 보세요.

보기

$$3\frac{3}{4}-1\frac{1}{2}=\frac{15}{4}-\frac{3}{2}=\frac{15}{4}-\frac{6}{4}$$
$$=\frac{9}{4}=2\frac{1}{4}$$

$5\frac{5}{6}-2\frac{2}{3}$ ____________________

____

▶정답 및 풀이 9쪽

4-2 다각형

선분으로만 둘러싸인 도형을 다각형이라고 해.

다각형에서 서로 이웃하지 않는 두 꼭짓점을 이은 선분을 대각선이라고 해.

3-1 오각형을 찾아 기호를 써 보세요.

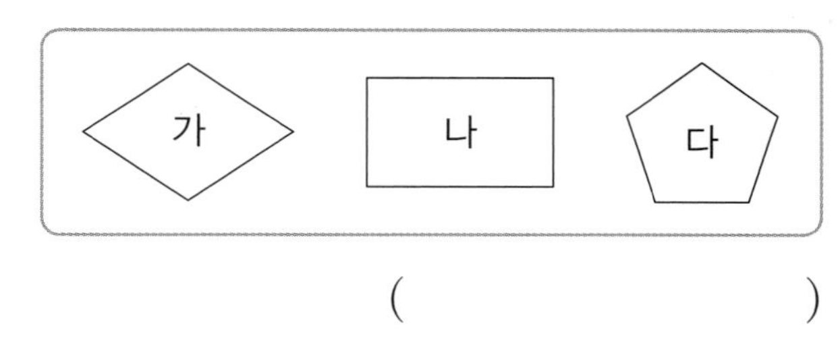

(　　　　　　　　)

3-2 육각형을 찾아 기호를 써 보세요.

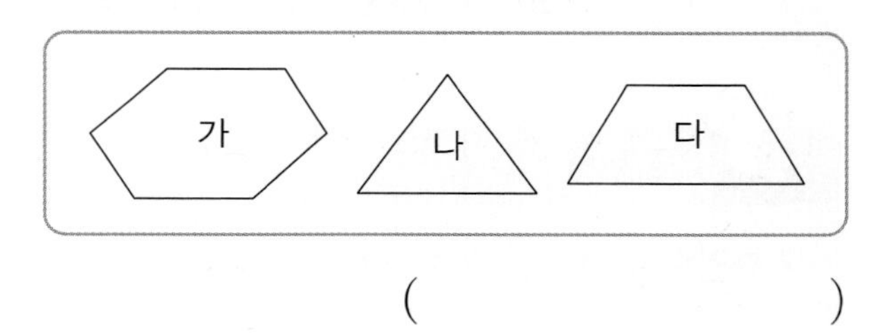

(　　　　　　　　)

4-1 도형에 그을 수 있는 대각선은 모두 몇 개인가요?

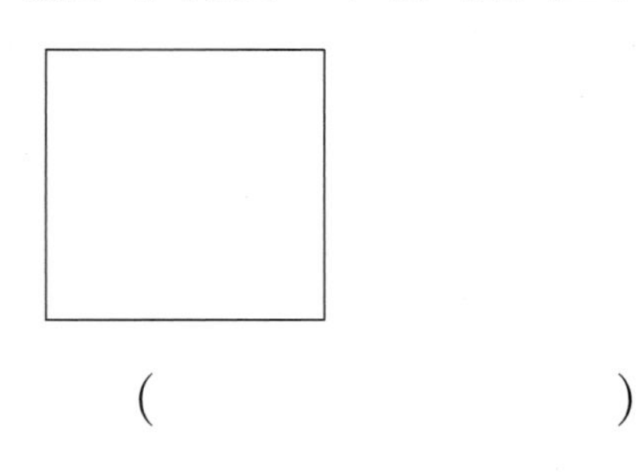

(　　　　　　　　)

4-2 도형에 그을 수 있는 대각선은 모두 몇 개인가요?

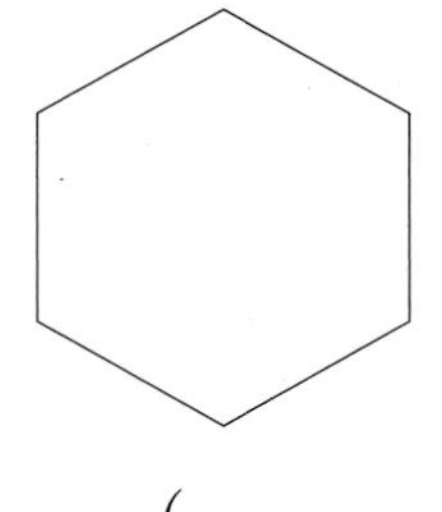

(　　　　　　　　)

(자연수)×(진분수)

$\overset{8}{\cancel{48}} \times \frac{1}{\underset{1}{\cancel{6}}} = 8\ (\text{kg})$

교과서 기초 개념

- 자연수가 분모의 배수인 (자연수)×(진분수)

예 $9 \times \frac{2}{3}$의 계산

0 ············ 9

$9 \times \frac{1}{3}$ ··· 3

$9 \times \frac{2}{3}$ ··· 6

$\overset{3}{\cancel{9}} \times \frac{2}{\underset{1}{\cancel{3}}} = $ ❶ ☐

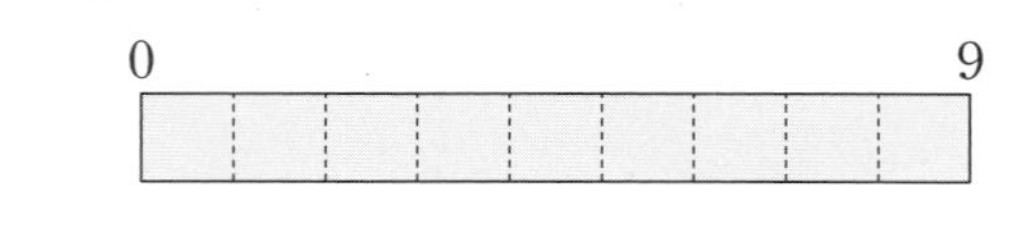

- 자연수가 분모의 배수가 아닌 (자연수)×(진분수)

예 $2 \times \frac{2}{3}$의 계산

0 ······ 1 ······ 2

$2 \times \frac{1}{3}$ ··· $\frac{2}{3}$

$2 \times \frac{2}{3}$ ··· $\frac{4}{3}$

$2 \times \frac{2}{3} = \frac{2 \times 2}{3} = \frac{❷☐}{3} = 1\frac{1}{3}$

정답 ❶ 6 ❷ 4

개념 · 원리 확인

▶정답 및 풀이 9쪽

1-1 그림을 보고 ▢ 안에 알맞은 수를 써넣으세요.

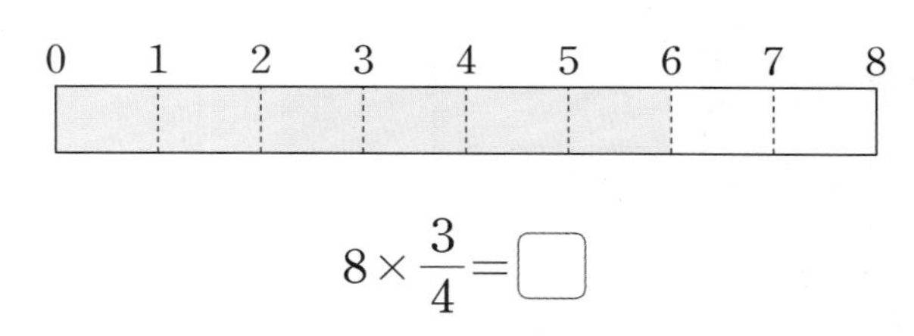

$8\times\frac{3}{4}=\square$

1-2 그림을 보고 ▢ 안에 알맞은 수를 써넣으세요.

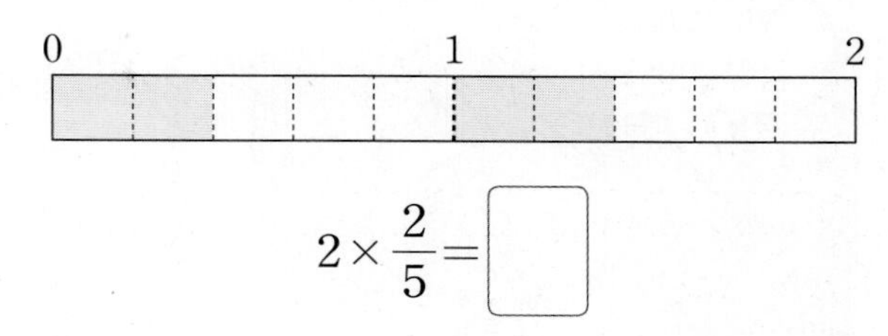

$2\times\frac{2}{5}=\square$

2-1 ▢ 안에 알맞은 수를 써넣으세요.

$6\times\frac{2}{3}=\frac{\overset{2}{\cancel{6}}\times 2}{\underset{\square}{\cancel{3}}}=\square$

2-2 ▢ 안에 알맞은 수를 써넣으세요.

$5\times\frac{3}{4}=\frac{5\times\square}{4}=\frac{\square}{4}=\square$

3-1 계산해 보세요.

$10\times\frac{4}{5}$

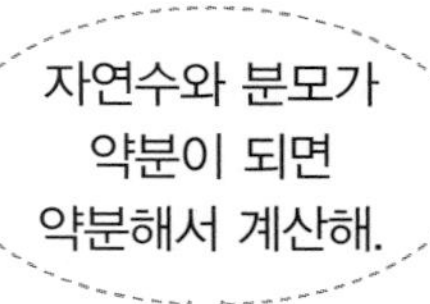

3-2 계산해 보세요.

$8\times\frac{7}{10}$

4-1 계산에서 잘못된 부분을 찾아 바르게 계산해 보세요.

$4\times\frac{7}{8}=\frac{7}{4\times 8}=\frac{7}{32}$

$4\times\frac{7}{8}=$ ______

4-2 계산에서 잘못된 부분을 찾아 바르게 계산해 보세요.

$\overset{3}{\cancel{6}}\times\frac{\overset{2}{\cancel{4}}}{5}=\frac{6}{5}=1\frac{1}{5}$

$6\times\frac{4}{5}=$ ______

(자연수) × (대분수)

교과서 기초 개념

• (자연수) × (대분수)

예 $8 \times 1\frac{1}{5}$의 계산

방법 1 대분수를 가분수로 바꾸어 계산하기

$$8 \times 1\frac{1}{5} = 8 \times \frac{6}{5} = \frac{48}{5} = \boxed{❶}\frac{3}{5}$$

방법 2 대분수를 자연수 부분과 분수 부분으로 구분하여 계산하기

$$8 \times 1\frac{1}{5} = (8 \times 1) + \left(8 \times \frac{1}{5}\right) = 8 + \frac{8}{5} = \boxed{❷} + 1\frac{3}{5} = 9\frac{3}{5}$$

참고

곱하는 수가 1보다 더 크면 계산 결과는 곱해지는 수보다 커지고,
곱하는 수가 1보다 더 작으면 계산 결과는 곱해지는 수보다 작아져.

정답 ❶ 9 ❷ 8

▶정답 및 풀이 10쪽

[1-1 ~ 1-2] 다음은 $2\times1\frac{1}{3}$을 계산하는 방법입니다. 그림을 보고 ☐ 안에 알맞은 수를 써넣으세요.

1-1

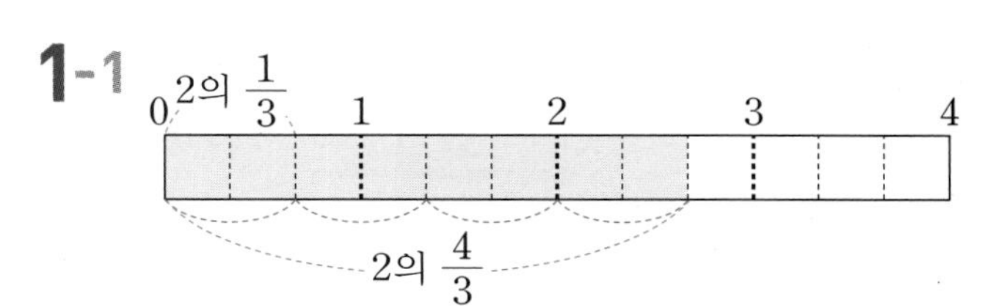

$$2\times1\frac{1}{3}=2\times\frac{\square}{3}=\frac{2\times\square}{3}$$
$$=\frac{\square}{3}=\square$$

1-2

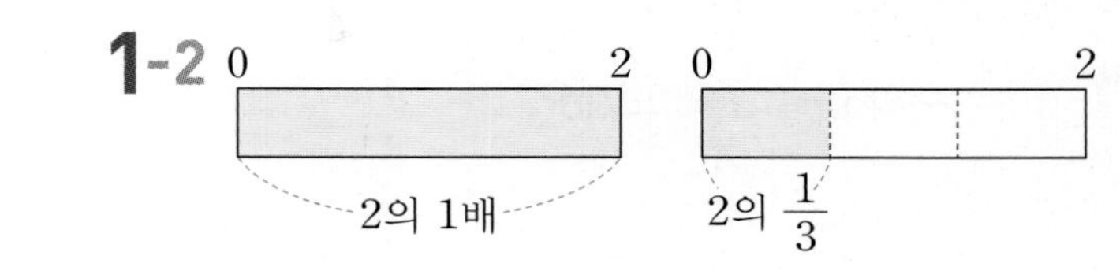

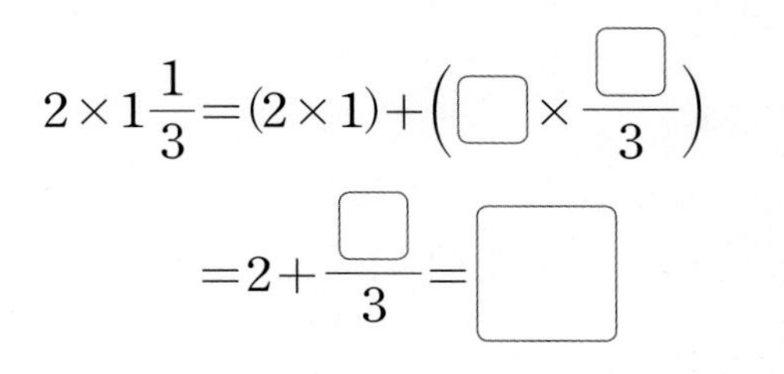

2-1 계산해 보세요.

$$6\times2\frac{1}{6}$$

2-2 계산해 보세요.

$$3\times1\frac{3}{4}$$

3-1 빈칸에 알맞은 수를 써넣으세요.

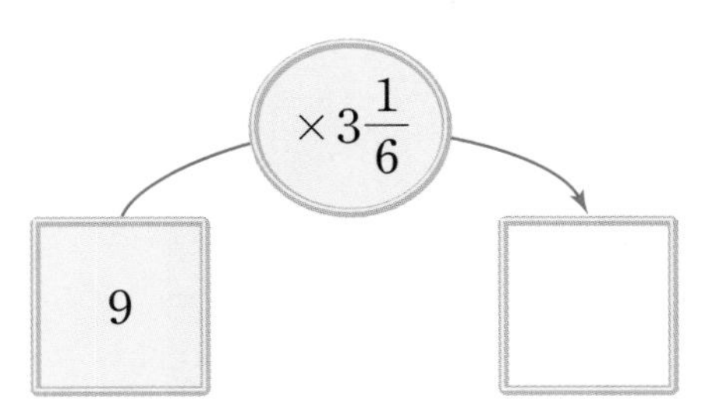

3-2 빈 곳에 알맞은 수를 써넣으세요.

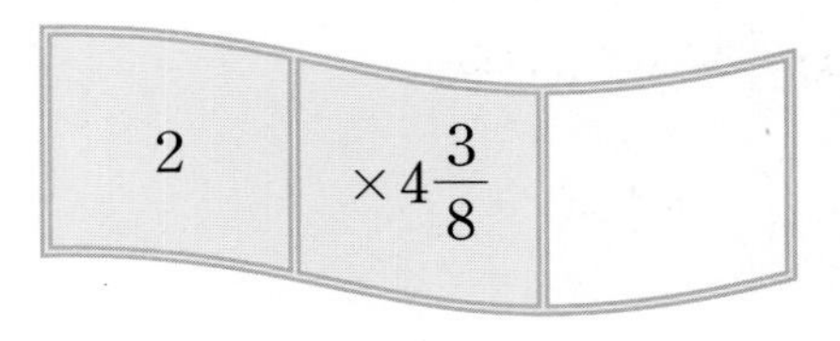

4-1 보기 와 같은 방법으로 계산해 보세요.

보기

$$3\times1\frac{1}{5}=(3\times1)+\left(3\times\frac{1}{5}\right)=3+\frac{3}{5}=3\frac{3}{5}$$

$4\times1\frac{2}{9}=$ ______________________

4-2 보기 와 같은 방법으로 계산해 보세요.

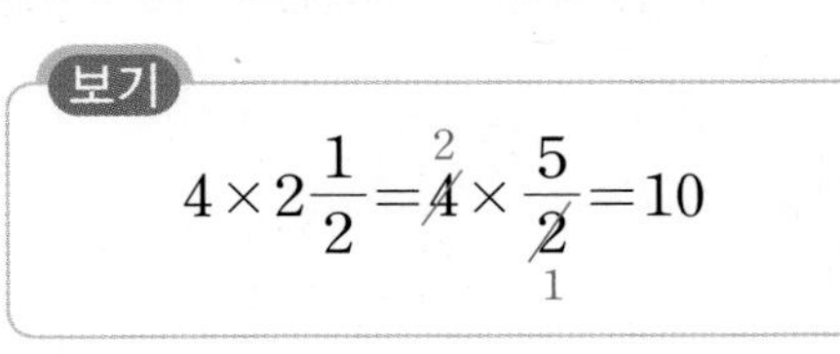

$6\times1\frac{2}{3}=$ ______________________

1일

기초 집중 연습

기본 문제 연습

1-1 두 수의 곱을 구해 보세요.

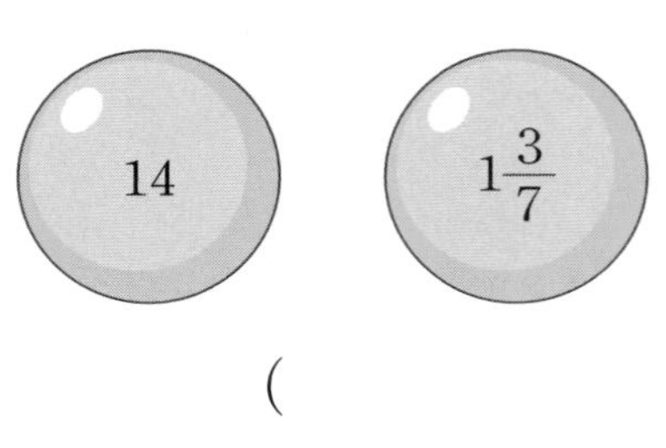

(　　　　　　　　)

1-2 빈칸에 두 수의 곱을 써넣으세요.

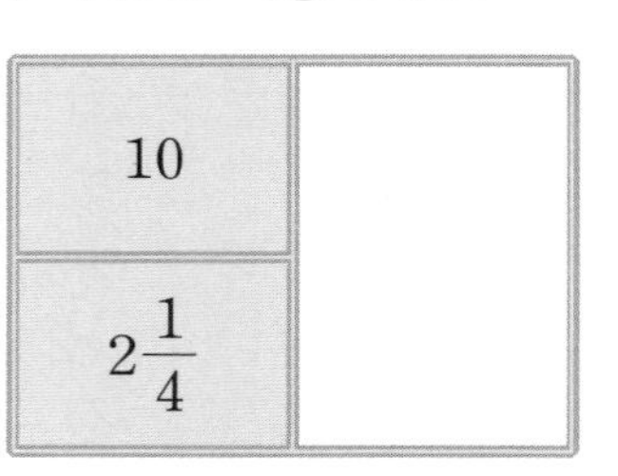

2-1 계산 결과를 찾아 이어 보세요.

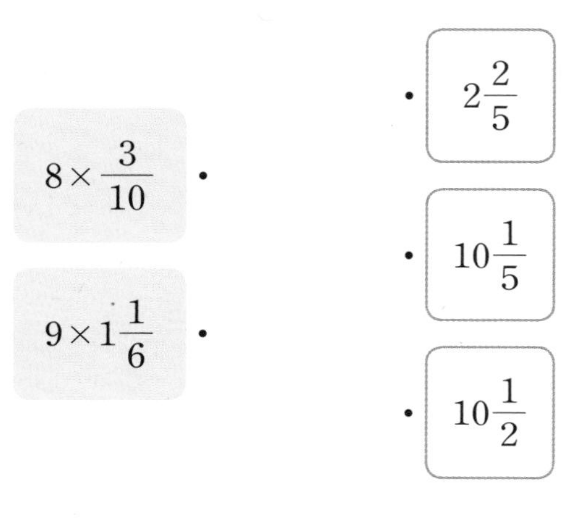

2-2 계산 결과를 찾아 이어 보세요.

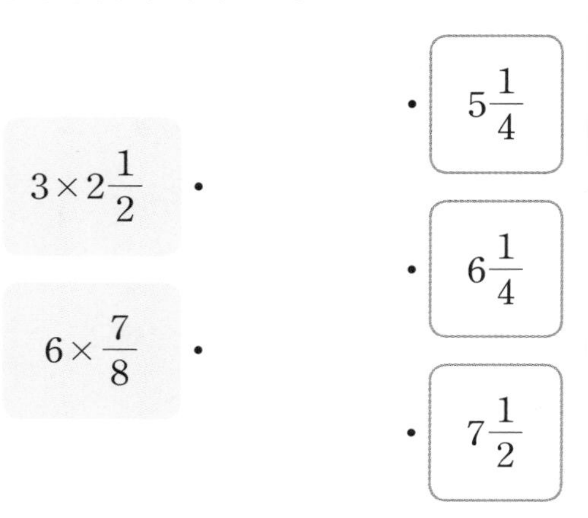

3-1 계산 결과가 3보다 큰 것을 찾아 기호를 써 보세요.

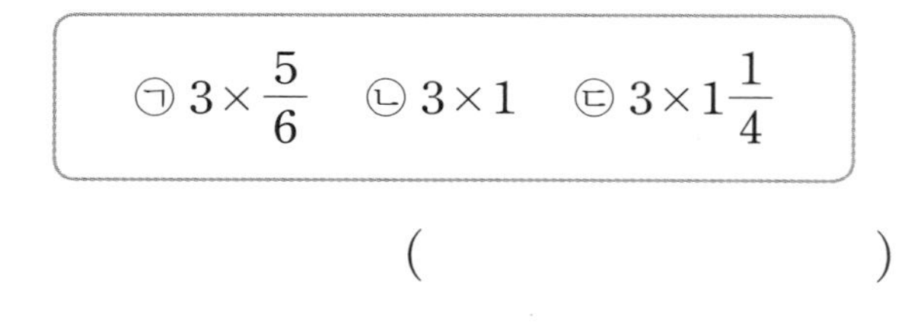

㉠ $3\times\frac{5}{6}$　㉡ 3×1　㉢ $3\times1\frac{1}{4}$

(　　　　　　　　)

3-2 계산 결과가 5보다 큰 것에 ○표, 5보다 작은 것에 △표 하세요.

5×1	$5\times1\frac{1}{2}$	$5\times\frac{8}{9}$
(　　　)	(　　　)	(　　　)

▶정답 및 풀이 10쪽

연산 → 문장제 연습 '전체'의 '분수'만큼 사용했다면 (전체)×(분수)를 구하자.

연산 계산해 보세요.

$15 \times \frac{4}{5}$

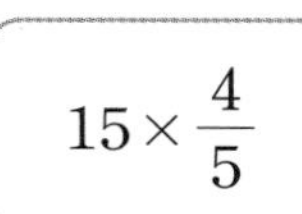

답 ______

이 곱셈식은 실생활에서 어떻게 이용될까요?

4-1 도화지가 15장 있습니다. 이 중 $\frac{4}{5}$를 사용했다면 사용한 도화지는 몇 장인가요?

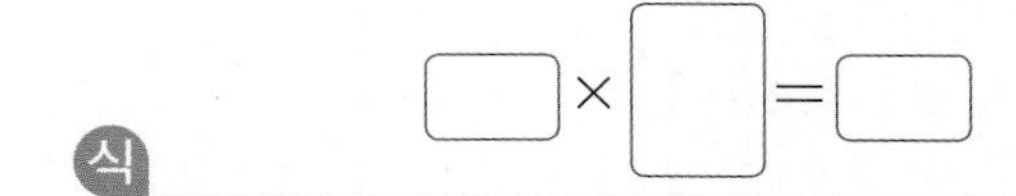

식 □×□=□

답 ______

4-2 승민이는 길이가 9 m인 철사의 $\frac{7}{9}$을 사용했습니다. 승민이가 사용한 철사는 몇 m인가요?

식 ______

답 ______

4-3 넓이가 14 m^2인 텃밭이 있습니다. 이 텃밭의 $\frac{3}{7}$에 상추를 심었을 때 상추를 심은 텃밭의 넓이는 몇 m^2인가요?

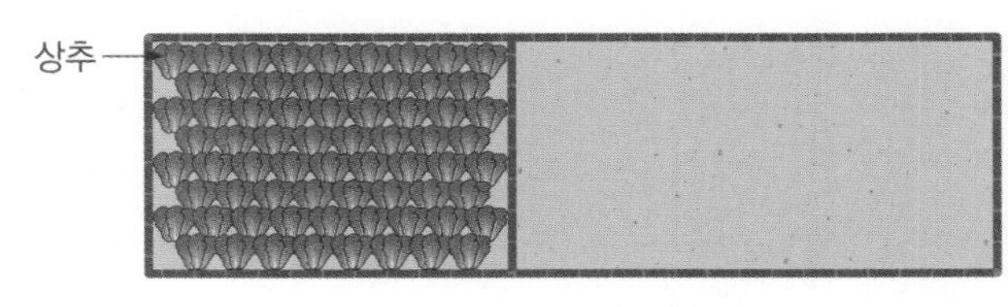

식 ______

답 ______

2주 1일

2일 분수의 곱셈

(단위분수) × (단위분수), (진분수) × (단위분수)

$$\frac{1}{2}\times\frac{1}{3}=\frac{1}{6}$$

교과서 기초 개념

• (단위분수) × (단위분수)

예 $\frac{1}{2}\times\frac{1}{3}$의 계산

$\frac{1}{2}$ → $\frac{1}{2}\times\frac{1}{3}$

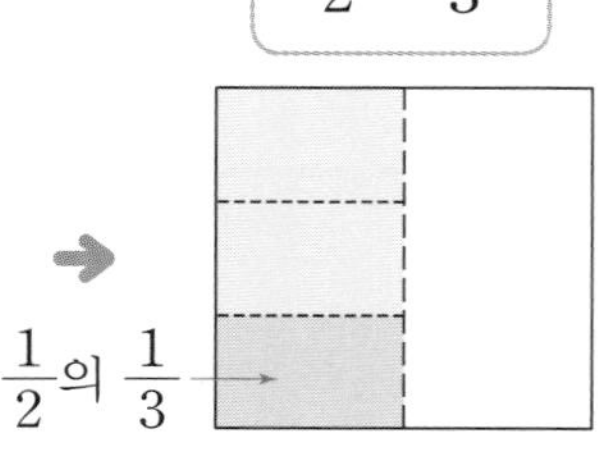

$$\frac{1}{2}\times\frac{1}{3}=\frac{1}{2\times3}=\frac{❶\square}{6}$$

• (진분수) × (단위분수)

예 $\frac{2}{3}\times\frac{1}{5}$의 계산

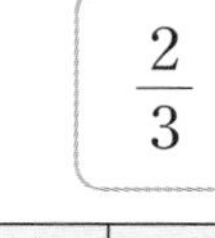

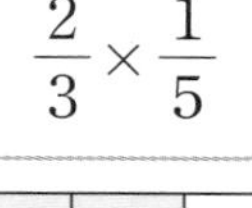

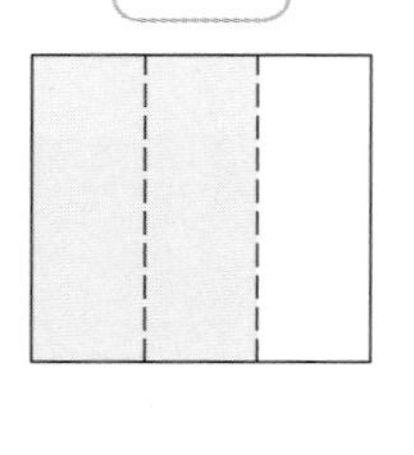

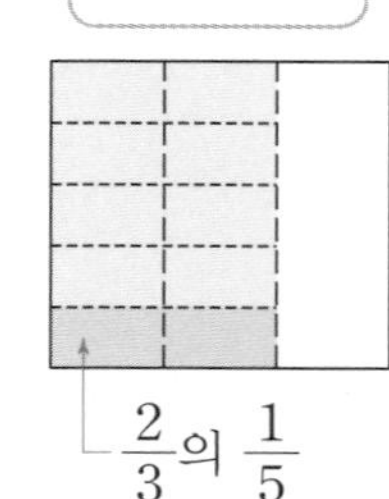

$$\frac{2}{3}\times\frac{1}{5}=\frac{2\times1}{3\times5}=\frac{❷\square}{15}$$

정답 ❶ 1 ❷ 2

개념 · 원리 확인

▶정답 및 풀이 11쪽

1-1 그림을 보고 ☐ 안에 알맞은 수를 써넣으세요.

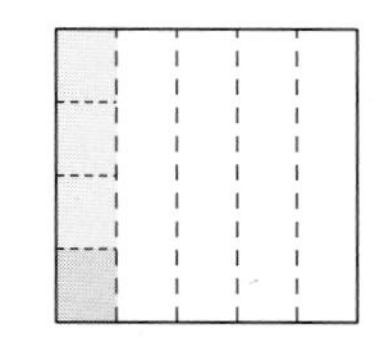

$\frac{1}{5}\times\frac{1}{4}=\frac{1\times1}{\square\times4}=\frac{1}{\square}$

1-2 그림을 보고 ☐ 안에 알맞은 수를 써넣으세요.

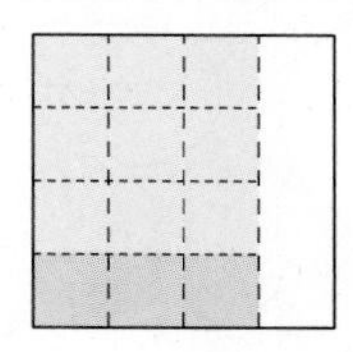

$\frac{3}{4}\times\frac{1}{4}=\frac{\square\times1}{4\times\square}=\square$

2-1 ☐ 안에 알맞은 수를 써넣으세요.

$\frac{1}{8}\times\frac{1}{3}=\frac{1\times1}{\square\times\square}=\square$

2-2 ☐ 안에 알맞은 수를 써넣으세요.

$\frac{3}{5}\times\frac{1}{2}=\frac{3\times1}{\square\times\square}=\square$

3-1 계산해 보세요.

(1) $\frac{1}{2}\times\frac{1}{5}$

(2) $\frac{3}{4}\times\frac{1}{2}$

3-2 계산해 보세요.

$\frac{5}{9}\times\frac{1}{7}$

(　　　　　　)

4-1 바르게 계산한 것을 찾아 ○표 하세요.

$\frac{4}{7}\times\frac{1}{3}=\frac{4}{10}$	$\frac{1}{2}\times\frac{1}{6}=\frac{1}{12}$
(　　　)	(　　　)

4-2 바르게 계산한 것을 찾아 기호를 써 보세요.

㉠ $\frac{1}{4}\times\frac{1}{5}=20$　　㉡ $\frac{2}{5}\times\frac{1}{3}=\frac{2}{15}$

(　　　　　　)

(진분수) × (진분수), 세 분수의 곱셈

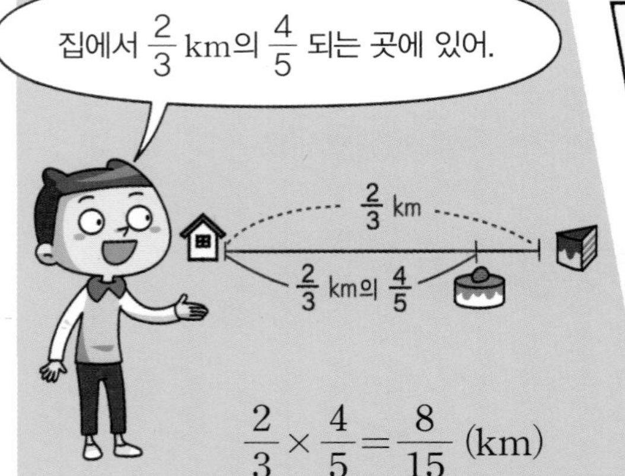

교과서 기초 개념

• (진분수) × (진분수)

예 $\frac{2}{3} \times \frac{4}{5}$의 계산

$\frac{2}{3}$ → $\frac{2}{3} \times \frac{4}{5}$

$$\frac{2}{3} \times \frac{4}{5} = \frac{2 \times 4}{3 \times 5} = \frac{❶}{15}$$

• 세 분수의 곱셈

예 $\frac{1}{2} \times \frac{1}{3} \times \frac{1}{4}$의 계산

$\frac{1}{2}$ → $\frac{1}{2} \times \frac{1}{3}$ → $\frac{1}{2} \times \frac{1}{3} \times \frac{1}{4}$

$$\frac{1}{2} \times \frac{1}{3} \times \frac{1}{4} = \frac{1 \times 1 \times 1}{2 \times 3 \times 4} = \frac{❷}{24}$$

정답 ❶ 8 ❷ 1

개념 · 원리 확인

▶정답 및 풀이 11쪽

1-1 그림을 보고 ☐ 안에 알맞은 수를 써넣으세요.

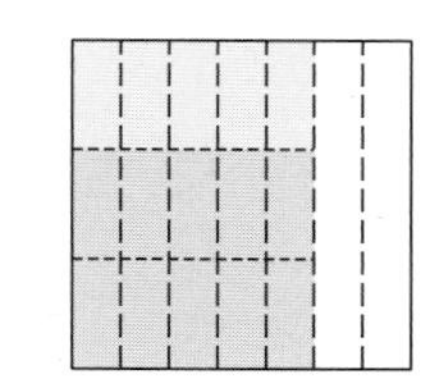

$$\frac{5}{7}\times\frac{2}{3}=\frac{5\times\square}{\square\times3}=\square$$

1-2 그림을 보고 ☐ 안에 알맞은 수를 써넣으세요.

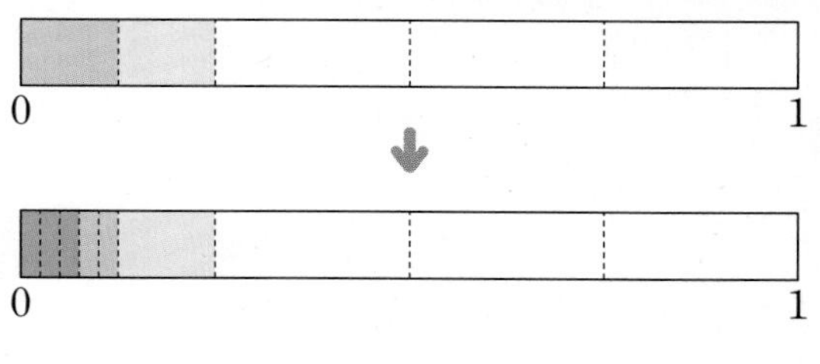

$$\frac{1}{4}\times\frac{1}{2}\times\frac{3}{5}=\frac{1\times1\times\square}{\square\times2\times\square}=\square$$

2-1 ☐ 안에 알맞은 수를 써넣으세요.

$$\frac{5}{8}\times\frac{6}{7}=\frac{5\times6}{8\times7}=\frac{\overset{\square}{\cancel{30}}}{\underset{28}{\cancel{56}}}=\square$$

2-2 ☐ 안에 알맞은 수를 써넣으세요.

$$\frac{3}{4}\times\frac{1}{2}\times\frac{1}{8}=\frac{3}{\square}\times\frac{1}{8}=\square$$

3-1 계산 결과를 찾아 ○표 하세요.

$\frac{2}{5}\times\frac{3}{4}$	$\frac{7}{10}$	$\frac{3}{10}$	$\frac{3}{20}$

3-2 계산 결과를 찾아 ○표 하세요.

$\frac{3}{4}\times\frac{2}{3}\times\frac{5}{6}$	$\frac{5}{18}$	$\frac{2}{3}$	$\frac{5}{12}$

4-1 보기 와 같은 방법으로 계산해 보세요.

보기

$$\frac{3}{7}\times\frac{5}{6}=\frac{\overset{1}{\cancel{3}}\times5}{7\times\underset{2}{\cancel{6}}}=\frac{5}{14}$$

$\frac{8}{9}\times\frac{3}{4}=$ ______________________

4-2 보기 와 같은 방법으로 계산해 보세요.

보기

$$\frac{\overset{1}{\cancel{4}}}{5}\times\frac{7}{\underset{2}{\cancel{8}}}=\frac{7}{10}$$

$\frac{6}{7}\times\frac{2}{3}=$ ______________________

2주 2일

2일 기초 집중 연습

기본 문제 연습

1-1 두 수의 곱을 구해 보세요.

$\frac{1}{5}$, $\frac{1}{7}$

(　　　　　　　　　　)

1-2 빈칸에 두 수의 곱을 써넣으세요.

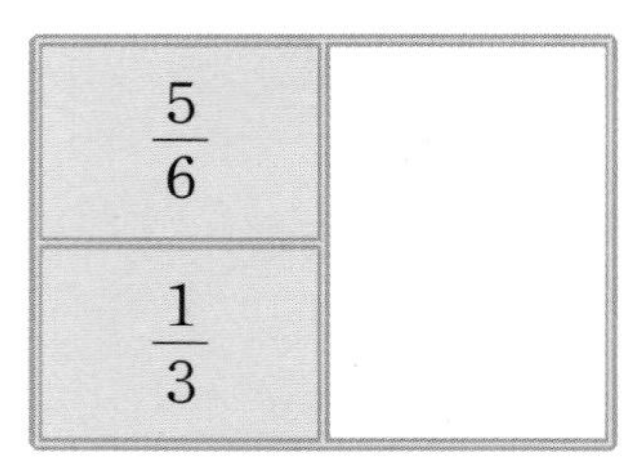

$\frac{5}{6}$	
$\frac{1}{3}$	

2-1 ㉠×㉡을 구해 보세요.

㉠ $\frac{1}{9}$　　㉡ $\frac{1}{8}$

(　　　　　　　　　　)

2-2 ㉠×㉡을 구해 보세요.

㉠ $\frac{3}{4}$　　㉡ $\frac{1}{9}$

(　　　　　　　　　　)

3-1 계산 결과가 $\frac{3}{4}$인 것을 찾아 기호를 써 보세요.

㉠ $\frac{7}{8}\times\frac{6}{7}$　　㉡ $\frac{4}{9}\times\frac{3}{4}$

(　　　　　　　　　　)

3-2 계산 결과가 $\frac{2}{7}$인 것을 찾아 기호를 써 보세요.

㉠ $\frac{2}{3}\times\frac{4}{7}$　　㉡ $\frac{2}{3}\times\frac{3}{4}\times\frac{4}{7}$

(　　　　　　　　　　)

4-1 크기를 비교하여 ○ 안에 $>$, $=$, $<$를 알맞게 써넣으세요.

$\frac{1}{5}\times\frac{1}{2}$ ○ $\frac{1}{5}$

4-2 크기를 비교하여 ○ 안에 $>$, $=$, $<$를 알맞게 써넣으세요.

$\frac{3}{4}\times\frac{1}{7}$ ○ $\frac{1}{7}\times\frac{3}{4}$

▶정답 및 풀이 11쪽

연산 → 문장제 연습 '직사각형의 넓이'는 (가로) × (세로)로 구하자.

연산 계산해 보세요.

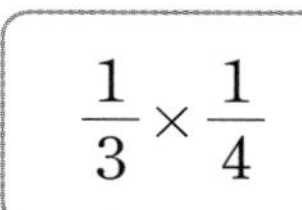

$\frac{1}{3} \times \frac{1}{4}$

답 ____________

5-1 가로가 $\frac{1}{3}$ m, 세로가 $\frac{1}{4}$ m인 직사각형 모양의 천이 있습니다. 이 천의 넓이는 몇 m^2인가요?

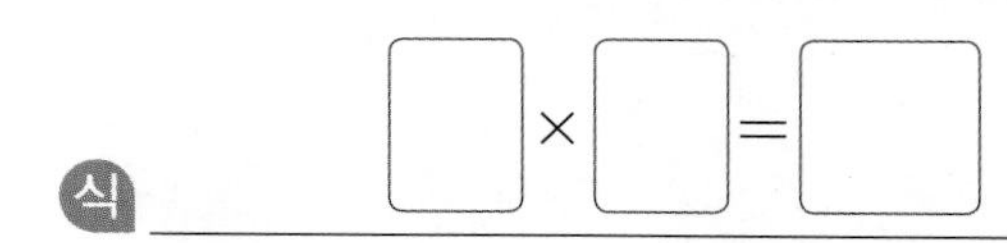

식 $\square \times \square = \square$

답 ____________

5-2 가로가 $\frac{2}{5}$ m, 세로가 $\frac{1}{8}$ m인 직사각형 모양의 종이가 있습니다. 이 종이의 넓이는 몇 m^2인가요?

식 ____________

답 ____________

5-3 그림과 같은 직사각형 모양의 포장지가 있습니다. 이 포장지의 넓이는 몇 m^2인가요?

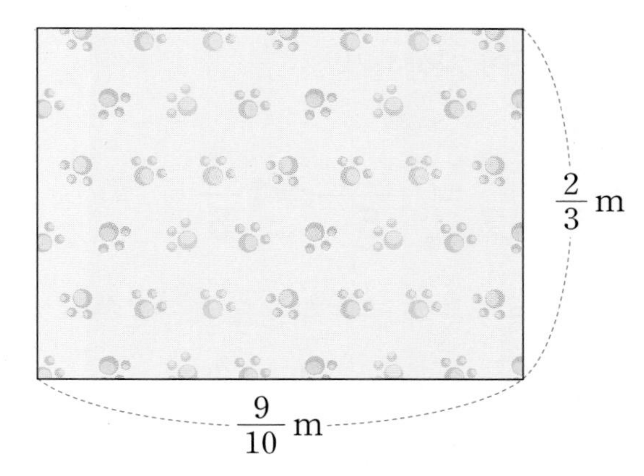

식 ____________

답 ____________

2주 2일

분수의 곱셈 (대분수) × (대분수)

가로가 $1\frac{2}{5}$ m, 세로가 $1\frac{1}{7}$ m니까 넓이는 $1\frac{3}{5}$ m^2야.

$$1\frac{2}{5}\times1\frac{1}{7}=\frac{\overset{1}{\cancel{7}}}{5}\times\frac{8}{\underset{1}{\cancel{7}}}$$

$$=\frac{8}{5}=1\frac{3}{5}\ (\text{m}^2)$$

교과서 기초 개념

• **(대분수) × (대분수)**

예 $1\frac{2}{5}\times1\frac{1}{7}$의 계산

방법 1 대분수를 가분수로 바꾸어 계산하기

$$1\frac{2}{5}\times1\frac{1}{7}=\frac{\overset{1}{\cancel{7}}}{5}\times\frac{8}{\underset{1}{\cancel{7}}}=\frac{❶\square}{5}=1\frac{3}{5}$$

방법 2 곱하는 대분수를 자연수 부분과 분수 부분으로 구분하여 계산하기

$$1\frac{2}{5}\times1\frac{1}{7}=\left(1\frac{2}{5}\times1\right)+\left(1\frac{2}{5}\times\frac{1}{7}\right)$$

$$=1\frac{2}{5}+\left(\frac{\overset{1}{\cancel{7}}}{5}\times\frac{1}{\underset{1}{\cancel{7}}}\right)=1\frac{2}{5}+\frac{❷\square}{5}=1\frac{❸\square}{5}$$

정답 ❶ 8 ❷ 1 ❸ 3

개념 · 원리 확인

▶정답 및 풀이 12쪽

[1-1 ~ 1-2] $2\frac{2}{3}\times1\frac{3}{4}$을 계산하려고 합니다. 그림을 보고 ☐ 안에 알맞은 수를 써넣으세요.

1-1

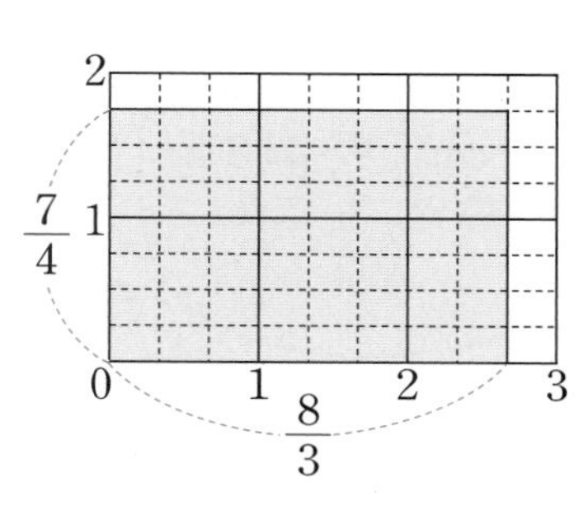

$2\frac{2}{3}\times1\frac{3}{4}=\frac{\overset{2}{\cancel{8}}}{3}\times\frac{☐}{\underset{1}{\cancel{4}}}=\frac{☐}{3}=☐$

대분수를 가분수로 바꾸어 계산해도 되고, 곱하는 대분수를 자연수 부분과 분수 부분으로 구분하여 계산해도 돼.

1-2

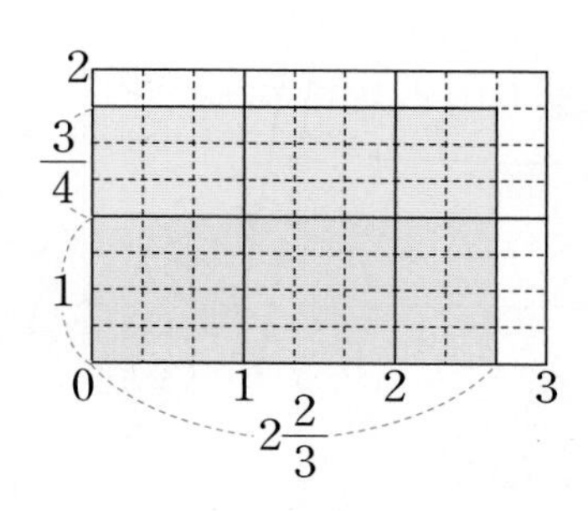

$2\frac{2}{3}\times1\frac{3}{4}=\left(2\frac{2}{3}\times☐\right)+\left(2\frac{2}{3}\times\frac{3}{☐}\right)$

$=2\frac{2}{3}+\left(\frac{\overset{2}{\cancel{8}}}{\underset{1}{\cancel{3}}}\times\frac{\overset{1}{\cancel{3}}}{\underset{☐}{\cancel{4}}}\right)$

$=2\frac{2}{3}+☐=☐$

2-1 계산해 보세요.

(1) $1\frac{4}{5}\times2\frac{1}{3}$

(2) $3\frac{3}{4}\times1\frac{1}{6}$

2-2 수현이가 말한 곱셈식을 계산해 보세요.

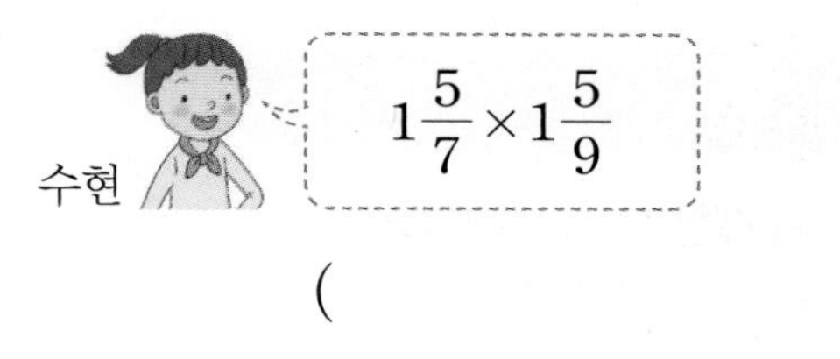

(　　　　　　　　)

3-1 ☐ 안에 알맞은 수를 써넣으세요.

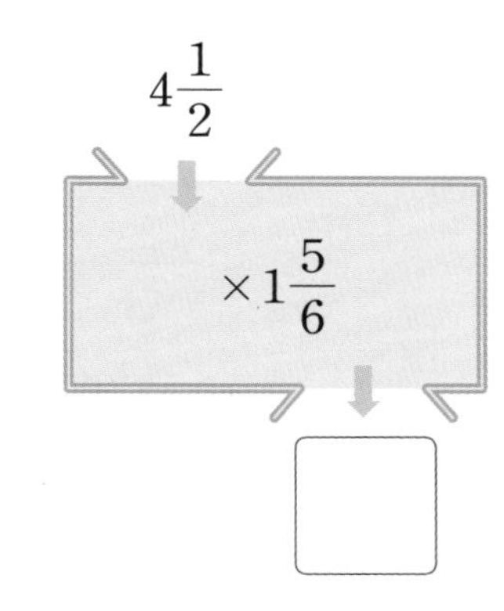

3-2 ☐ 안에 알맞은 수를 써넣으세요.

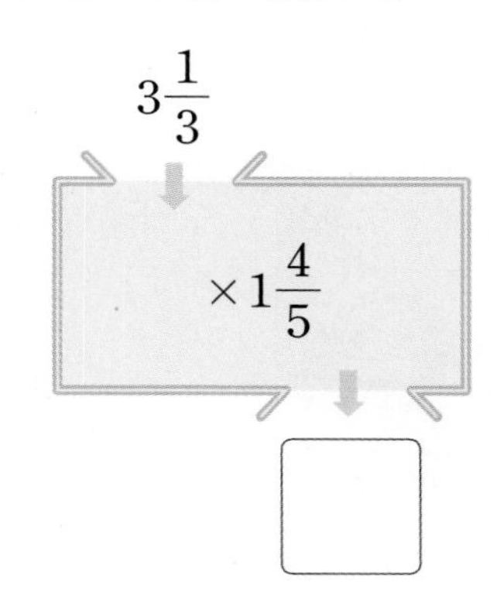

3일 분수의 곱셈

여러 가지 분수의 곱셈

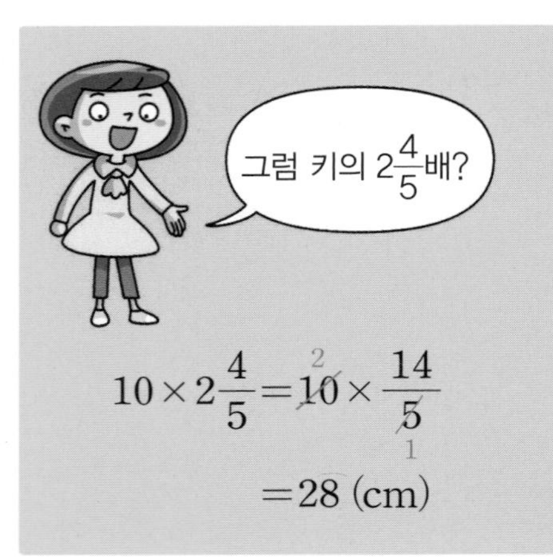

교과서 기초 개념

• (자연수)×(대분수)

예 $10\times2\frac{4}{5}$의 계산

$$10\times2\frac{4}{5}=\overset{2}{\cancel{10}}\times\frac{14}{\underset{1}{\cancel{5}}}$$

$$=\boxed{❶}$$

대분수를 가분수로 바꾸어 계산할 수 있어.

• (진분수)×(진분수)

예 $\frac{6}{7}\times\frac{3}{8}$의 계산

$$\frac{\overset{3}{\cancel{6}}}{7}\times\frac{3}{\underset{4}{\cancel{8}}}=\frac{\boxed{❷}}{28}$$

분자는 분자끼리, 분모는 분모끼리 곱하여 계산해.

• (대분수)×(대분수)

예 $1\frac{2}{3}\times1\frac{2}{5}$의 계산

$$1\frac{2}{3}\times1\frac{2}{5}$$

$$=\frac{\overset{1}{\cancel{5}}}{3}\times\frac{7}{\underset{1}{\cancel{5}}}$$

$$=\frac{\boxed{❸}}{3}=\boxed{❹}\frac{1}{3}$$

정답 ❶ 28 ❷ 9 ❸ 7 ❹ 2

개념 · 원리 확인

▶정답 및 풀이 12쪽

1-1 계산이 옳으면 ○표, 틀리면 ×표 하세요.

$$3\times1\frac{1}{6}=\overset{1}{\cancel{3}}\times\frac{7}{\underset{2}{\cancel{6}}}=\frac{7}{2}=3\frac{1}{2}$$

(　　　　　　)

1-2 계산이 옳으면 ○표, 틀리면 ×표 하세요.

$$\frac{3}{7}\times\frac{9}{10}=\frac{\overset{1}{\cancel{3}}\times10}{7\times\underset{3}{\cancel{9}}}=\frac{10}{21}$$

(　　　　　　)

2-1 계산해 보세요.

$$\frac{5}{6}\times\frac{1}{10}$$

2-2 계산해 보세요.

$$3\frac{1}{2}\times1\frac{1}{7}$$

3-1 (분수)×(분수)의 계산 방법을 이용하여 계산해 보세요.

$$2\times\frac{3}{5}=\frac{\square}{1}\times\frac{3}{5}=\frac{\square\times3}{1\times5}$$
$$=\frac{\square}{5}=\square$$

3-2 (분수)×(분수)의 계산 방법을 이용하여 계산해 보세요.

$$\frac{4}{7}\times5=\frac{4}{7}\times\frac{\square}{1}=\frac{4\times\square}{\square\times1}$$
$$=\frac{\square}{7}=\square$$

4-1 우석이가 계산한 것입니다. 잘못된 부분을 찾아 바르게 계산해 보세요.

$$\frac{4}{9}\times\frac{1}{2}=\frac{4\times2}{9\times1}=\frac{8}{9}$$

우석

$\frac{4}{9}\times\frac{1}{2}=$ ________________

4-2 계산에서 잘못된 부분을 찾아 바르게 계산해 보세요.

$$3\frac{1}{\underset{1}{\cancel{2}}}\times\overset{1}{\cancel{2}}\frac{4}{5}=3\times\frac{4}{5}=\frac{12}{5}=2\frac{2}{5}$$

$3\frac{1}{2}\times2\frac{4}{5}=$ ________________

3일 기초 집중 연습

기본 문제 연습

1-1 계산 결과를 찾아 ○표 하세요.

$9\times\frac{5}{6}$	$10\frac{4}{5}$ $7\frac{1}{2}$ $9\frac{5}{6}$

1-2 계산 결과를 찾아 ○표 하세요.

$\frac{4}{5}\times\frac{1}{2}$	$\frac{2}{5}$ $\frac{4}{7}$ $\frac{5}{8}$

[2-1 ~ 2-2] 계산 결과가 나머지와 다른 하나를 찾아 기호를 써 보세요.

2-1

㉠ $\frac{3}{5}\times\frac{3}{4}$ ㉡ $\frac{3}{4}\times\frac{3}{5}$ ㉢ $\frac{3\times4}{5\times3}$

( )

2-2

㉠ $3\times1\frac{2}{3}$ ㉡ $\frac{5}{3\times3}$ ㉢ $3\times\frac{5}{3}$

( )

3-1 평행사변형의 넓이는 몇 cm^2인가요?

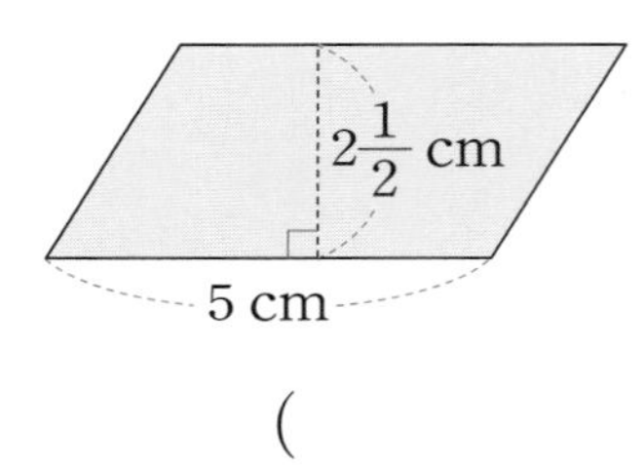

( )

3-2 정사각형의 넓이는 몇 m^2인가요?

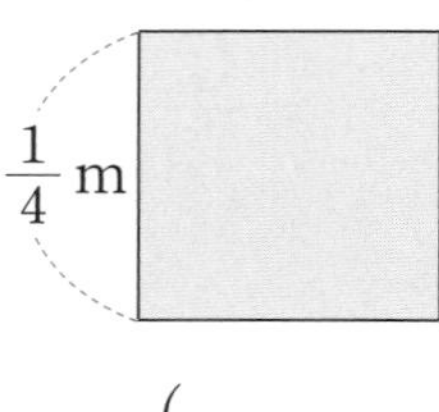

( )

4-1 가장 큰 수와 가장 작은 수의 곱을 구해 보세요.

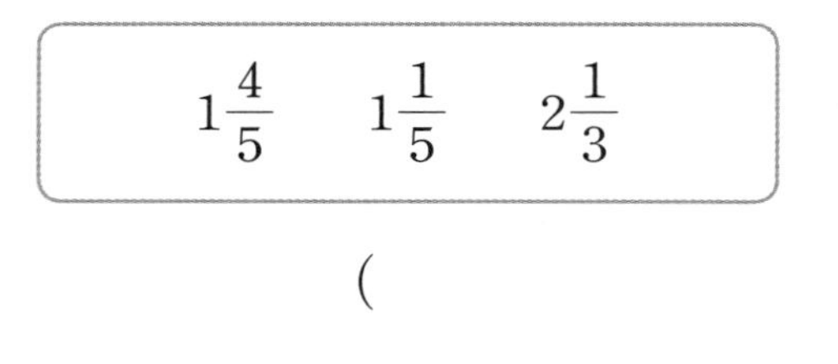

$1\frac{4}{5}$ $1\frac{1}{5}$ $2\frac{1}{3}$

( )

4-2 가장 큰 수와 가장 작은 수의 곱을 구해 보세요.

$2\frac{1}{3}$ $3\frac{4}{5}$ $4\frac{1}{2}$

( )

▶ 정답 및 풀이 13쪽

연산 → 문장제 연습 ‘■의 ▲만큼’은 ■ × ▲를 계산하자.

연산 설명하는 수를 구해 보세요.

$\frac{2}{9}$의 $\frac{5}{6}$

답 ______________

5-1 빵 가게에 있는 전체 빵의 $\frac{2}{9}$는 머핀입니다. 머핀의 $\frac{5}{6}$는 초콜릿 맛일 때 초콜릿 맛 머핀은 전체 빵의 몇 분의 몇인가요?

식 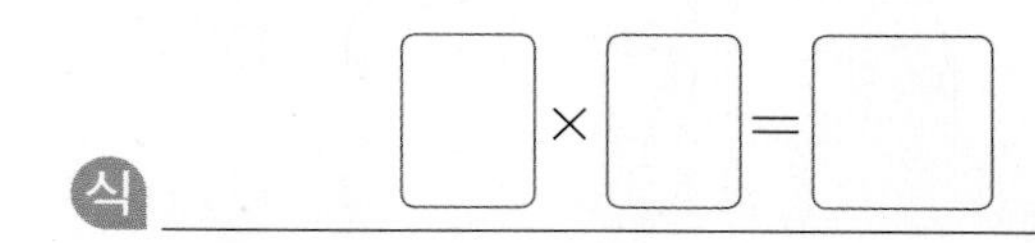

답 ______________

5-2 딸기 맛 막대사탕은 두 사람이 가지고 있는 전체 사탕의 몇 분의 몇인가요?

우리가 가지고 있는 전체 사탕의 $\frac{1}{2}$은 막대사탕이야.

응, 그리고 막대사탕의 $\frac{3}{4}$은 딸기 맛이야.

식 ______________

답 ______________

5-3 정수네 초등학교 5학년 학생은 전체 학생의 $\frac{1}{6}$입니다. 5학년 학생의 $\frac{3}{5}$은 여학생이고 그중 $\frac{1}{4}$은 기타를 배웁니다. 기타를 배우는 5학년 여학생은 정수네 학교 전체 학생의 몇 분의 몇인가요?

식 ______________

답 ______________

교과서 기초 개념

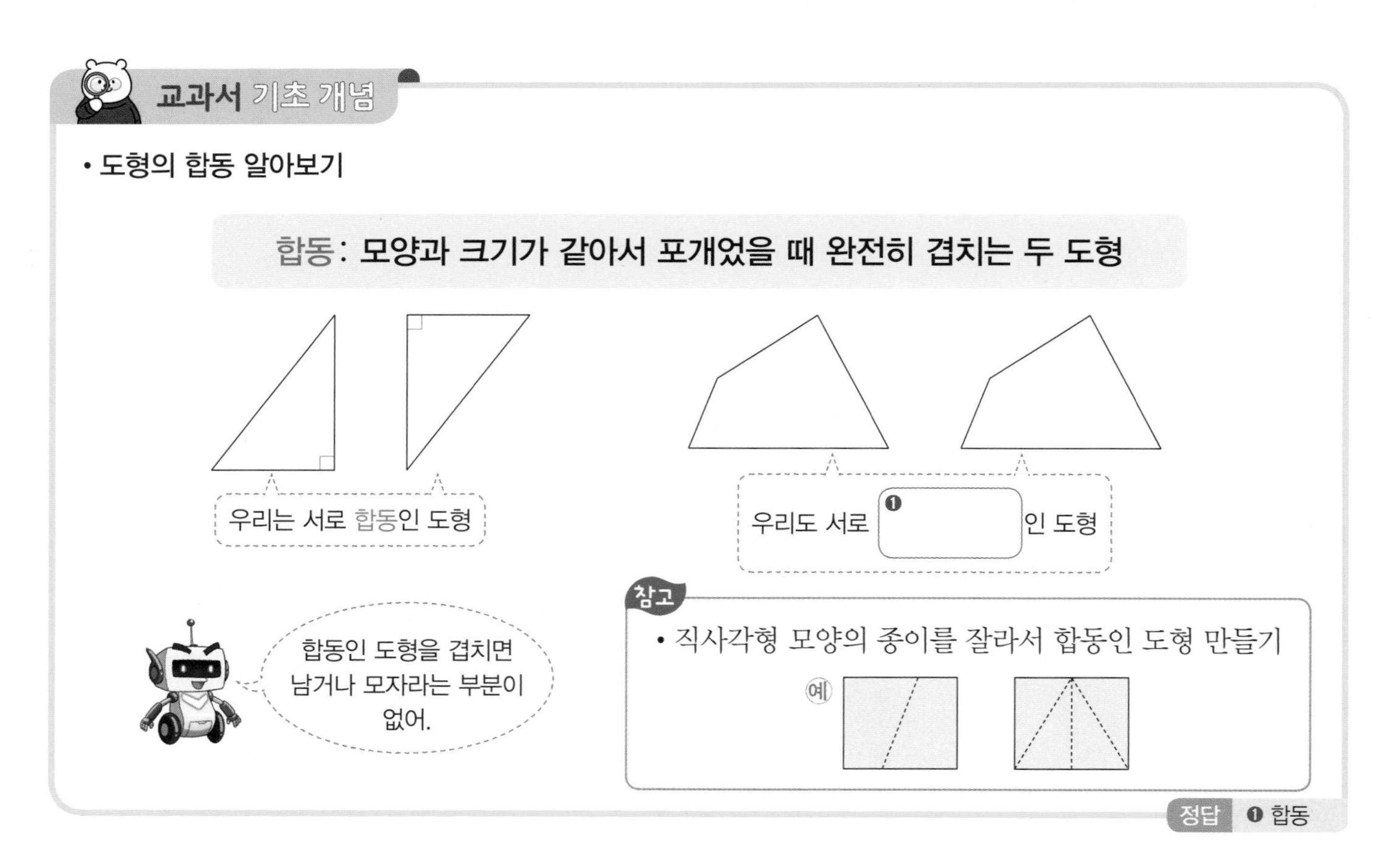

• 도형의 합동 알아보기

합동: 모양과 크기가 같아서 포개었을 때 완전히 겹치는 두 도형

참고
• 직사각형 모양의 종이를 잘라서 합동인 도형 만들기
예

정답 ❶ 합동

개념 · 원리 확인

▶정답 및 풀이 13쪽

[1-1 ~ 1-2] 왼쪽 도형과 포개었을 때 완전히 겹치는 도형을 찾아 ○표 하세요.

1-1

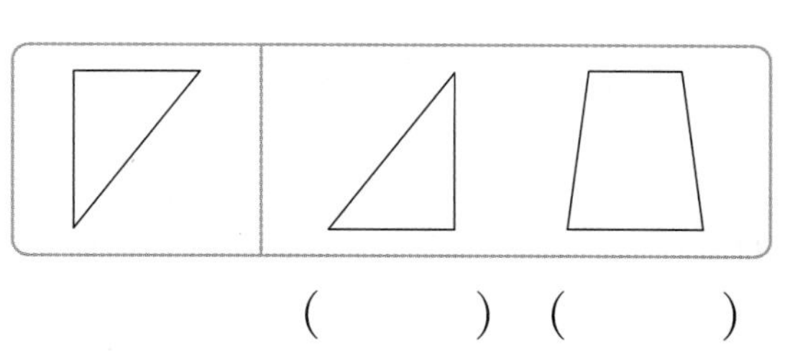

( ) ( )

1-2

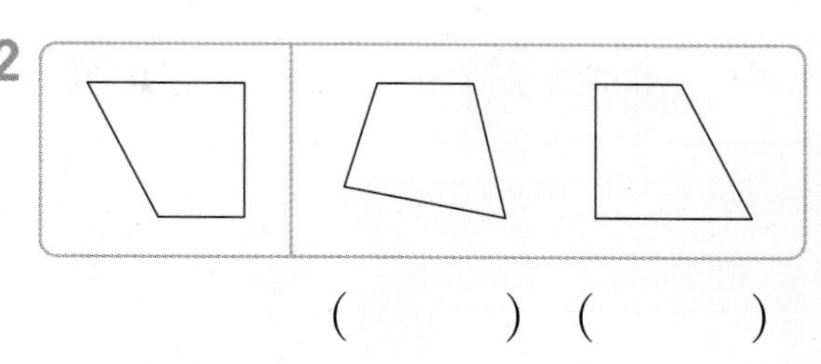

( ) ( )

2-1 그림을 보고 ☐ 안에 알맞은 말을 써넣으세요.

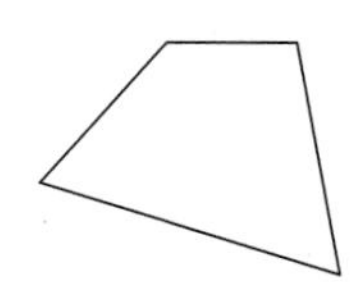

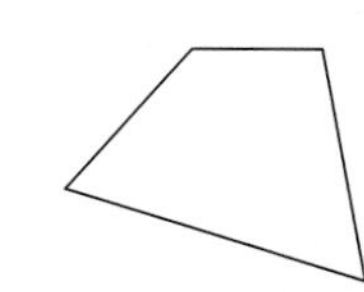

모양과 크기가 같아서 포개었을 때 완전히 겹치는 두 도형을 서로 ☐(이)라고 합니다.

2-2 종이 두 장을 포개어 놓고 도형을 오렸을 때 두 도형의 모양과 크기는 똑같습니다. 이러한 두 도형의 관계를 무엇이라고 하는지 써 보세요.

( )

[3-1 ~ 3-2] 왼쪽 도형과 서로 합동인 도형을 찾아 기호를 써 보세요.

3-1

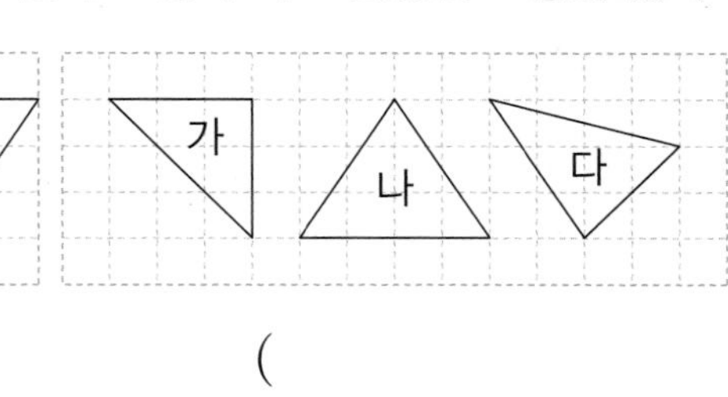

( )

3-2

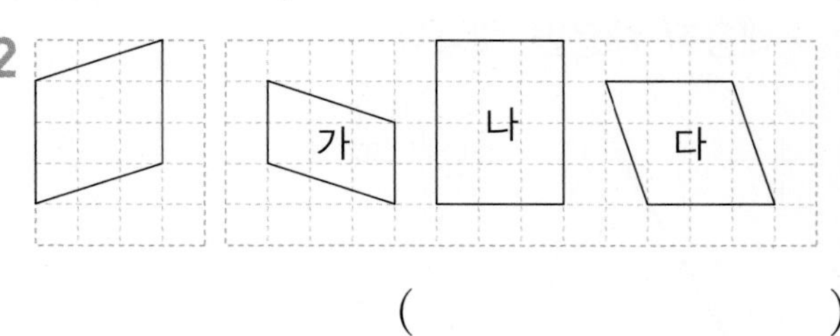

( )

4-1 주어진 도형과 서로 합동인 도형을 그려 보세요.

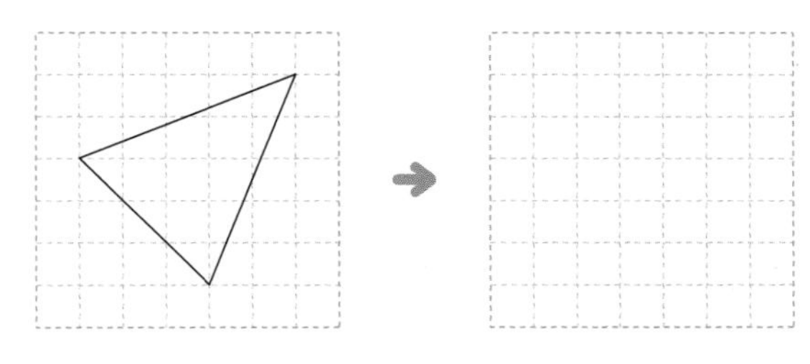

4-2 주어진 도형과 서로 합동인 도형을 그려 보세요.

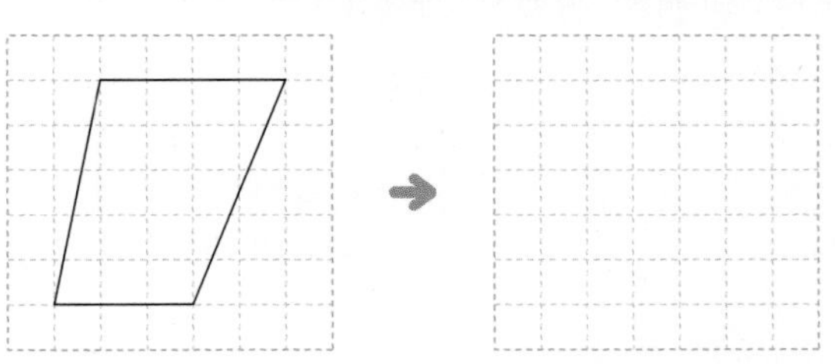

합동인 도형의 성질

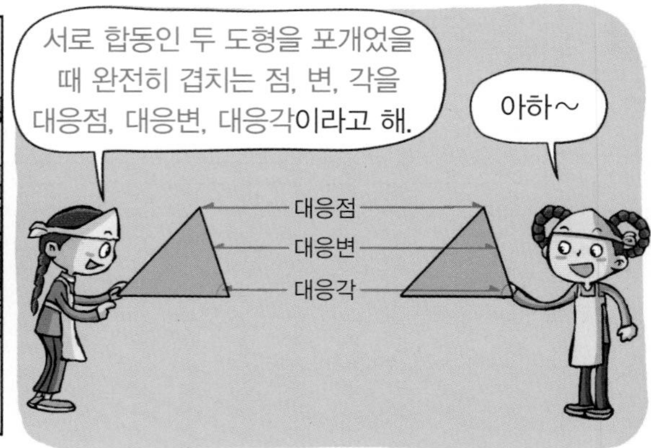

교과서 기초 개념

• **대응점, 대응변, 대응각**

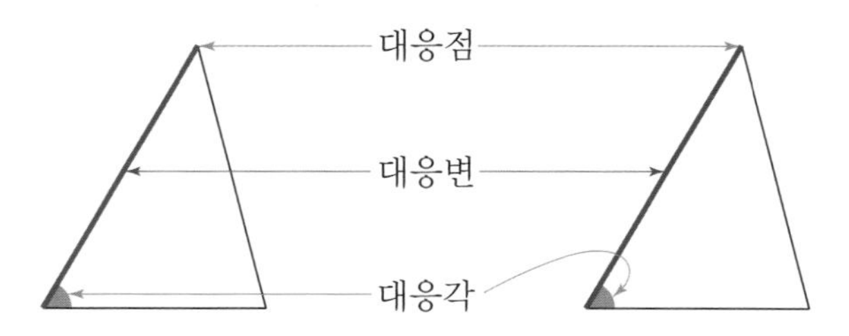

서로 합동인 두 도형을 포개었을 때
- 완전히 겹치는 점을 **대응점**
- 완전히 겹치는 변을 **대응변**
- 완전히 겹치는 각을 **대응각**

• **합동인 도형의 성질**

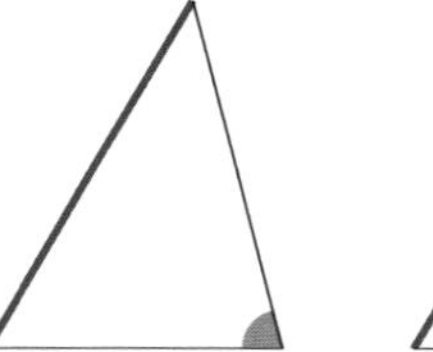

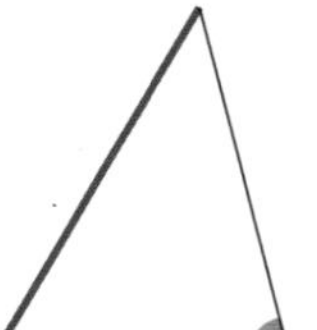

서로 합동인 두 도형에서
① 각각의 **대응변**의 길이가 **서로 같습니다.**
② 각각의 **대응각**의 크기가 **서로 같습니다.**

서로 합동인 두 도형에서
각각의 대응변의 길이가 같으므로 변의 길이를 구할 수 있고,
각각의 대응각의 크기가 같으므로 각도를 구할 수 있어.

개념 · 원리 확인

▶ 정답 및 풀이 13쪽

1-1 ▢ 안에 알맞은 말을 써넣으세요.

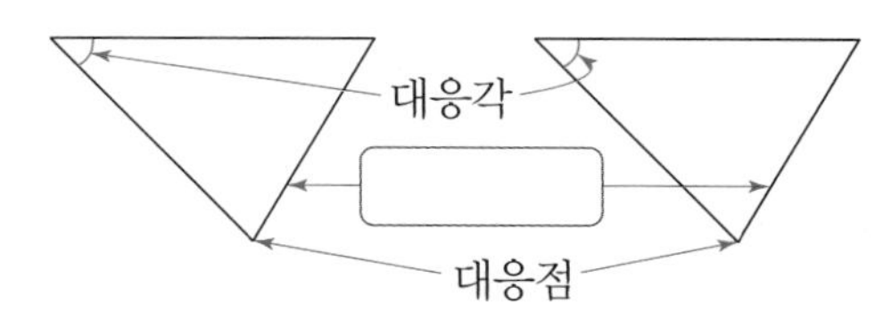

1-2 ▢ 안에 알맞은 말을 써넣으세요.

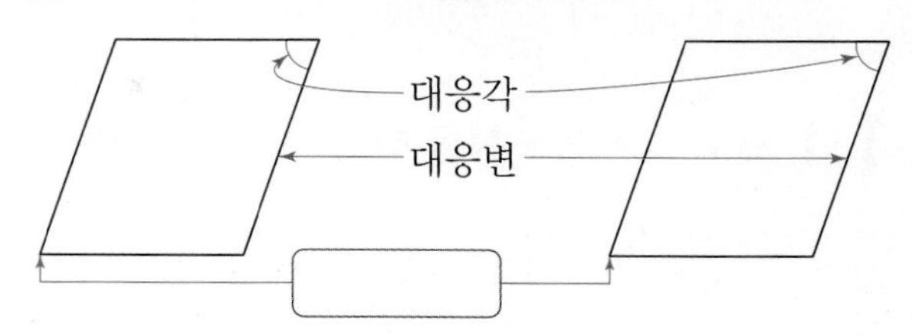

2-1 두 사각형은 서로 합동입니다. 알맞은 것에 ○표 하세요.

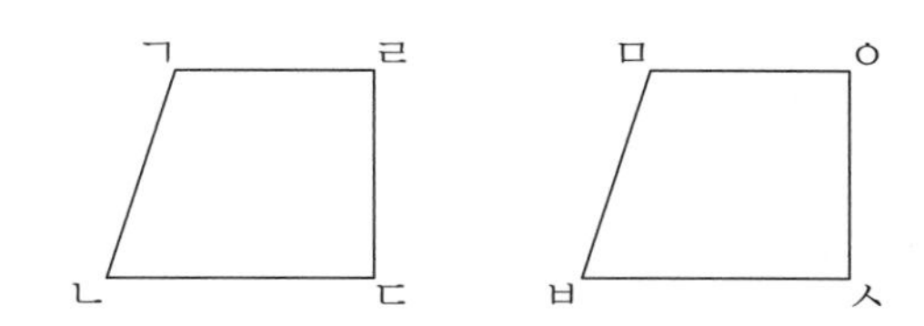

(1) 변 ㄱㄴ의 대응변: 변 (ㅁㅇ , ㅁㅂ , ㅇㅅ)

(2) 각 ㄱㄹㄷ의 대응각:
각 (ㅇㅁㅂ , ㅁㅇㅅ , ㅂㅅㅇ)

2-2 두 삼각형은 서로 합동입니다. ▢ 안에 알맞게 써넣으세요.

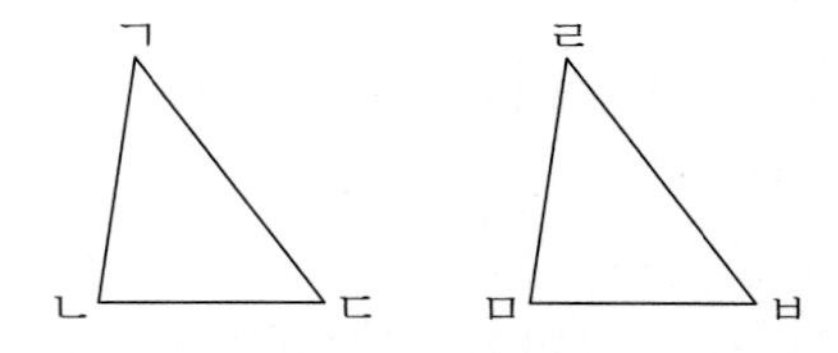

점 ㄱ의 대응점: 점 ▢
변 ㄹㅂ의 대응변: 변 ▢
각 ㅁㅂㄹ의 대응각: 각 ▢

3-1 두 삼각형은 서로 합동입니다. 대응점은 몇 쌍 있나요?

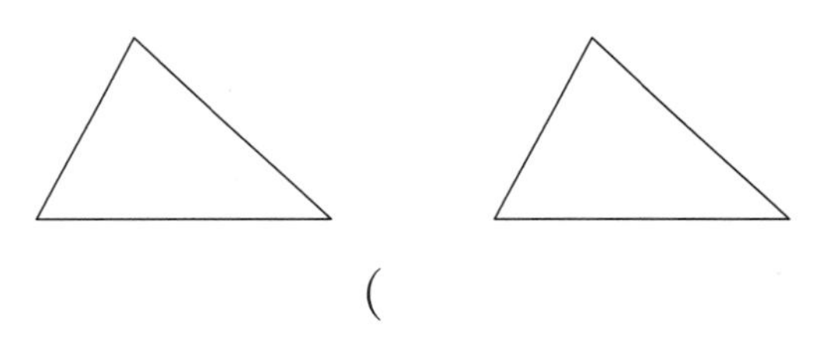

( )

3-2 왼쪽 **3-1**의 서로 합동인 삼각형에서 대응변과 대응각은 각각 몇 쌍 있나요?

대응변 ( )
대응각 ( )

4-1 두 사각형은 서로 합동입니다. 변 ㅁㅇ은 몇 cm인가요?

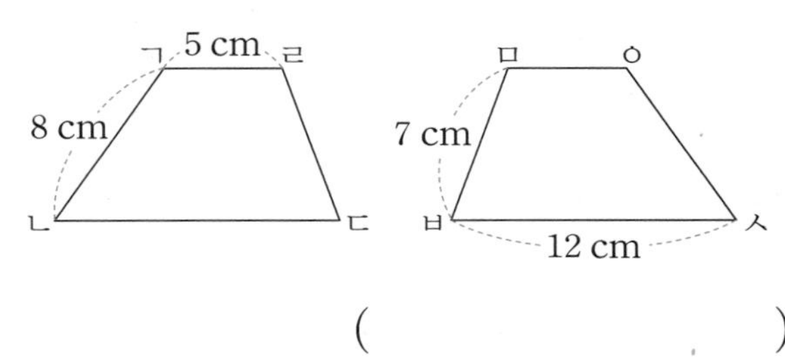

( )

4-2 두 삼각형은 서로 합동입니다. 각 ㄱㄷㄴ은 몇 도인가요?

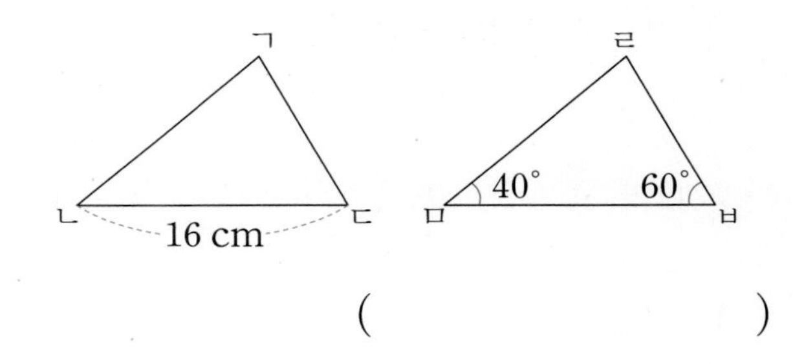

( )

2주 4일

4일 기초 집중 연습

기본 문제 연습

1-1 서로 합동인 도형을 찾아 색칠해 보세요.

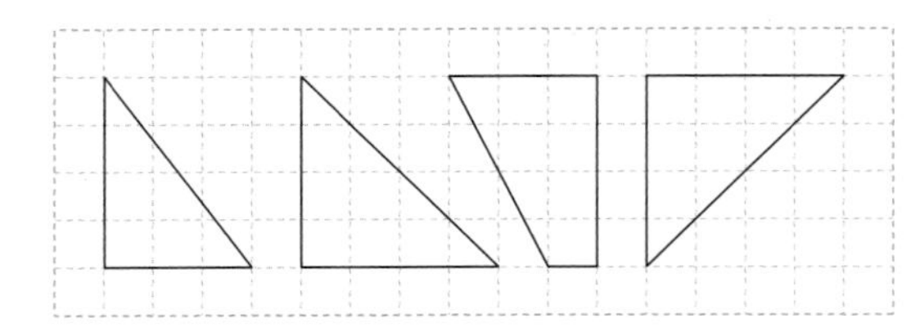

1-2 서로 합동인 도형을 찾아 색칠해 보세요.

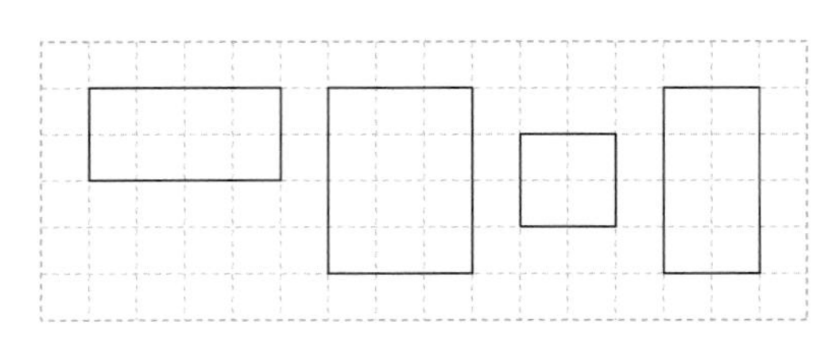

2-1 직사각형 모양의 색종이를 잘라서 서로 합동인 도형 2개가 되도록 선을 그어 보세요.

2-2 정사각형 모양의 종이를 잘라서 서로 합동인 도형이 되도록 선을 그었습니다. 바르게 그은 사람의 이름을 써 보세요.

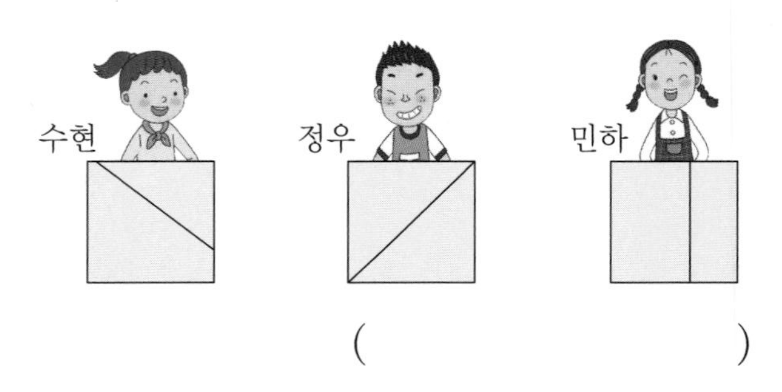

(　　　　　　　　)

3-1 두 삼각형은 서로 합동입니다. 대응점을 찾아 표의 빈칸에 알맞게 써넣으세요.

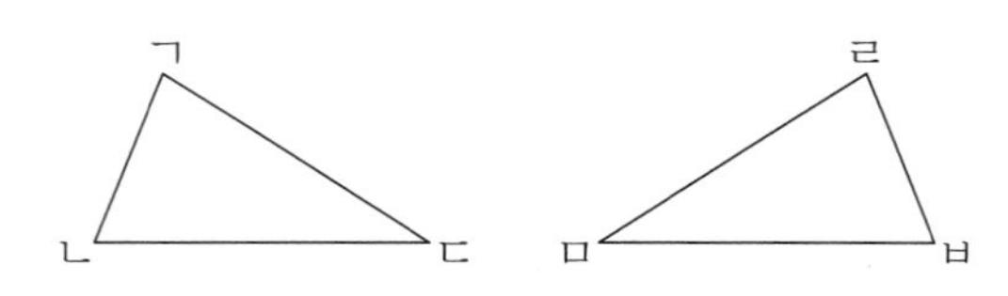

점 ㄱ	점 ㄴ	점 ㄷ

3-2 두 사각형은 서로 합동입니다. 대응각을 찾아 표의 빈칸에 알맞게 써넣으세요.

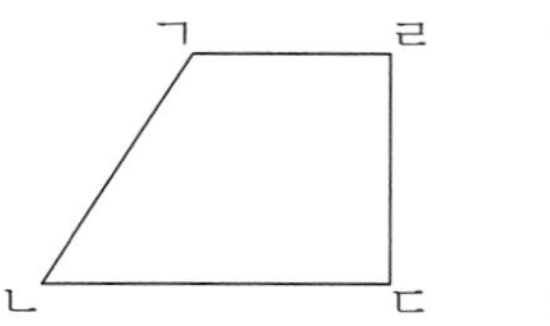

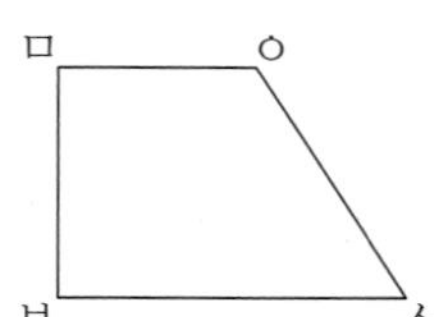

각 ㄱㄴㄷ	각 ㅁㅇㅅ	각 ㄱㄹㄷ

▶정답 및 풀이 14쪽

기초 → 문장제 연습 　서로 합동인 도형에서 대응변을 찾아 길이를 구하자.

기초 두 직사각형은 서로 합동입니다. 변 ㅂㅅ의 길이는 몇 m인가요?

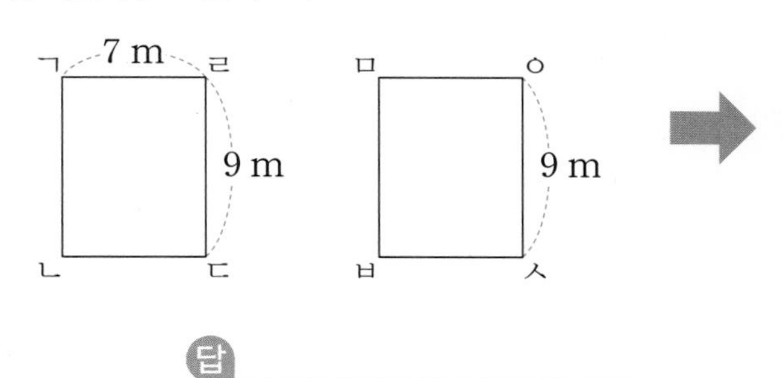

답 ______________

대응변의 길이는 실생활에서 어떤 상황에 이용될까요?

4-1 두 직사각형 모양의 땅은 서로 합동입니다. 변 ㅇㅅ의 길이는 몇 m인가요?

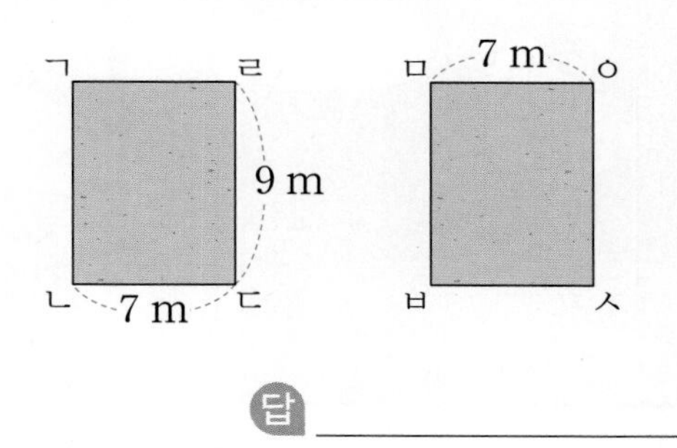

답 ______________

4-2 두 삼각형 모양의 색종이는 서로 합동입니다. 변 ㄹㅁ의 길이는 몇 cm인가요?

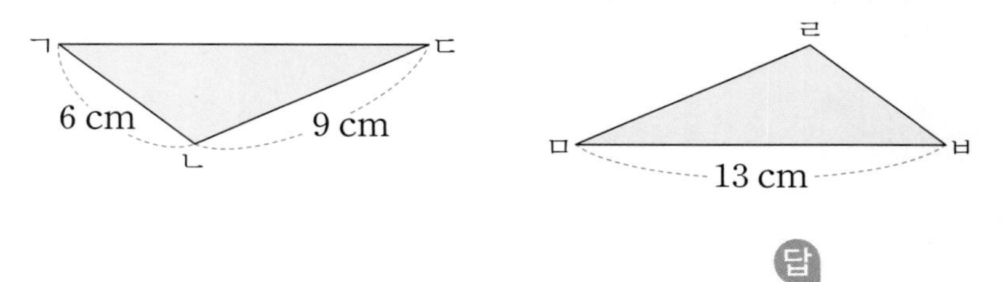

답 ______________

4-3 두 삼각형 모양의 땅은 서로 합동입니다. 삼각형 ㄹㅁㅂ의 둘레에 울타리를 치려고 합니다. 쳐야 하는 울타리의 길이는 몇 m인가요?

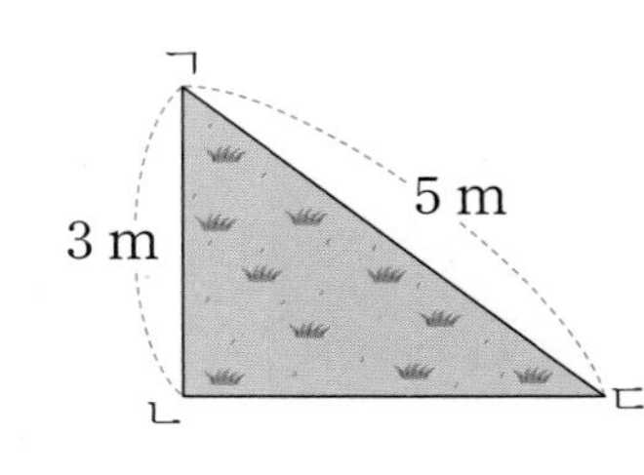

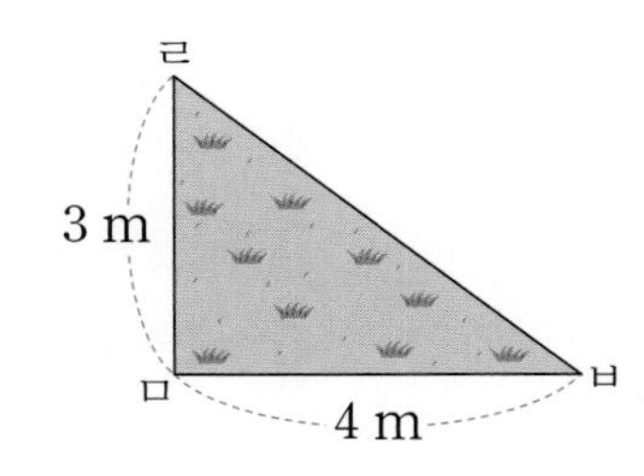

답 ______________

선대칭도형(1)

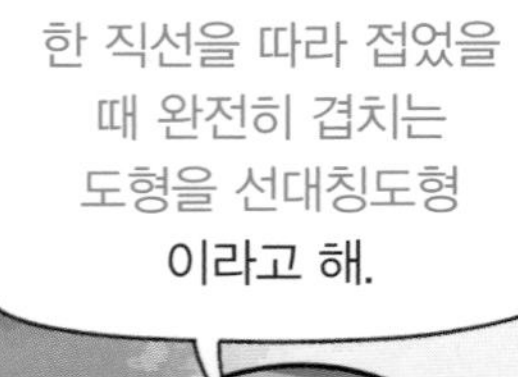

교과서 기초 개념

• **선대칭도형 알아보기**

한 직선을 따라 접었을 때 완전히 겹치는 도형을 **선대칭도형**이라고 합니다.
이때 그 직선을 **대칭축**이라고 합니다.

• **대응점, 대응변, 대응각**

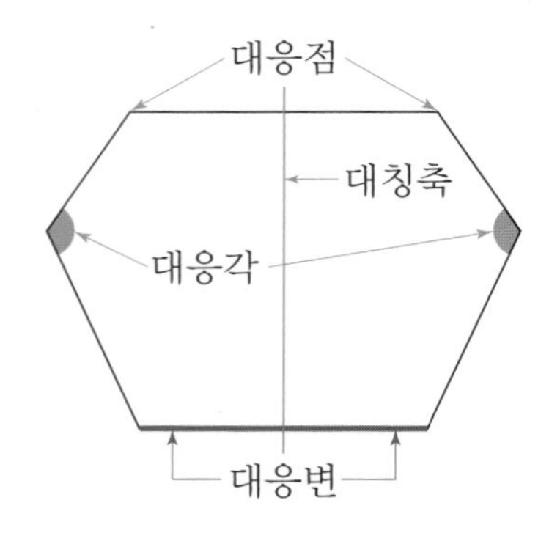

대칭축을 따라 접었을 때
- 겹치는 점: **대응점**
- 겹치는 변: **대응변**
- 겹치는 각: **대응각**

선대칭도형을 반으로 접으면 완전히 겹쳐.

개념 · 원리 확인

공부한 날 월 일

▶정답 및 풀이 14쪽

1-1 그림을 보고 ▢ 안에 알맞은 말을 써넣으세요.

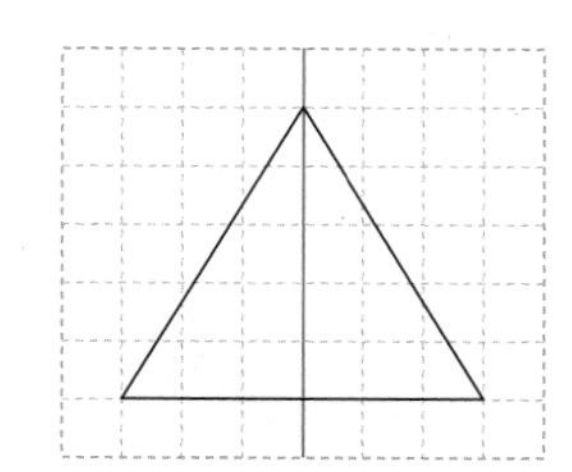

한 직선을 따라 접었을 때 완전히 겹치는 도형을 ▢(이)라고 합니다.

1-2 선대칭도형입니다. ▢ 안에 알맞은 말을 써넣으세요.

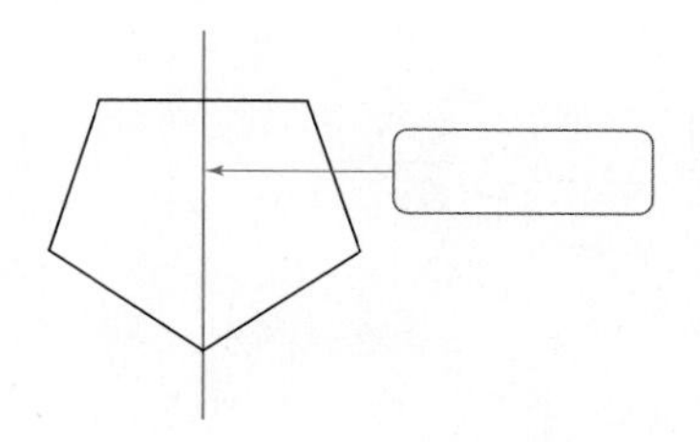

2-1 선대칭도형을 찾아 ○표 하세요.

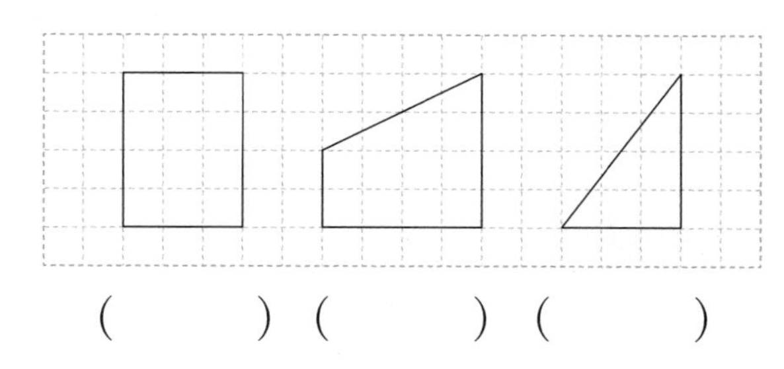

( ) ( ) ( )

2-2 선대칭도형을 찾아 ○표 하세요.

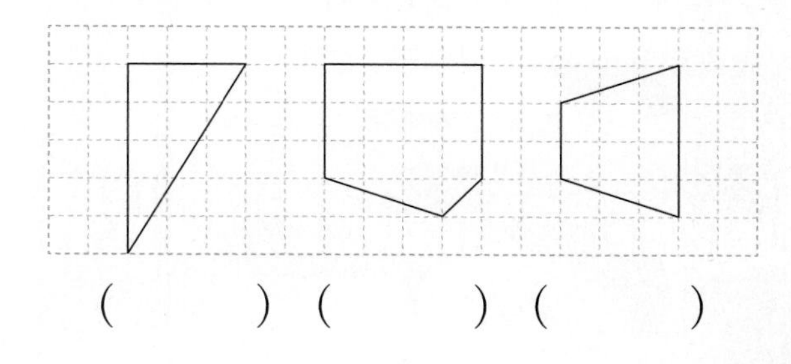

( ) ( ) ( )

3-1 선대칭도형입니다. 대칭축을 그려 보세요.

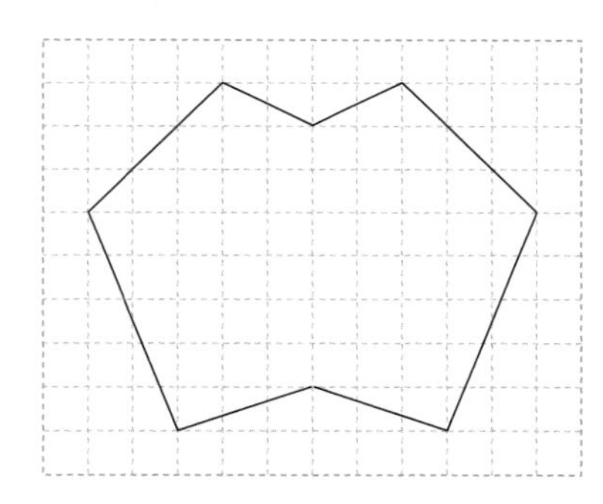

3-2 선대칭도형입니다. 대칭축을 그려 보세요.

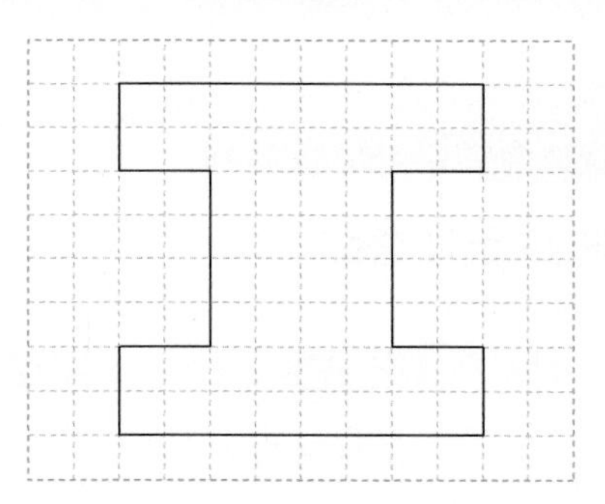

4-1 선대칭도형입니다. 대응점을 찾아 써 보세요.

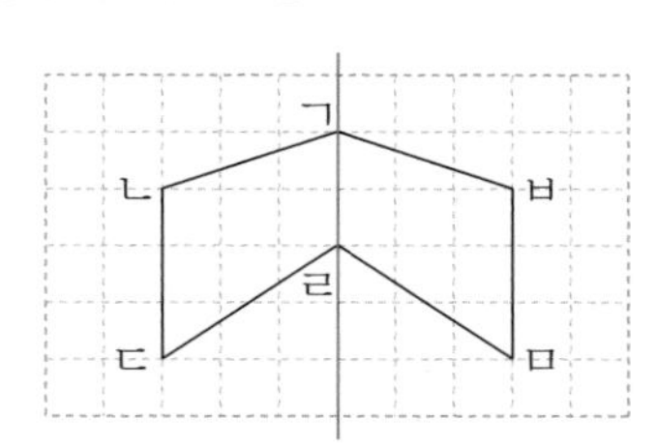

점 ㄴ의 대응점 ( )

점 ㅁ의 대응점 ( )

4-2 선대칭도형입니다. 대응변과 대응각을 찾아 써 보세요.

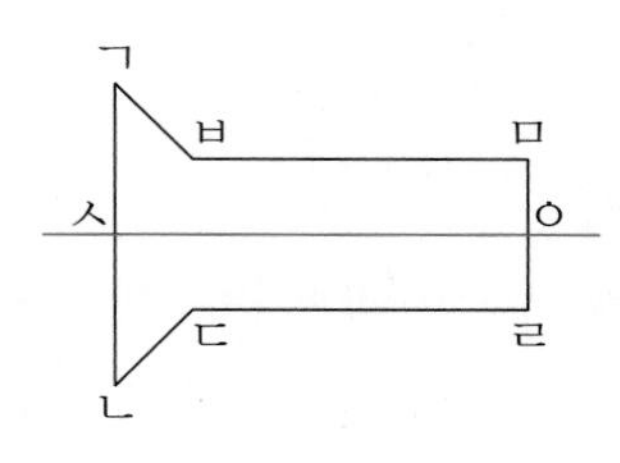

변 ㄴㄷ의 대응변 ( )

각 ㄷㄹㅇ의 대응각 ( )

교과서 기초 개념

- **선대칭도형의 성질**

① 각각의 **대응변**의 길이가 **서로 같습니다.**
② 각각의 **대응각**의 크기가 **서로 같습니다.**
③ 선대칭도형의 대응점끼리 이은 선분은 대칭축과 **수직**으로 만납니다.
④ 대칭축은 대응점끼리 이은 선분을 **둘로 똑같이 나눕니다.**

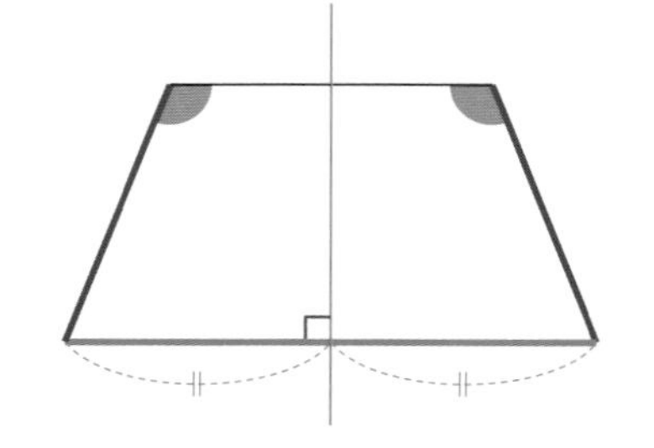

- **선대칭도형 그리기**

① **대응점**을 모두 찾아 표시한 후,
② 자를 사용하여 **대응점을 차례로 잇자.**

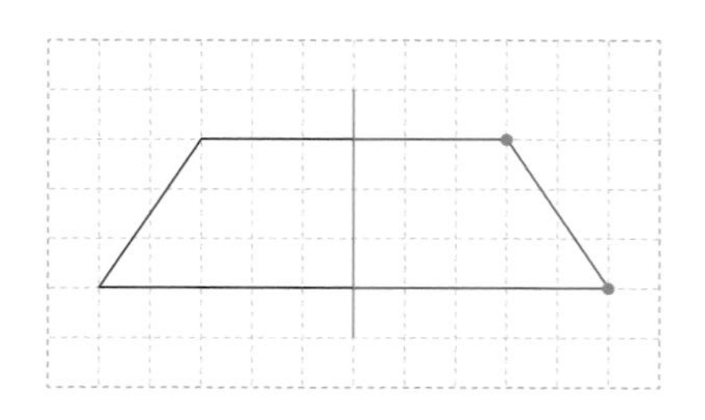

▶정답 및 풀이 15쪽

1-1 선대칭도형입니다. ☐ 안에 알맞은 수를 써넣고 알맞은 말에 ○표 하세요.

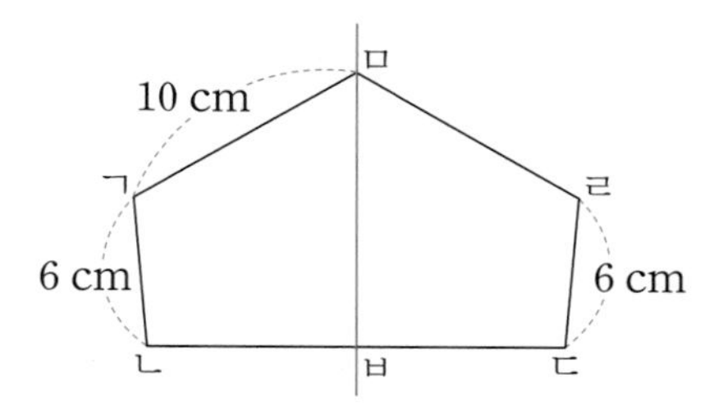

(변 ㄱㄴ)=☐ cm, (변 ㄹㄷ)=☐ cm

➜ 대응변의 길이는 (같습니다 , 다릅니다).

1-2 선대칭도형입니다. ☐ 안에 알맞은 수를 써넣고 알맞은 말에 ○표 하세요.

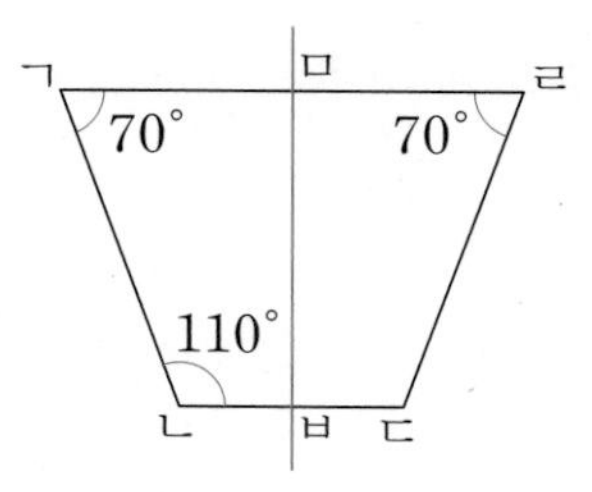

(각 ㅁㄱㄴ)=☐°, (각 ㅁㄹㄷ)=☐°

➜ 대응각의 크기는 (같습니다 , 다릅니다).

2-1 선대칭도형을 보고 ☐ 안에 알맞은 말을 써넣으세요.

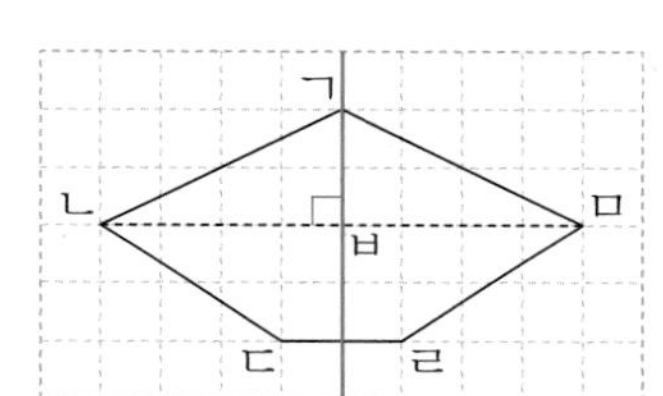

대응점끼리 이은 선분 ㄴㅁ은 대칭축과 ☐으로 만납니다.

2-2 선대칭도형입니다. 선분 ㄷㅂ이 대칭축과 만나서 이루는 각은 몇 도인가요?

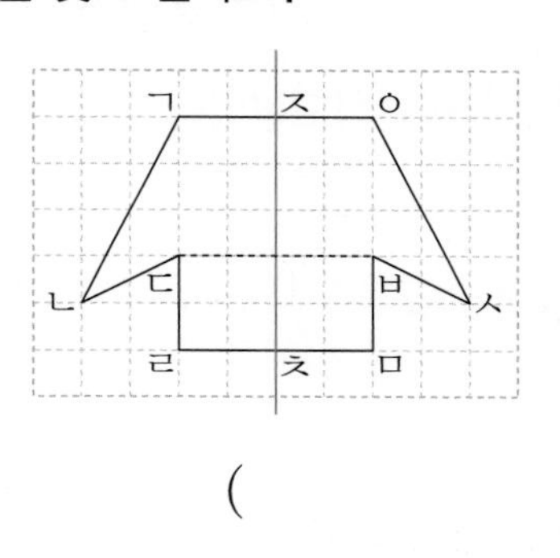

(   )

3-1 직선 ㄱㄴ을 대칭축으로 하는 선대칭도형을 완성해 보세요.

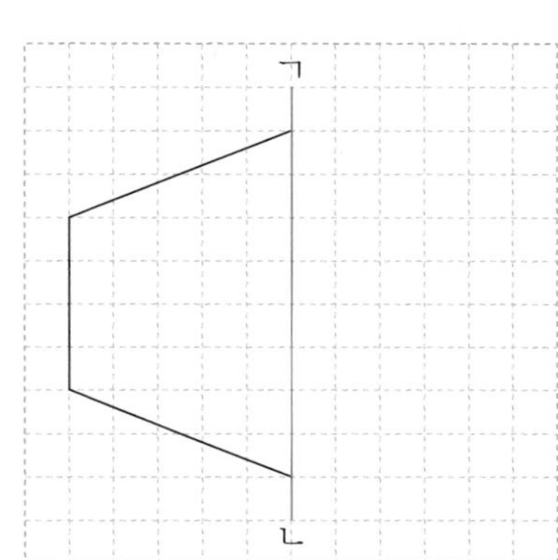

3-2 직선 ㄱㄴ을 대칭축으로 하는 선대칭도형을 완성해 보세요.

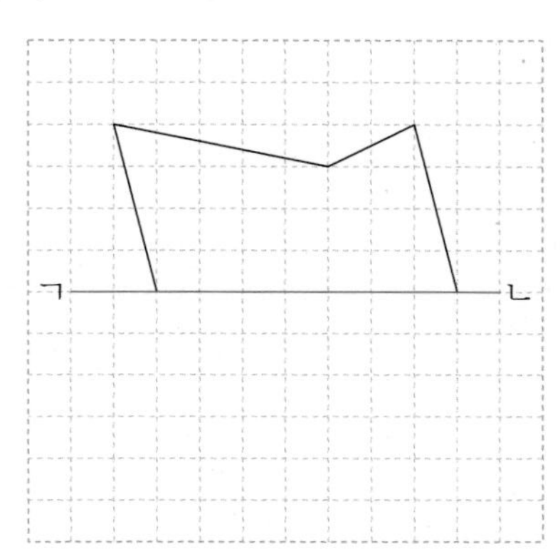

기초 집중 연습

기본 문제 연습

1-1 선대칭도형입니다. 대응점을 찾아 써 보세요.

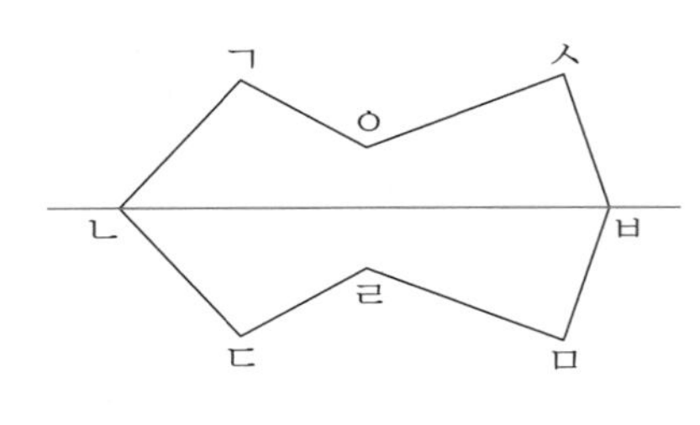

점 ㄱ의 대응점 (   )

점 ㄹ의 대응점 (   )

1-2 선대칭도형입니다. 대응각을 찾아 써 보세요.

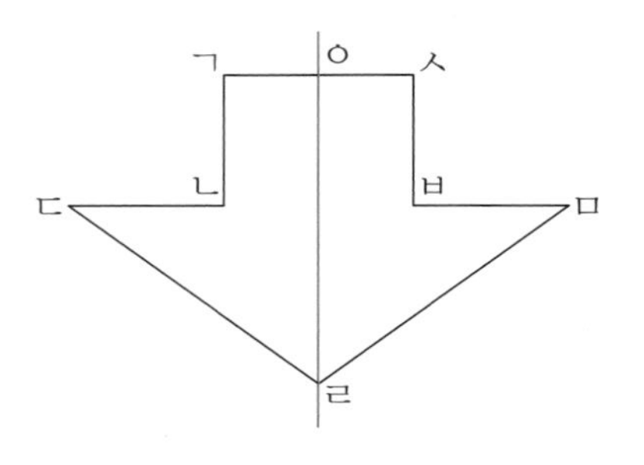

각 ㄴㄷㄹ의 대응각 (   )

각 ㅇㅅㅂ의 대응각 (   )

[2-1 ~ 2-2] 선대칭도형입니다. 대칭축을 모두 그려 보고, 몇 개인지 구해 보세요.

2-1

(   )

2-2

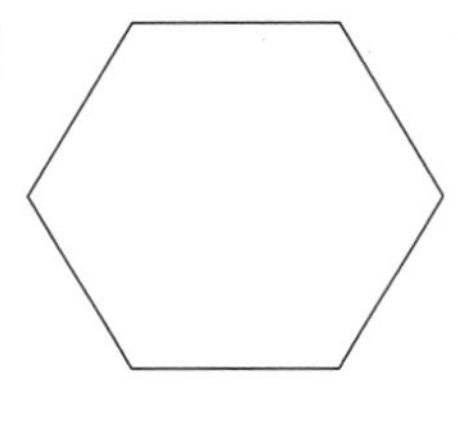

(   )

3-1 직선 ㄱㄴ을 대칭축으로 하는 선대칭도형을 완성해 보세요.

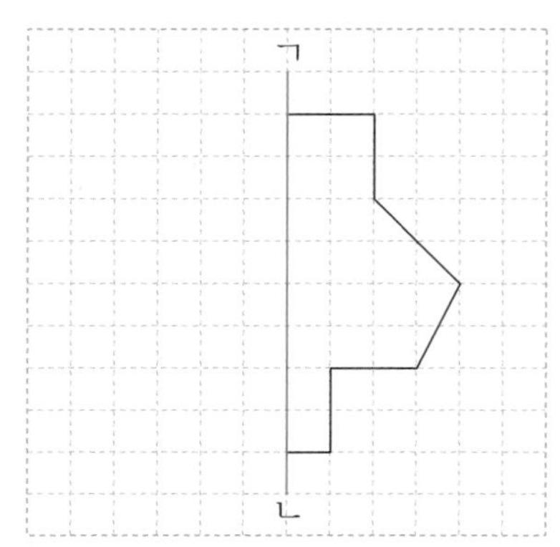

3-2 직선 ㄱㄴ을 대칭축으로 하는 선대칭도형을 완성해 보세요.

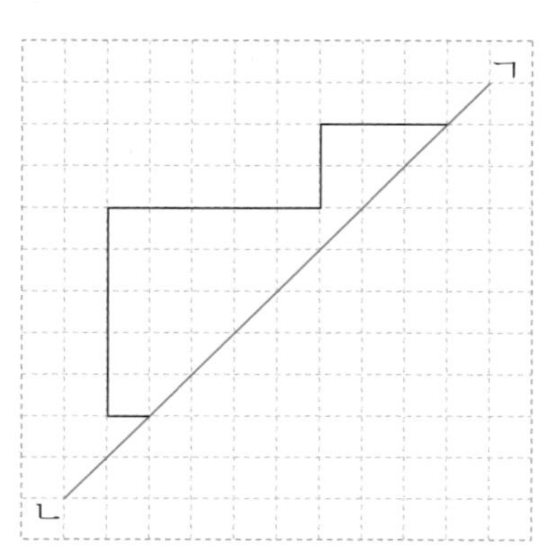

▶정답 및 풀이 15쪽

기초 → 기본 연습 선대칭도형의 성질을 이용하여 선분의 길이를 구하자.

기초 선대칭도형의 성질을 설명한 것입니다. ▢ 안에 알맞은 말을 써넣으세요.

선대칭도형에서 ▢은 대응점끼리 이은 선분을 둘로 똑같이 나눕니다.

4-1 선대칭도형입니다. 선분 ㅁㄴ은 몇 cm인가요?

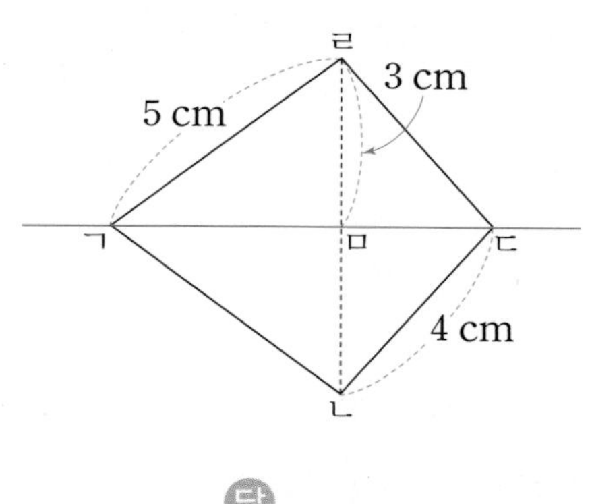

답 ________________

4-2 선대칭도형입니다. 선분 ㄴㅈ은 몇 cm인가요?

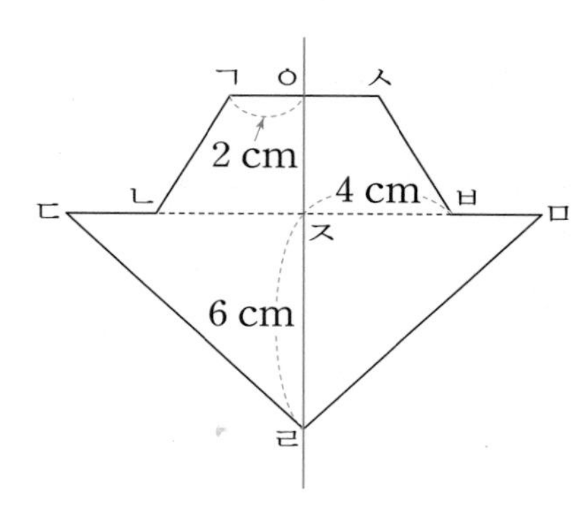

답 ________________

4-3 선대칭도형입니다. 선분 ㄱㅁ은 몇 cm인가요?

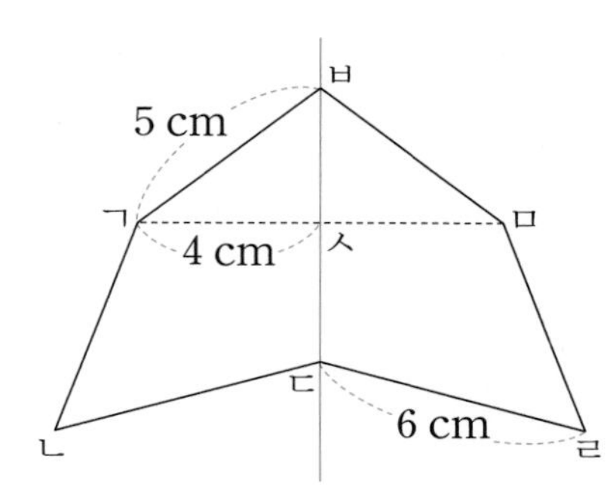

답 ________________

2주 5일

누구나 100점 맞는 테스트

1 □ 안에 알맞은 수를 써넣으세요.

$$1\frac{3}{5}\times2\frac{3}{4}=\frac{\overset{\square}{\cancel{8}}}{5}\times\frac{\square}{\underset{1}{\cancel{4}}}$$

$$=\frac{\square}{5}=\square$$

2 왼쪽 도형과 서로 합동인 도형을 찾아 ○표 하세요.

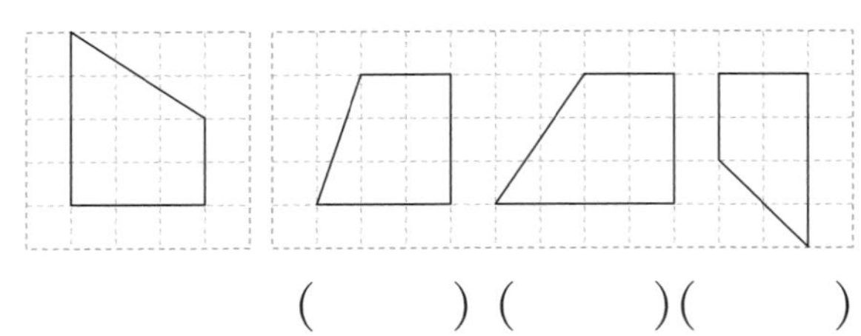

( ) ( ) ( )

3 계산해 보세요.

(1) $4\times\frac{5}{8}$

(2) $12\times2\frac{1}{8}$

4 두 사각형은 서로 합동입니다. 각 ㄴㄱㄹ은 몇 도인가요?

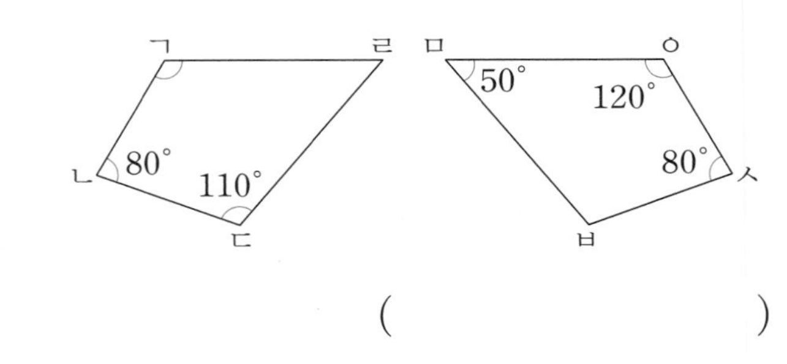

( )

5 사과의 무게는 $\frac{2}{5}$ kg입니다. 파인애플의 무게는 사과 무게의 $2\frac{3}{4}$배일 때 파인애플의 무게는 몇 kg인가요?

( )

맞은 점수

/100점

▶정답 및 풀이 15쪽

6 선대칭도형을 보고 물음에 답하세요.

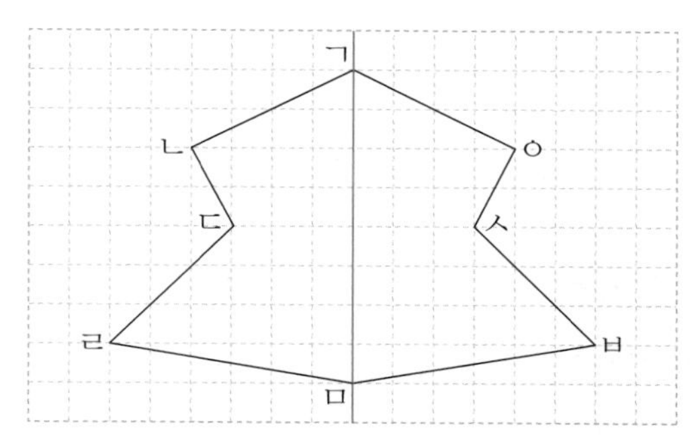

(1) 점 ㄹ의 대응점을 써 보세요.

( )

(2) 변 ㄱㄴ의 대응변을 써 보세요.

( )

(3) 각 ㄱㅇㅅ의 대응각을 써 보세요.

( )

7 직선 ㄱㄴ을 대칭축으로 하는 선대칭도형을 완성해 보세요.

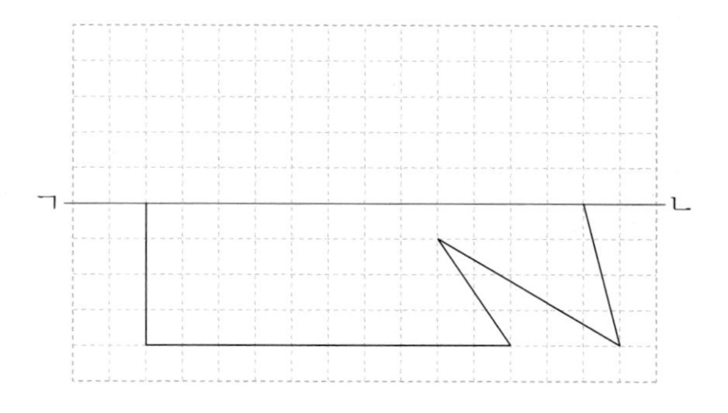

8 바르게 계산한 사람을 찾아 이름을 써 보세요.

민하: $\frac{5}{6}\times\frac{3}{10}=2\frac{1}{2}$

정우: $\frac{3}{4}\times\frac{3}{5}\times\frac{2}{9}=\frac{1}{10}$

( )

9 계산 결과가 6보다 작은 식을 찾아 기호를 써 보세요.

㉠ 6×1 ㉡ $6\times1\frac{1}{5}$ ㉢ $6\times\frac{7}{9}$

( )

10 재성이가 캐나다 여행을 하면서 브리티시컬럼비아주 의사당을 찍은 직사각형 모양의 사진입니다. 사진의 넓이는 몇 cm^2인가요?

식 ____________________

답 

특강 창의·융합·코딩

창의 1 세 사람은 다이아몬드(◆) 모양, 하트(♥) 모양, 클로버 모양(♣) 중 각각 다른 모양의 카드를 한 장씩 가지고 있습니다.

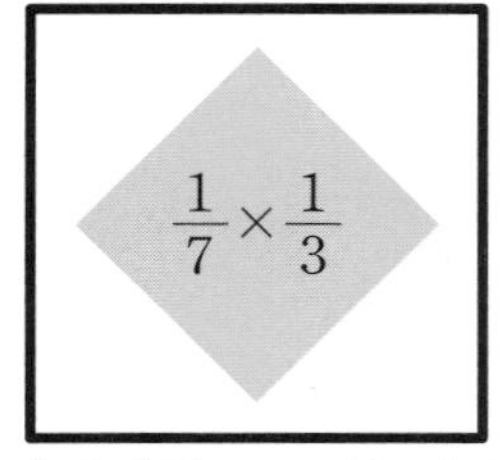

다이아몬드 모양 카드

하트 모양 카드

클로버 모양 카드

내가 가진 카드의 모양을 찾아 ○표 하고, 모양에 적혀 있는 곱셈식을 계산해 봐~

답 ______________

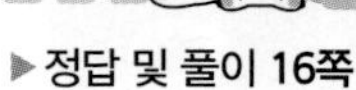

▶정답 및 풀이 16쪽

지도를 보고 도둑을 잡자!

도둑을 쫓던 탐정은 지도를 발견했습니다.

도둑은 어느 나라로 도망 갔을까?

모양과 크기가 같아서 포개었을 때 완전히
겹치는 두 도형을 ☐(이)라고 해.
즉, 쪽지의 모양과 땅의 모양이 서로 합동인 나라는 ☐!

답 ____________

창의 3 주어진 두 도형이 서로 합동이면 풍선을 터뜨릴 수 있습니다. 수현이는 풍선을 터뜨릴 수 있는지 예, 아니요로 답하세요.

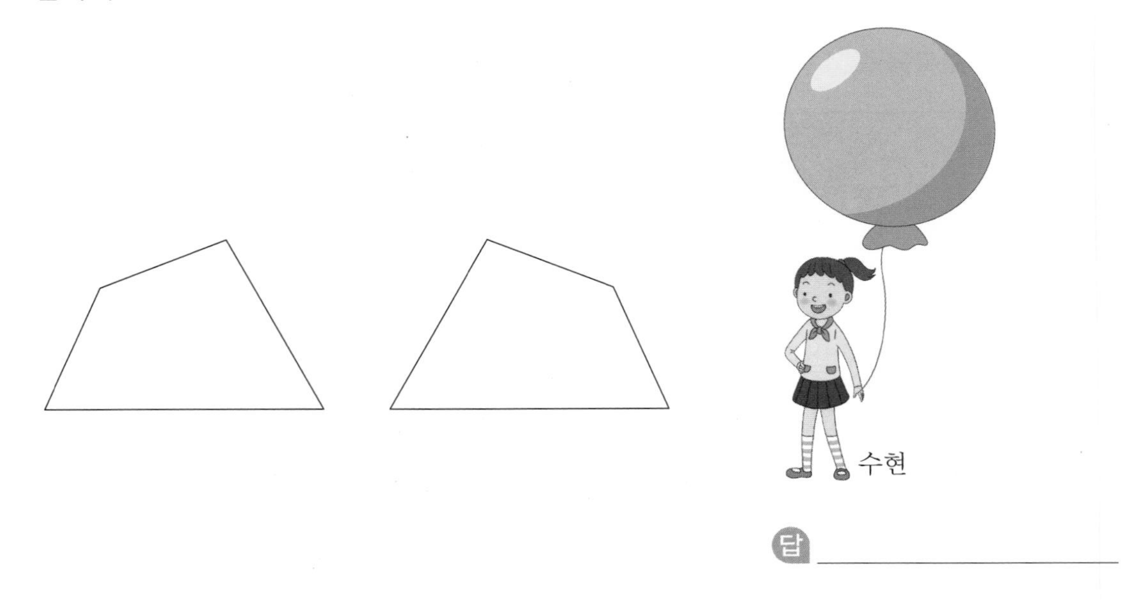

답 ____________

융합 4 태극기의 가로는 48 cm입니다. 태극기의 세로는 가로의 $\frac{2}{3}$일 때 세로는 몇 cm인지 구해 보세요.

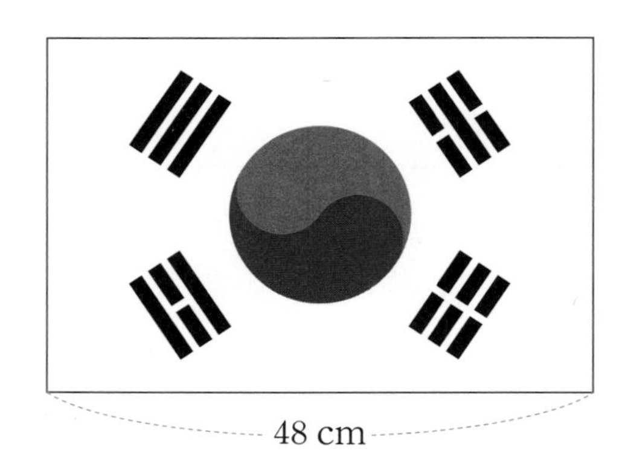

답 ____________

▶정답 및 풀이 16쪽

자메이카 국기입니다. 자메이카 국기는 선대칭도형인지 아닌지 쓰고, 그 이유를 써 보세요.

답 ______________________

이유 ______________________________________

코딩 6

에 따라 얼굴에 표정을 그려 보세요.

규칙

• 계산한 값이 7보다 작으면  입니다.

• 계산한 값이 7보다 크면  입니다.

(1) $7 \times \frac{5}{7}$ ➔ ◯

(2) $7 \times 1\frac{1}{2}$ ➔ ◯

융합 7 경주 불국사에 있는 다보탑의 높이는 석가탑의 높이의 $1\frac{11}{41}$배입니다. 다보탑의 높이를 구하여 빈칸에 알맞은 수를 써넣으세요.

	석가탑	다보탑
탑		
높이(m)	$8\frac{1}{5}$	

코딩 8 다음과 같은 명령에 따라 수가 변합니다. 내보내는 수를 구해 보세요.

명령
① 넣은 수와 $\frac{3}{4}$을 곱합니다.
② ①에서 계산한 결과와 $\frac{5}{6}$를 곱합니다.
➔ ②에서 계산한 결과를 내보냅니다.

넣은 수가 $\frac{4}{7}$일 때 명령에 따라 내보내는 수를 구해 봐~

답 ______________

▶정답 및 풀이 16쪽

컴퓨터를 이용하여 선대칭도형을 그리려고 합니다. F 를 누르면 이동 방향으로 1 cm 이동하고, A 를 누르면 이동 방향이 시계 방향으로 직각만큼 바뀝니다. 보기 와 같이 F 와 A 를 눌렀을 때 생기는 선대칭도형을 그려 보세요.

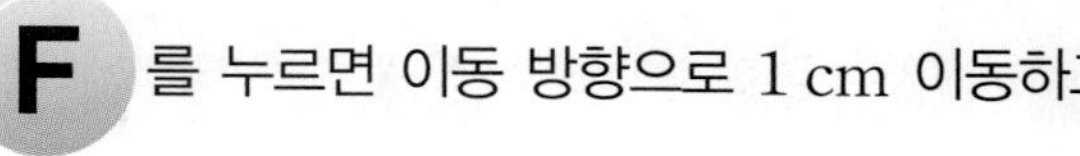

F : 이동 방향으로 1 cm 이동함. A : 이동 방향이 시계 방향으로 직각만큼 바뀜.

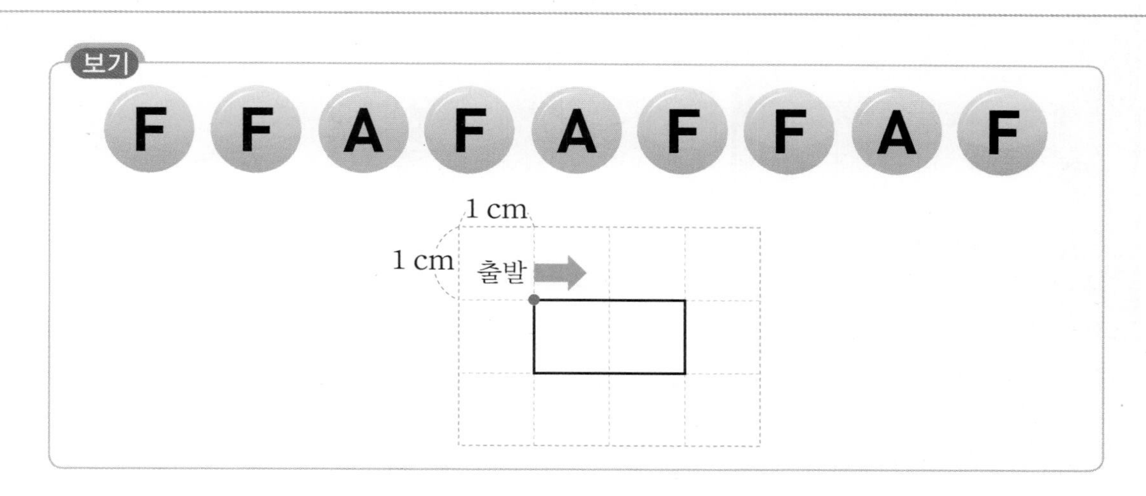

F 는 이동 방향으로 1 cm 이동하는 명령어이고,
A 는 이동 방향을 시계 방향으로 직각만큼 바꾸는 명령어야.

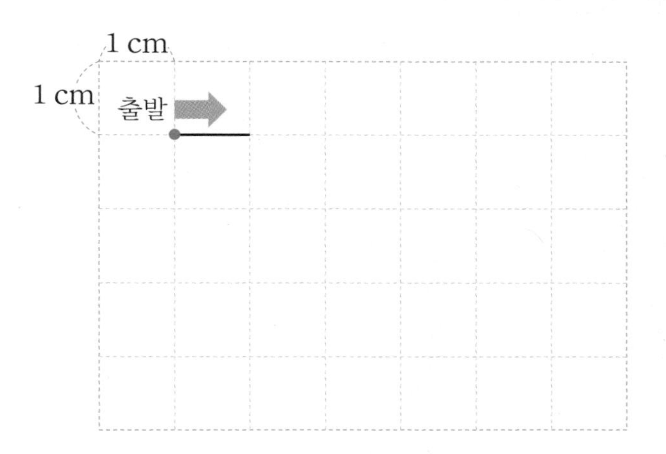

2주 특강

합동과 대칭 / 소수의 곱셈 / 직육면체

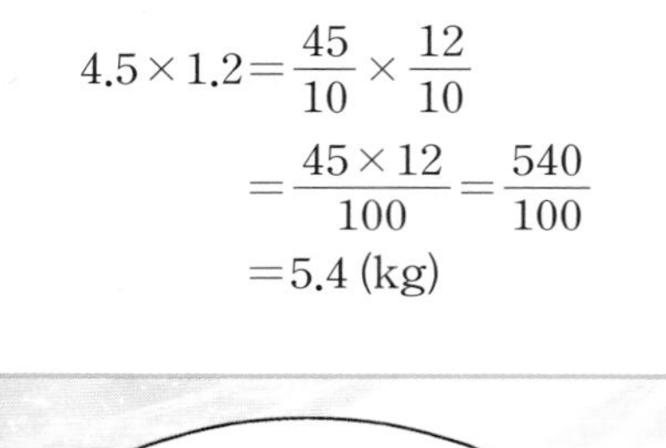

3주에는 무엇을 공부할까? ①

1일 점대칭도형(1), (2)
2일 (소수)×(자연수), (자연수)×(소수)
3일 (소수)×(소수)(1), (2)
4일 곱의 소수점 위치(1), (2)
5일 직육면체, 정육면체

3주에는 무엇을 공부할까? ②

3-1 분수와 소수

분수 $\frac{1}{10}$을 0.1이라 쓰고 영 점 일이라고 읽어.

분모가 10인 분수는 소수 한 자리 수로 나타낼 수 있어.

1-1 그림을 보고 ☐ 안에 알맞은 수나 말을 써넣으세요.

0   1

색칠한 부분을 소수로 나타내면
☐(이)라 쓰고
☐(이)라고 읽습니다.

1-2 그림을 보고 ☐ 안에 알맞은 수나 말을 써넣으세요.

0   1   2   3

색칠한 부분을 소수로 나타내면
☐(이)라 쓰고
☐(이)라고 읽습니다.

2-1 ☐ 안에 알맞은 수를 써넣으세요.

(1) 0.7은 0.1이 ☐개입니다.

(2) 4.3은 0.1이 ☐개입니다.

2-2 ☐ 안에 알맞은 수를 써넣으세요.

(1) 0.1이 3개이면 ☐입니다.

(2) 0.1이 68개이면 ☐입니다.

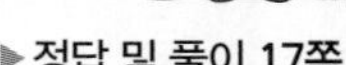

▶정답 및 풀이 17쪽

4-1 평면도형의 이동

3-1 왼쪽 도형을 시계 방향으로 180°만큼 돌렸을 때의 모양을 찾아 ○표 하세요.

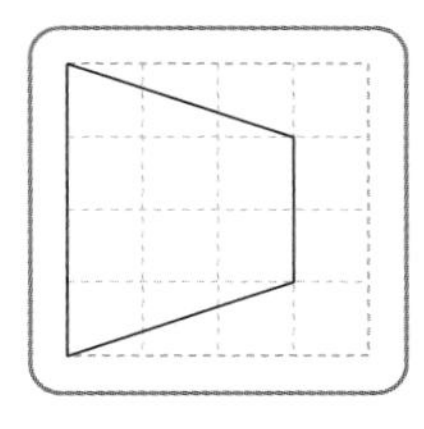

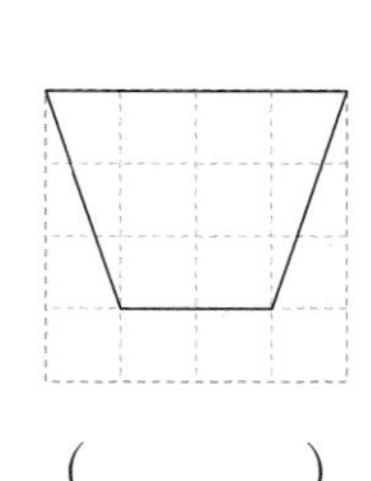
( )

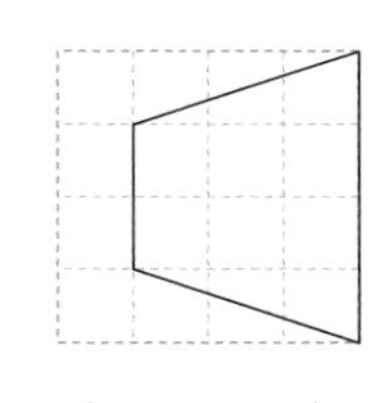
( )

3-2 왼쪽 도형을 시계 반대 방향으로 90°만큼 돌렸을 때의 모양을 찾아 ○표 하세요.

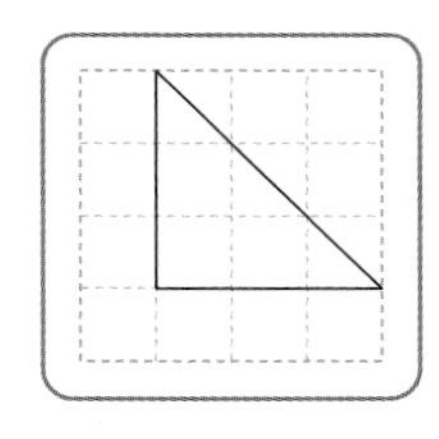

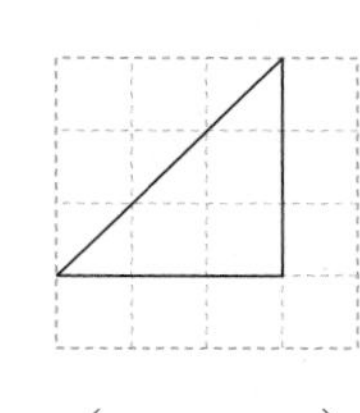
( )

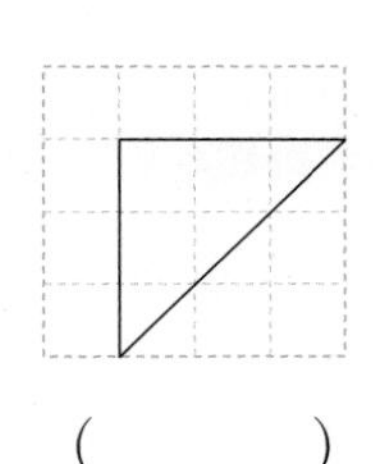
( )

4-1 도형을 시계 방향으로 주어진 각도만큼 돌렸을 때의 모양을 그려 보세요.

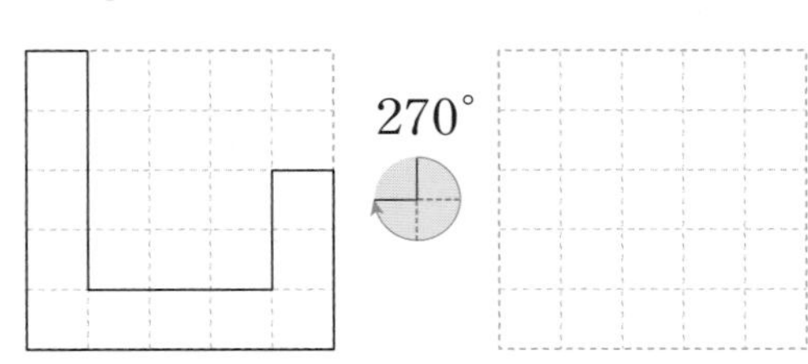

4-2 도형을 시계 반대 방향으로 주어진 각도만큼 돌렸을 때의 모양을 그려 보세요.

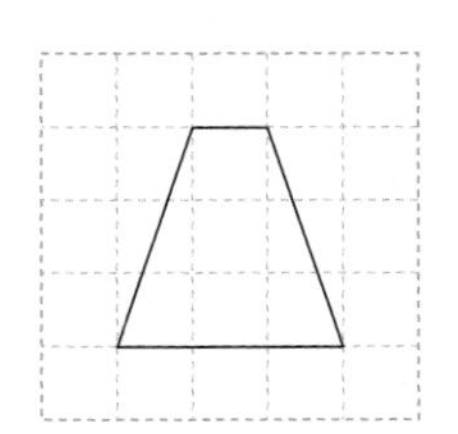

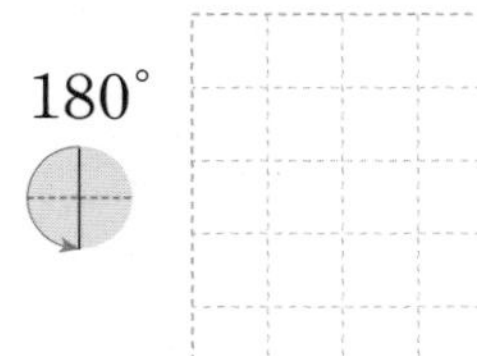

그리고 네잎클로버는
한 점을 중심으로 180° 돌렸을 때
처음 모양과 같으니까 점대칭도형이야.

교과서 기초 개념

• **점대칭도형 알아보기**

어떤 점을 중심으로 180° 돌렸을 때 처음 도형과 완전히 겹치는 도형을 **점대칭도형**이라고 합니다. 이때 그 점을 **대칭의 중심**이라고 합니다.

• **대응점, 대응변, 대응각**

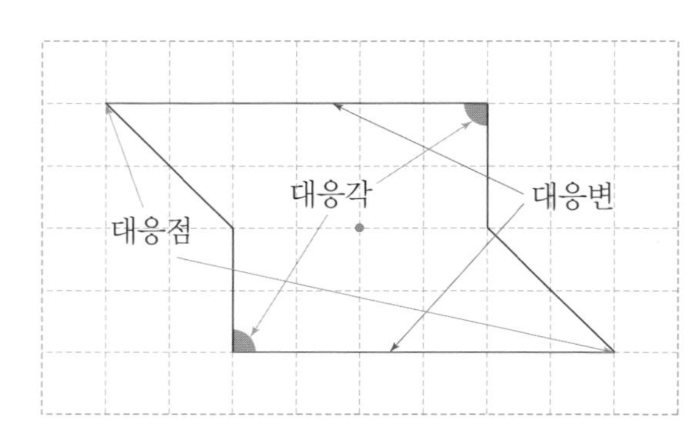

대칭의 중심을 중심으로 180° 돌렸을 때
- 겹치는 점: **대응점**
- 겹치는 변: **대응변**
- 겹치는 각: **대응각**

대응점끼리
각각 이은 선분이
만나는 점이 대칭의
중심이야.

개념 · 원리 확인

▶정답 및 풀이 17쪽

1-1 도형을 보고 □ 안에 알맞게 써넣으세요.

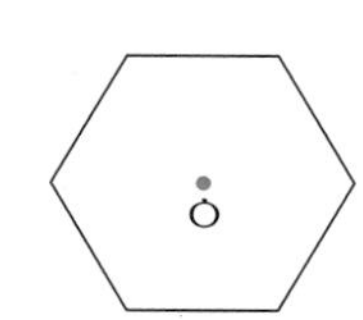

이 도형은 점 □을 중심으로 180° 돌렸을 때 처음 도형과 완전히 겹치므로 □도형입니다.

1-2 □ 안에 알맞은 말을 써넣으세요.

한 도형을 어떤 점을 중심으로 180° 돌렸을 때 처음 도형과 완전히 겹치면 이 도형을 □(이)라고 합니다.
이때 그 점을 □(이)라고 합니다.

2-1 점대칭도형을 찾아 ○표 하세요.

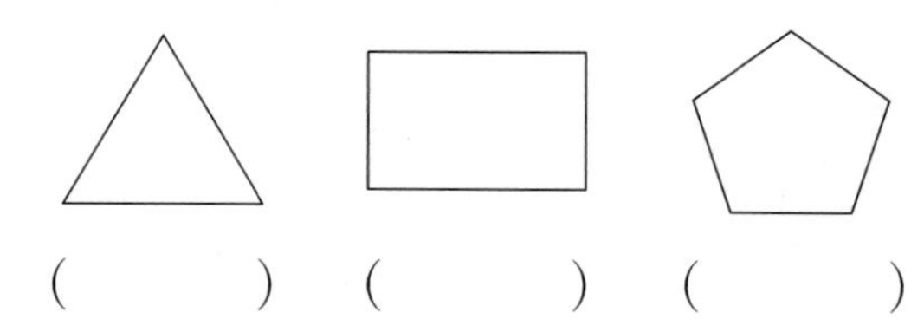

( ) ( ) ( )

2-2 점대칭도형을 찾아 기호를 써 보세요.

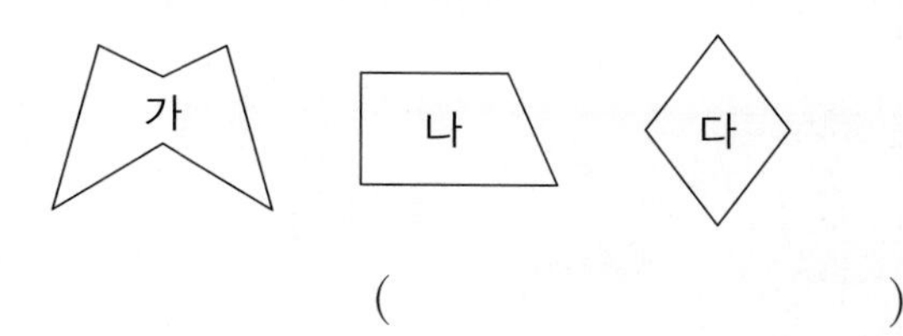

( )

[3-1 ~ 3-2] 점대칭도형에서 대칭의 중심을 찾아 번호를 써 보세요.

3-1

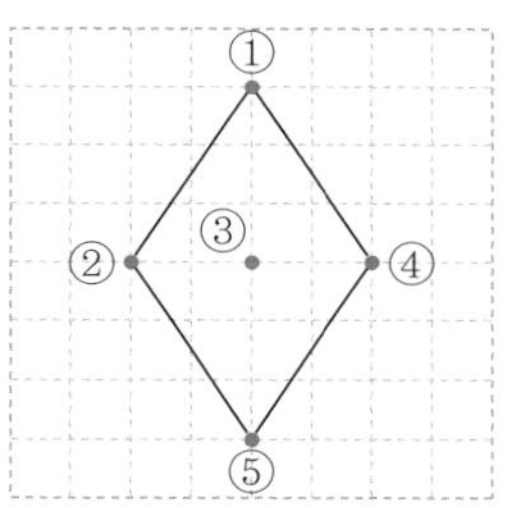

( )

3-2

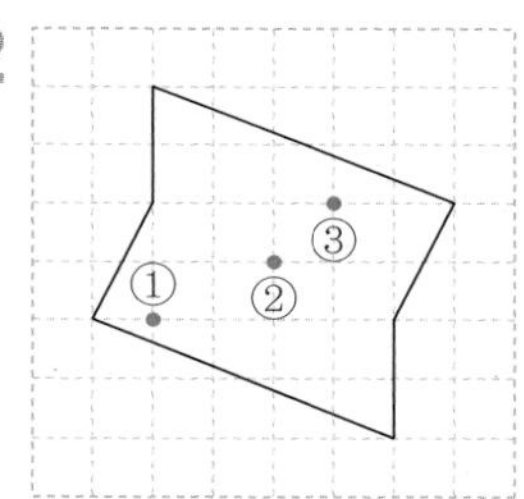

( )

[4-1 ~ 4-2] 점대칭도형을 보고 대응점, 대응변, 대응각을 각각 찾아 써 보세요.

4-1

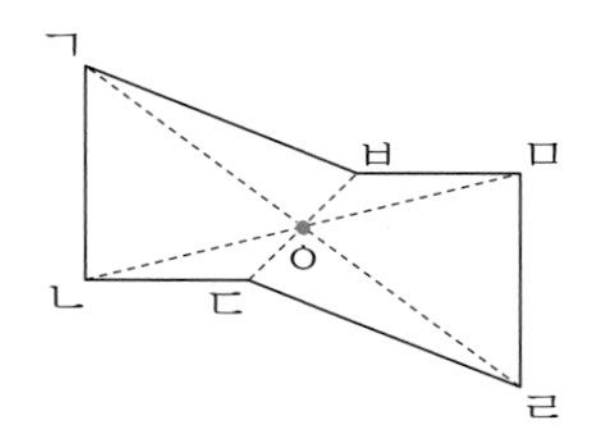

(1) 점 ㄱ의 대응점 ( )
(2) 변 ㄱㄴ의 대응변 ( )
(3) 각 ㄴㄱㅂ의 대응각 ( )

4-2

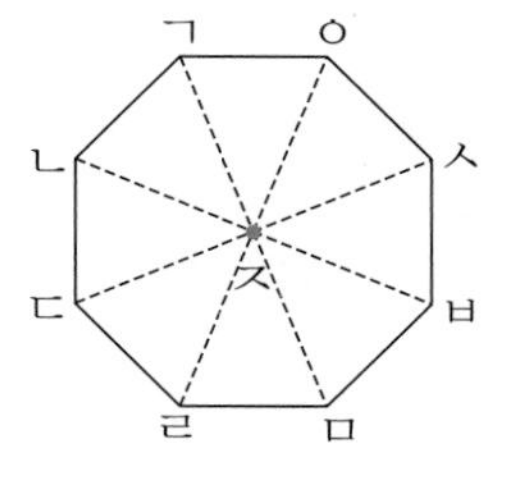

(1) 점 ㄴ의 대응점 ( )
(2) 변 ㅁㅂ의 대응변 ( )
(3) 각 ㄴㄷㄹ의 대응각 ( )

교과서 기초 개념

• **점대칭도형의 성질**

① 각각의 **대응변**의 길이가 **서로 같습니다.**
② 각각의 **대응각**의 크기가 **서로 같습니다.**
③ 대칭의 중심은 대응점끼리 이은 선분을
둘로 똑같이 나눕니다.

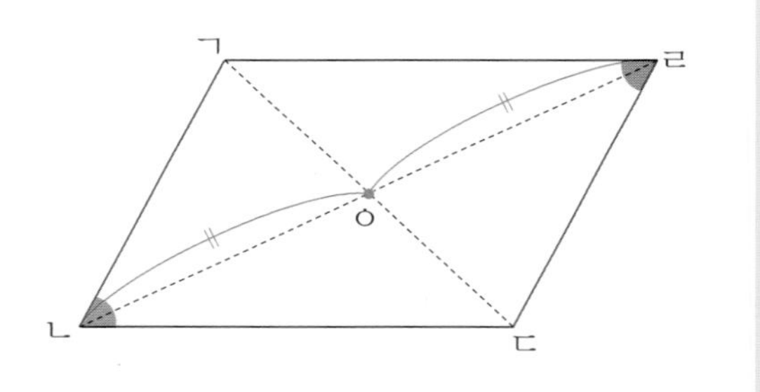

• **점대칭도형 그리기**

① 각 점의 **대응점**을 찾아 표시한 후,
② 자를 사용하여 **대응점을 차례로 잇자.**

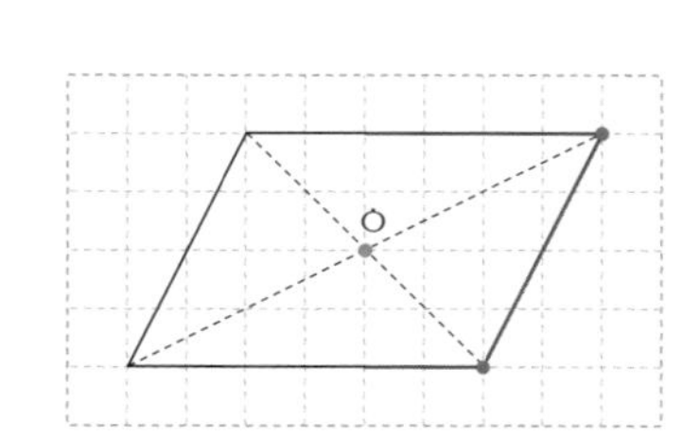

개념 · 원리 확인

▶정답 및 풀이 17쪽

1-1 점대칭도형을 보고 물음에 답하세요.

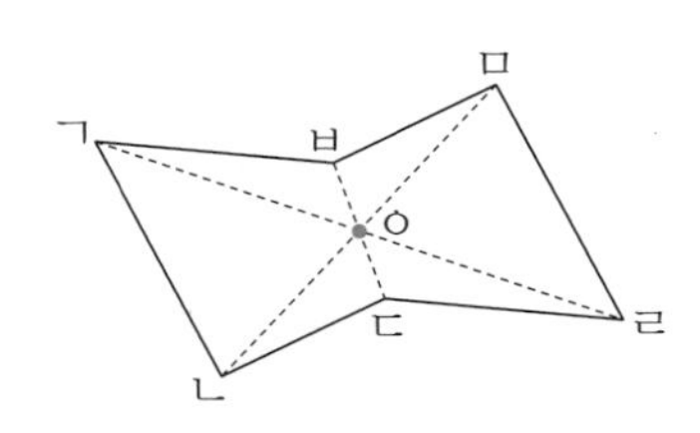

(1) 변 ㄱㄴ과 길이가 같은 변을 찾아 써 보세요.

(　　　　　　　　　　)

(2) 각 ㄱㄴㄷ과 크기가 같은 각을 찾아 써 보세요.

(　　　　　　　　　　)

(3) 선분 ㄴㅇ과 길이가 같은 선분을 찾아 써 보세요.

(　　　　　　　　　　)

1-2 점대칭도형을 보고 물음에 답하세요.

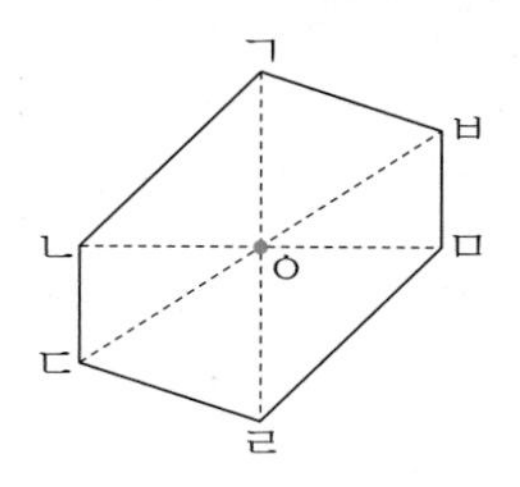

(1) 변 ㄷㄹ과 길이가 같은 변을 찾아 써 보세요.

(　　　　　　　　　　)

(2) 각 ㄷㄹㅁ과 크기가 같은 각을 찾아 써 보세요.

(　　　　　　　　　　)

(3) 선분 ㄷㅇ과 길이가 같은 선분을 찾아 써 보세요.

(　　　　　　　　　　)

[2-1 ~ 2-2] 점대칭도형에 대한 설명이 맞으면 ○표, 틀리면 ×표 하세요.

2-1

각각의 대응각의 크기가 서로 같아.

(　　　　　　　　　　)

2-2

대칭의 중심은 대응점끼리 이은 선분을 셋으로 똑같이 나누어.

(　　　　　　　　　　)

[3-1 ~ 3-2] 점대칭도형이 되도록 그림을 완성하려고 합니다. 물음에 답하세요.

3-1

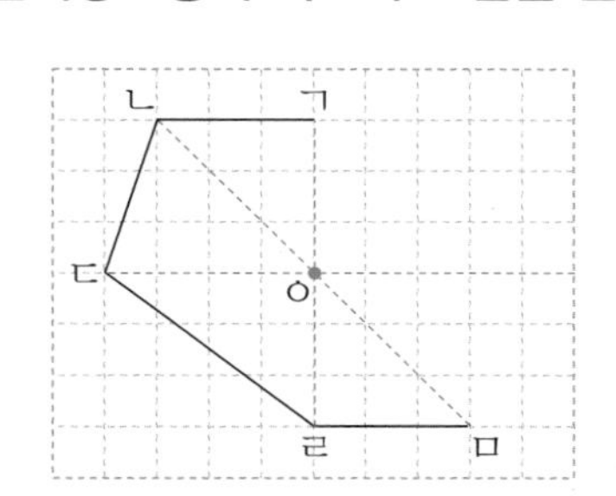

(1) 점 ㄷ의 대응점을 찾아 점(•)으로 표시해 보세요.

(2) 점대칭도형이 되도록 그림을 완성해 보세요.

3-2

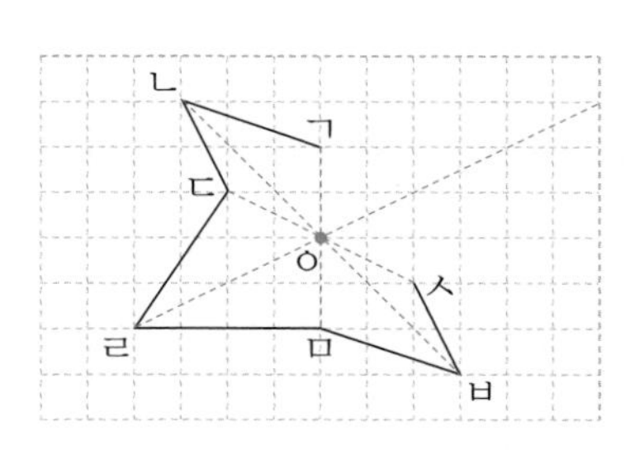

(1) 점 ㄹ의 대응점을 찾아 점(•)으로 표시해 보세요.

(2) 점대칭도형이 되도록 그림을 완성해 보세요.

기초 집중 연습

기본 문제 연습

1-1 점대칭도형인 문자를 찾아 ○표 하세요.

ㄱ ㄷ ㄹ

( ) ( ) ( )

1-2 점대칭도형인 문자를 찾아 ○표 하세요.

E H W

( ) ( ) ( )

2-1 점대칭도형입니다. 길이가 같은 변을 찾아 이어 보세요.

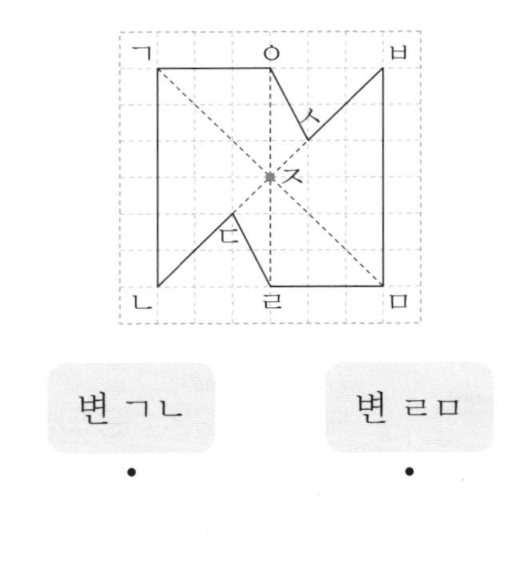

변 ㄱㄴ 변 ㄹㅁ

변 ㅁㅂ 변 ㅂㅅ 변 ㅇㄱ

2-2 점대칭도형입니다. 길이가 같은 선분을 찾아 이어 보세요.

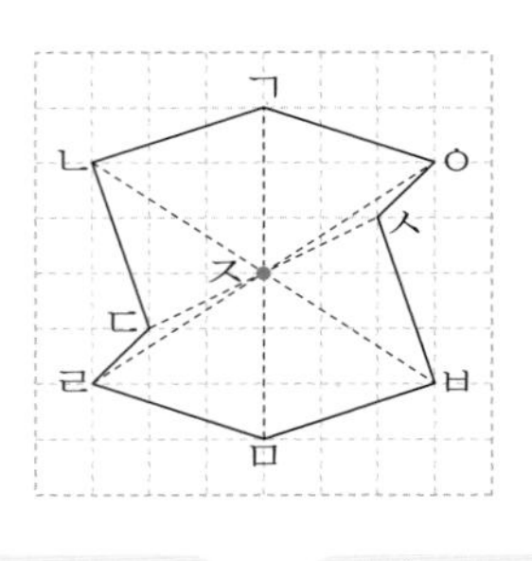

선분 ㄱㅈ 선분 ㄷㅈ

선분 ㅅㅈ 선분 ㅂㅈ 선분 ㅁㅈ

3-1 점대칭도형이 되도록 그림을 완성해 보세요.

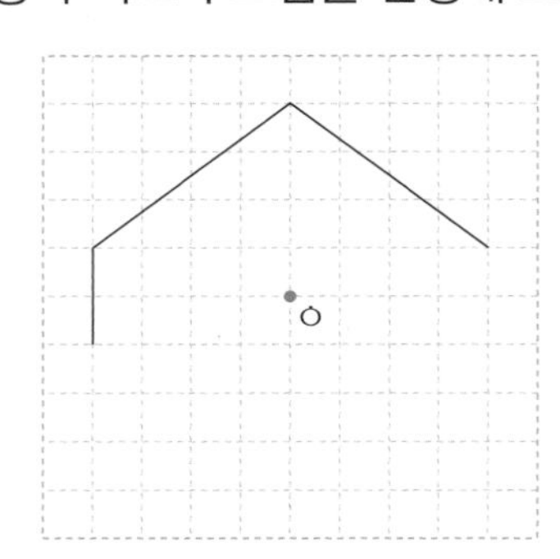

3-2 점대칭도형이 되도록 그림을 완성해 보세요.

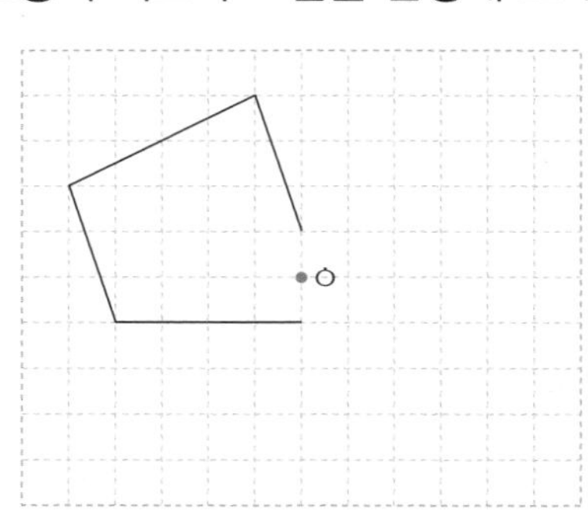

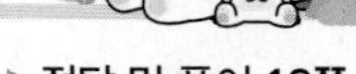

▶정답 및 풀이 18쪽

기초 → 기본 연습 점대칭도형의 대응점, 대응변, 대응각을 찾아 구하자.

기초 점대칭도형에 대한 설명입니다. □ 안에 알맞은 말을 써넣으세요.

점대칭도형은 각각의 [　　　]의 길이가 서로 같습니다.

4-1 점 ㅇ을 대칭의 중심으로 하는 점대칭도형입니다. 변 ㄷㄹ은 몇 cm인가요?

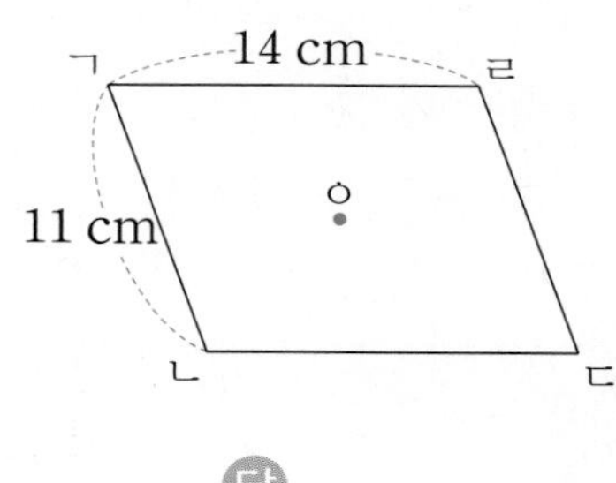

답 ____________

4-2 점 ㅇ을 대칭의 중심으로 하는 점대칭도형입니다. 각 ㅂㄱㄴ은 몇 도인가요?

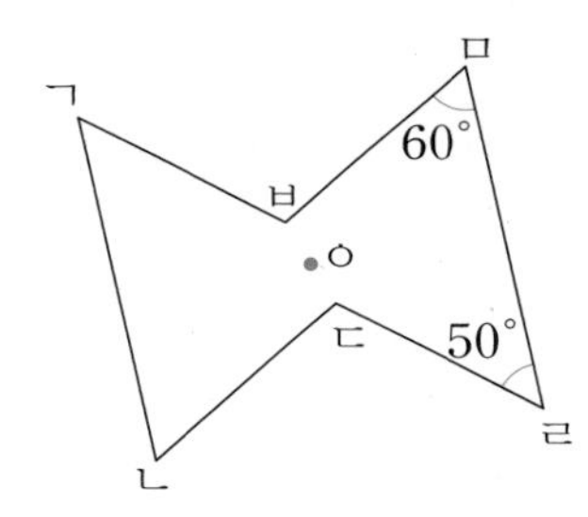

답 ____________

4-3 점 ㅇ을 대칭의 중심으로 하는 점대칭도형입니다. 선분 ㄴㅇ은 몇 cm인가요?

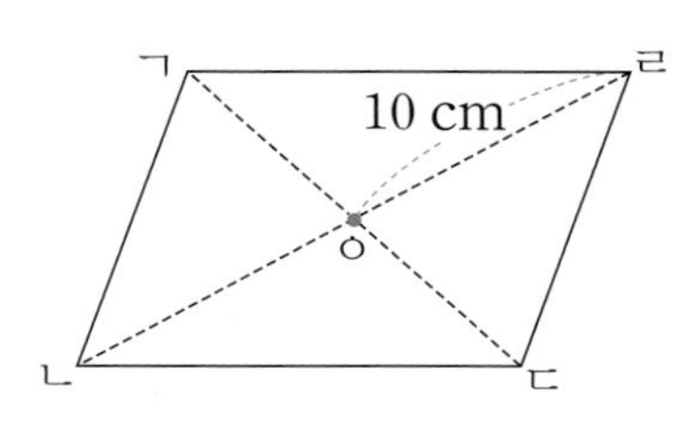

답 ____________

3주 1일

2일 소수의 곱셈 (소수) × (자연수)

교과서 기초 개념

• (소수) × (자연수)

예 0.9×2의 계산

방법 1 덧셈식으로 계산하기

$0.9\times2=0.9+0.9=1.8$

→ 0.9를 2번 더한 것과 같습니다.

방법 2 0.1의 개수로 계산하기

$0.9\times2=(0.1\times9)\times2=0.1\times18=1.8$

방법 3 분수의 곱셈으로 계산하기

$0.9\times2=\frac{9}{10}\times2=\frac{9\times2}{10}=\frac{18}{10}=$ ❶ ☐

소수를 분수로 나타내기 분수를 소수로 나타내기

(1보다 큰 소수) × (자연수)의 계산도 왼쪽과 같은 방법으로 계산할 수 있어.

예 1.2×3을 분수의 곱셈으로 계산해 볼게.

$1.2\times3=\frac{12}{10}\times3$

$=\frac{12\times3}{10}$

$=\frac{36}{10}=3.6$

정답 ❶ 1.8

개념·원리 확인

공부한 날  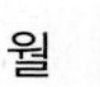 월  일

▶정답 및 풀이 18쪽

[1-1 ~ 1-2] 다음을 덧셈식으로 계산하려고 합니다. □ 안에 알맞은 수를 써넣으세요.

1-1 $0.8\times4=0.8+0.8+\square+\square$
$=\square$

1-2 $2.52\times3=2.52+\square+\square$
$=\square$

[2-1 ~ 2-2] 0.1의 개수로 계산하려고 합니다. □ 안에 알맞은 수를 써넣으세요.

2-1 0.3×5

0.3은 0.1이 3개입니다.
$0.3\times5=0.1\times\square\times5$
$=0.1\times\square$
0.1이 모두 □개이므로
$0.3\times5=\square$입니다.

2-2 1.8×7

1.8은 0.1이 □개입니다.
$1.8\times7=0.1\times\square\times7$
$=0.1\times\square$
0.1이 모두 □개이므로
$1.8\times7=\square$입니다.

[3-1 ~ 3-2] 다음을 분수의 곱셈으로 계산하려고 합니다. □ 안에 알맞은 수를 써넣으세요.

3-1 $5.4\times8=\frac{\square}{10}\times8=\frac{\square\times8}{10}$
$=\frac{\square}{10}=\square$

3-2 $0.12\times6=\frac{\square}{100}\times6=\frac{\square\times6}{100}$
$=\frac{\square}{100}=\square$

4-1 계산해 보세요.

$0.4\times9=\square$

4-2 계산해 보세요.

$3.17\times2=\square$

(자연수) × (소수)

교과서 기초 개념

• (자연수) × (소수)

예 2×0.7의 계산

방법 1 그림을 이용하여 계산하기

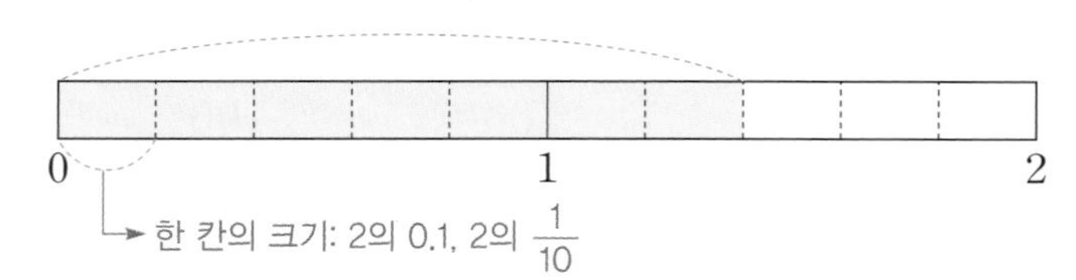

일곱 칸의 크기는 2의 0.7, 2의 $\frac{7}{10}$이므로 $\frac{14}{10}$가 되어 1.4야.

방법 2 분수의 곱셈으로 계산하기

$$2\times0.7=2\times\frac{7}{10}=\frac{2\times7}{10}$$

$$=\frac{14}{10}=\boxed{❶\quad}$$

방법 3 자연수의 곱셈으로 계산하기

$$2\times7=14$$

↓ $\frac{1}{10}$배 ↓ $\frac{1}{10}$배

$$2\times0.7=1.4$$

곱하는 수가 $\frac{1}{10}$배가 되면 계산 결과도 $\frac{1}{10}$배가 됨.

정답 ❶ 1.4

개념·원리 확인

▶정답 및 풀이 18쪽

[1-1 ~ 1-2] 그림을 이용하여 계산하려고 합니다. □ 안에 알맞은 수를 써넣으세요.

1-1 2×0.2

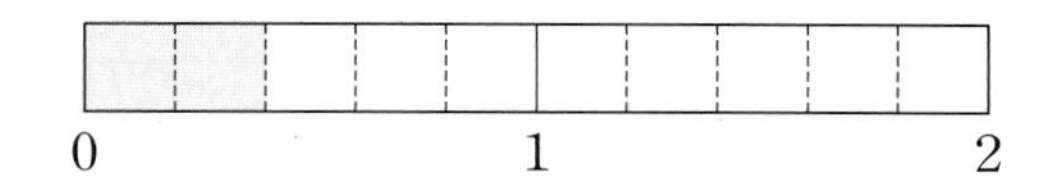

한 칸의 크기는 2의 0.1, 2의 $\frac{1}{10}$입니다.

두 칸의 크기는 2의 0.2, 2의 $\frac{\square}{10}$이므로 $\frac{\square}{10}$가 되어 □입니다.

1-2 4×1.3

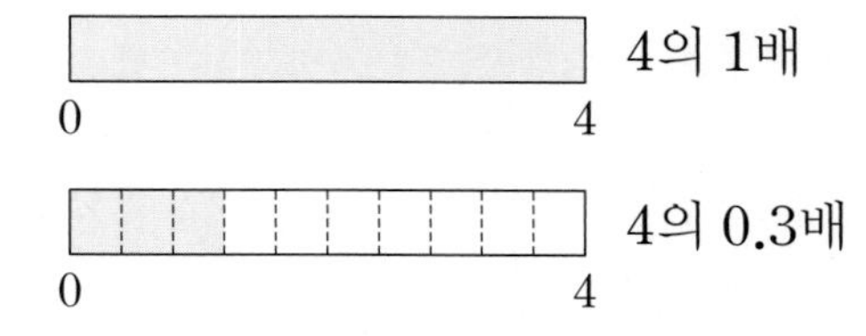

4의 1배는 4이고, 4의 0.3배는 □입니다.

4의 1.3배는 $4+\square=\square$입니다.

[2-1 ~ 2-2] 자연수의 곱셈으로 계산하려고 합니다. □ 안에 알맞은 수를 써넣으세요.

2-1

$7\times5 = 35$

$\frac{1}{10}$배 $\frac{1}{10}$배

$7\times0.5=\square$

2-2

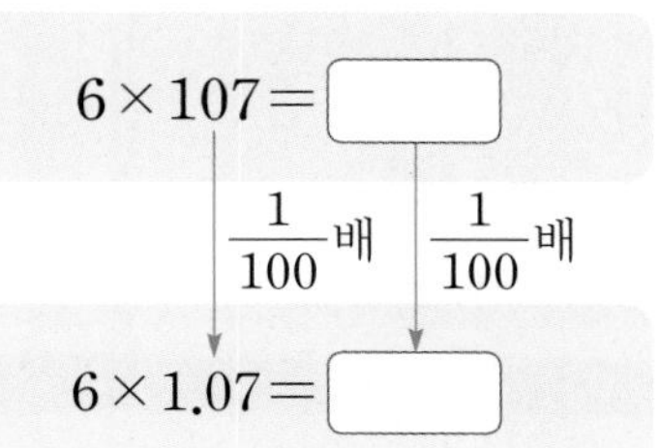

[3-1 ~ 3-2] 다음을 분수의 곱셈으로 계산하려고 합니다. □ 안에 알맞은 수를 써넣으세요.

3-1 $11\times0.8=11\times\frac{\square}{10}=\frac{11\times\square}{10}$

$=\frac{\square}{10}=\square$

3-2 $5\times3.14=5\times\frac{\square}{100}=\frac{5\times\square}{100}$

$=\frac{\square}{100}=\square$

4-1 계산해 보세요.

$8\times0.12=\square$

4-2 계산해 보세요.

$9\times1.6=\square$

2일

기초 집중 연습

기본 문제 연습

1-1 보기 와 같은 방법으로 계산해 보세요.

보기

$0.9\times6=\frac{9}{10}\times6=\frac{9\times6}{10}=\frac{54}{10}=5.4$

0.4×9

1-2 보기 와 같은 방법으로 계산해 보세요.

보기

$1.03\times8=\frac{103}{100}\times8=\frac{103\times8}{100}=\frac{824}{100}=8.24$

1.73×6

2-1 $13\times5=65$를 이용하여 다음을 계산해 보세요.

13×0.5

(　　　　　　　)

2-2 $4\times28=112$를 이용하여 다음을 계산해 보세요.

4×0.28

(　　　　　　　)

3-1 민호가 말하는 수를 구해 보세요.

(　　　　　　　)

3-2 태연이가 말하는 수를 구해 보세요.

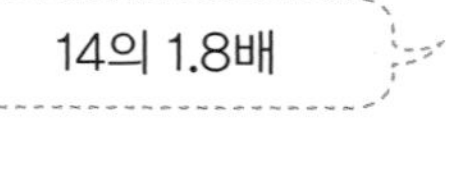

(　　　　　　　)

4-1 빈칸에 알맞은 수를 써넣으세요.

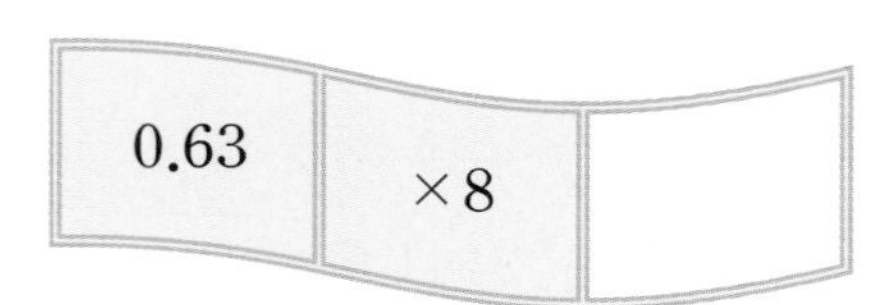

4-2 빈칸에 알맞은 수를 써넣으세요.

5	×7.22	

▶정답 및 풀이 19쪽

연산 → 문장제 연습 여러 개의 무게를 구할 때에는 1개의 무게에 개수를 곱하자.

연산 계산해 보세요.

0.7×7

(　　　　　　　　　)

5-1 1개의 무게가 0.7 kg인 농구공이 7개 있습니다. 농구공의 무게는 모두 몇 kg인가요?

식 $\square \times \square = \square$

답

5-2 1개의 무게가 0.38 kg인 오렌지가 3개 있습니다. 오렌지의 무게는 모두 몇 kg인가요?

식

답

5-3 쌀 1컵의 무게가 120.5 g일 때 아라가 밥을 짓는 데 사용한 쌀 4컵의 무게는 몇 g인가요?

식

답

(소수) × (소수)(1)

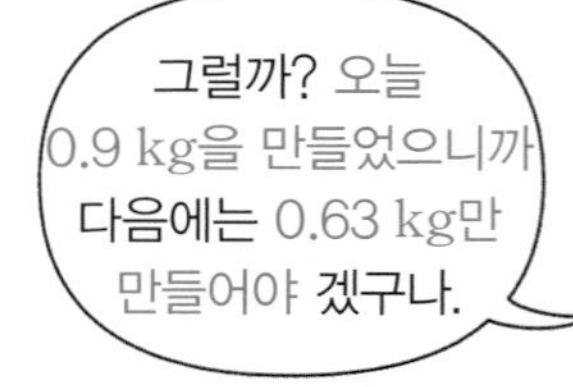

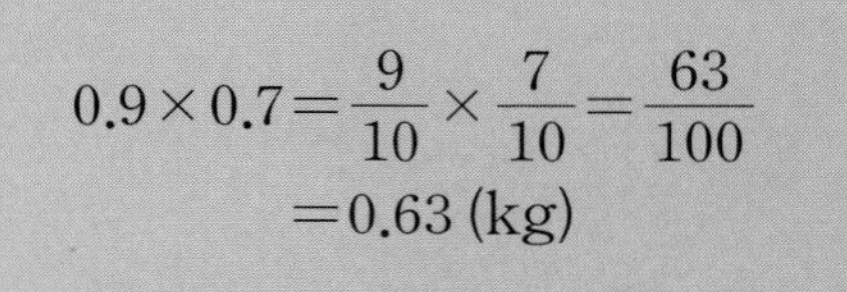

교과서 기초 개념

• 1보다 작은 소수끼리의 곱셈

㉠ 0.9×0.7의 계산

방법 1 그림을 이용하여 계산하기

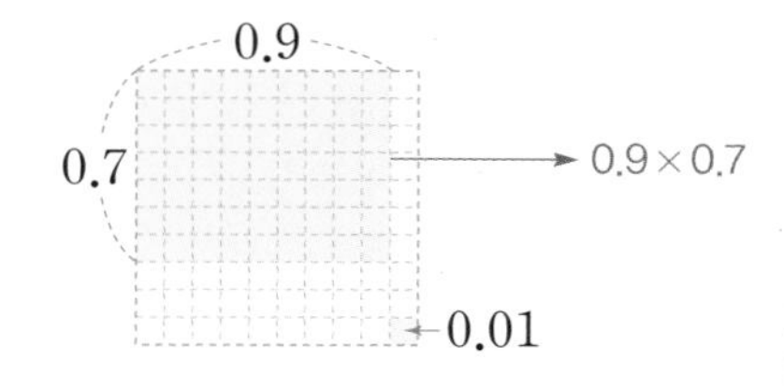

0.01이 63칸이므로 0.63입니다.

방법 2 분수의 곱셈으로 계산하기

$$0.9\times0.7=\frac{9}{10}\times\frac{7}{10}=\frac{63}{100}$$

= ❶ (   )

방법 3 자연수의 곱셈으로 계산하기

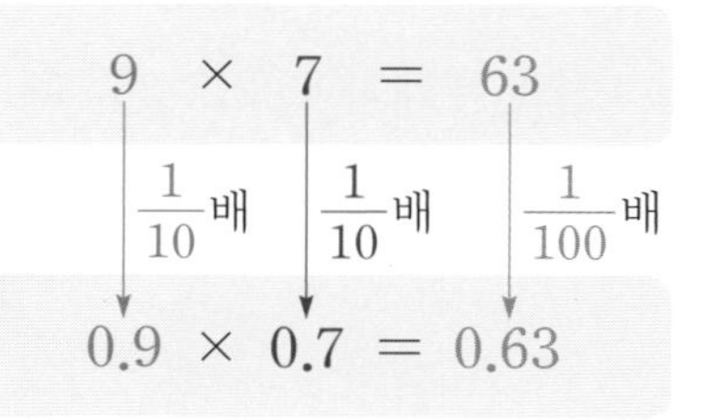

방법 4 소수의 크기를 생각하여 계산하기

$$\begin{array}{r} 9 \\ \times\ 7 \\ \hline 63 \end{array} \rightarrow \begin{array}{r} 0.9 \\ \times\ 0.7 \\ \hline 0.63 \end{array}$$

정답 ❶ 0.63

개념 · 원리 확인

▶정답 및 풀이 19쪽

1-1 그림을 보고 ☐ 안에 알맞은 수를 써넣으세요.

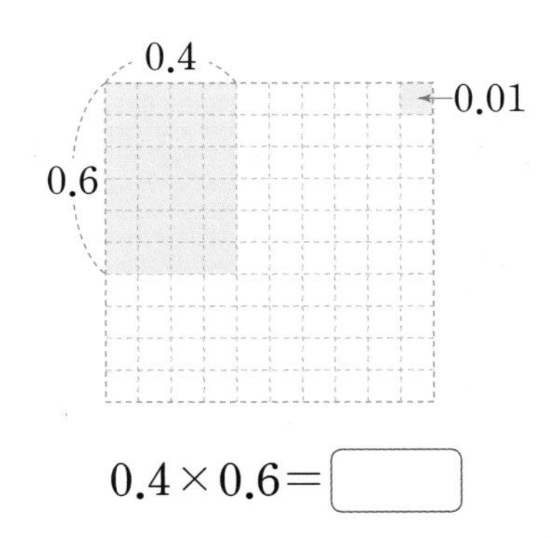

$0.4\times0.6=$ ☐

1-2 그림을 보고 ☐ 안에 알맞은 수를 써넣으세요.

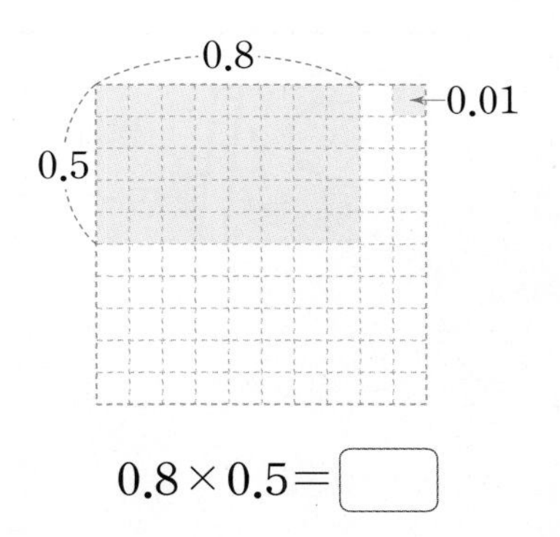

$0.8\times0.5=$ ☐

[2-1 ~ 2-2] 다음을 분수의 곱셈으로 계산하려고 합니다. ☐ 안에 알맞은 수를 써넣으세요.

2-1 $0.7\times0.4=\frac{7}{10}\times\frac{\square}{10}$

$=\frac{\square}{100}=\square$

2-2 $0.6\times0.22=\frac{\square}{10}\times\frac{\square}{100}$

$=\frac{\square}{1000}=\square$

[3-1 ~ 3-2] 자연수의 곱셈으로 계산하려고 합니다. ☐ 안에 알맞은 수를 써넣으세요.

3-1

$6\times3=$ ☐

$\frac{1}{10}$배 $\frac{1}{10}$배 $\frac{1}{100}$배

$0.6\times0.3=$ ☐

3-2

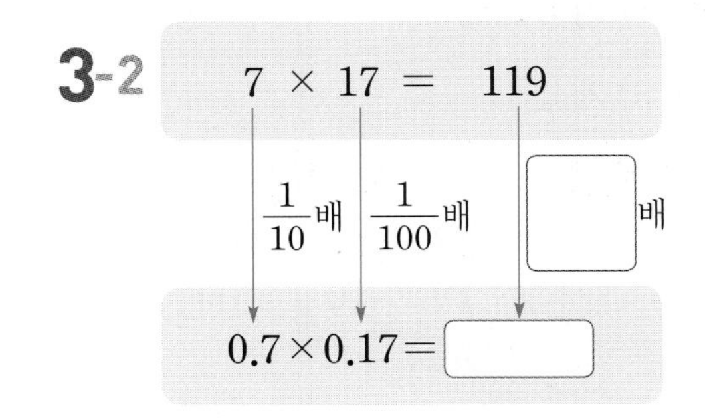

4-1 계산해 보세요.

$$\begin{array}{r} 0.2 \\ \times\ 0.8 \\ \hline \end{array}$$

4-2 계산해 보세요.

$$\begin{array}{r} 0.25 \\ \times\ 0.9 \\ \hline \end{array}$$

(소수) × (소수)(2)

호랑이님 그러지 말고 저희 떡을 대신 드릴게요.

먹어봐서 알겠지만 저희 떡이 맛있잖아요~

그리고 떡 크기가 더 커졌어요! 지난번 떡 2상자의 무게가 1.8 kg 이었는데 이번에는 1.1배나 돼요.

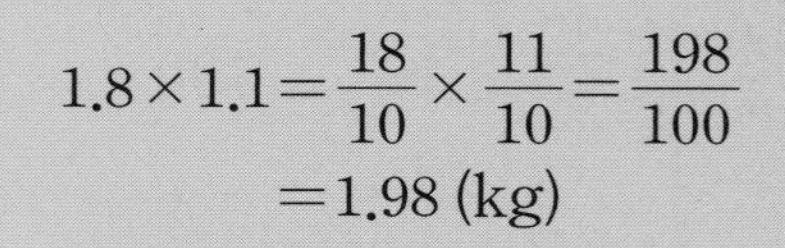

$$1.8 \times 1.1 = \frac{18}{10} \times \frac{11}{10} = \frac{198}{100} = 1.98\ (\mathrm{kg})$$

교과서 기초 개념

• 1보다 큰 소수끼리의 곱셈

예 1.8×1.1의 계산

방법 1 분수의 곱셈으로 계산하기

$$1.8 \times 1.1 = \frac{18}{10} \times \frac{11}{10} = \frac{198}{100}$$

$= $ ❶ □

방법 2 자연수의 곱셈으로 계산하기

$18 \times 11 = 198$

$\frac{1}{10}$배, $\frac{1}{10}$배, $\frac{1}{100}$배

$1.8 \times 1.1 = 1.98$

방법 3 소수의 크기를 생각하여 계산하기

$$\begin{array}{r} 18 \\ \times\ 11 \\ \hline 198 \end{array} \rightarrow \begin{array}{r} 1.8 \\ \times\ 1.1 \\ \hline 1.98 \end{array}$$

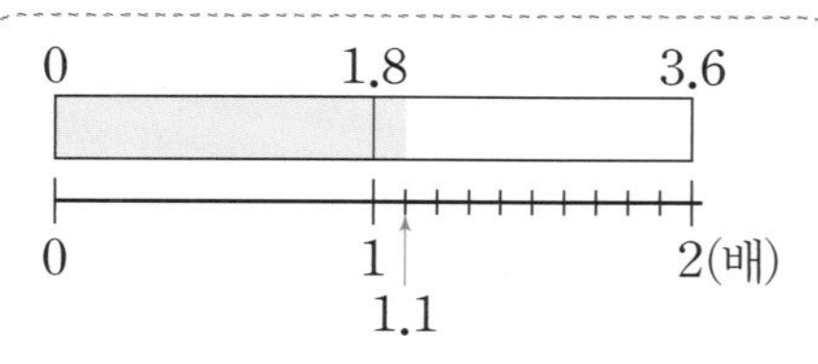

18×11=198인데 1.8의 1.1배는 1.8보다 조금 커야 하므로 계산 결과는 1.98이야.

정답 ❶ 1.98

개념·원리 확인

▶정답 및 풀이 19쪽

[1-1 ~ 1-2] 분수의 곱셈으로 계산하려고 합니다. □ 안에 알맞은 수를 써넣으세요.

1-1 1.6×2.3

$1.6\times2.3=\dfrac{16}{10}\times\dfrac{\square}{10}$

$=\dfrac{\square}{100}=\square$

1-2 3.85×1.2

$3.85\times1.2=\dfrac{\square}{100}\times\dfrac{\square}{10}$

$=\dfrac{\square}{1000}=\square$

[2-1 ~ 2-2] 자연수의 곱셈으로 계산하려고 합니다. □ 안에 알맞은 수를 써넣으세요.

2-1

$21\times36=756$

$\frac{1}{10}$배, $\frac{1}{10}$배, □배

$2.1\times3.6=\square$

2-2

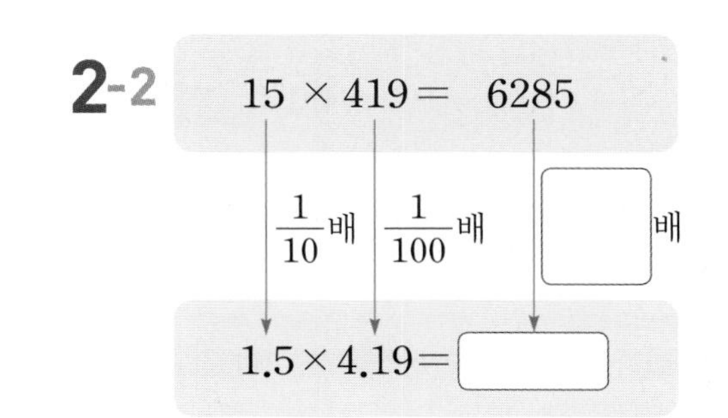

$15\times419=6285$

$\frac{1}{10}$배, $\frac{1}{100}$배, □배

$1.5\times4.19=\square$

[3-1 ~ 3-2] 소수의 크기를 생각하여 계산하려고 합니다. □ 안에 알맞은 수를 써넣으세요.

3-1 3.4×1.2

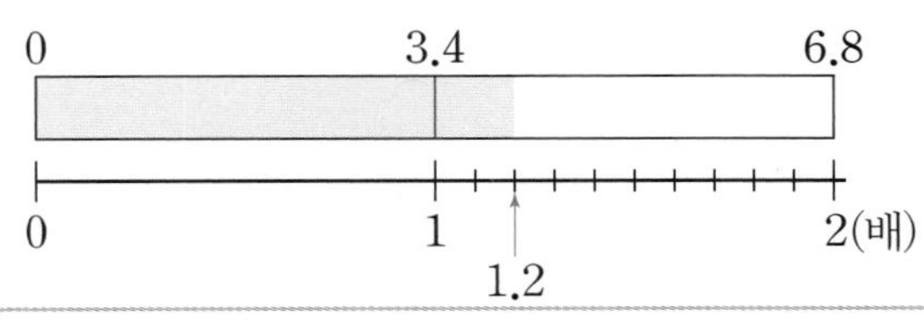

$34\times12=\square$인데 3.4에 1.2를 곱하면 3.4의 1배인 3.4보다 조금 커야 하므로 계산 결과는 □입니다.

3-2 1.25×2.7

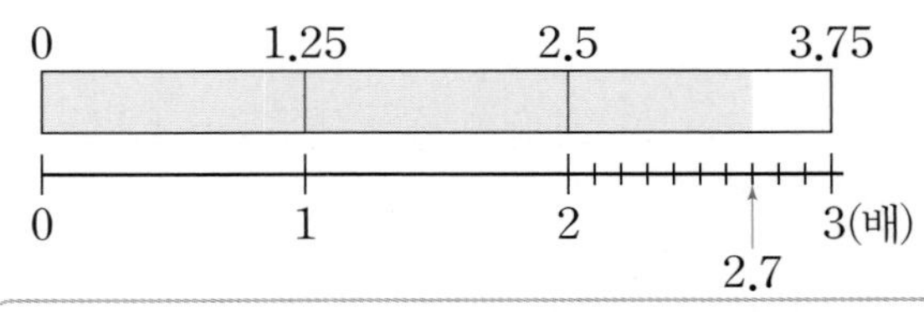

$125\times27=\square$인데 1.25에 2.7을 곱하면 1.25의 3배인 3.75보다 조금 작아야 하므로 계산 결과는 □입니다.

3일 기초 집중 연습

기본 문제 연습

1-1 계산해 보세요.

$$\begin{array}{r} 0.7 \\ \times\ 0.8 \\ \hline \end{array}$$

1-2 계산해 보세요.

$$\begin{array}{r} 2.6 \\ \times\ 1.9 \\ \hline \end{array}$$

2-1 보기와 같은 방법으로 계산해 보세요.

보기

$0.3\times0.5=\frac{3}{10}\times\frac{5}{10}=\frac{15}{100}=0.15$

0.2×0.6

2-2 수현이가 말한 방법으로 계산해 보세요.

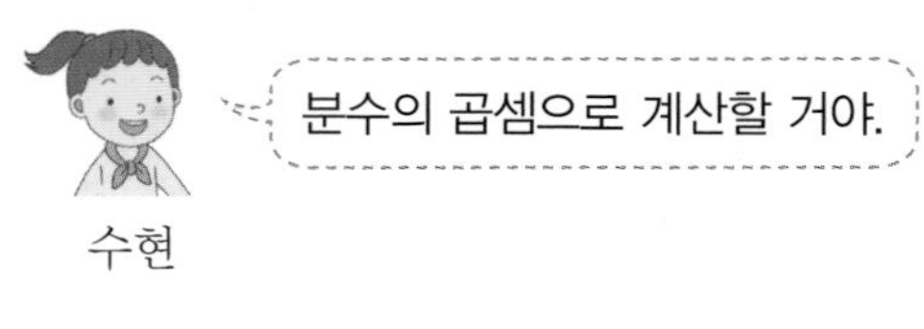

3.4×1.75

3-1 0.16×0.9를 계산한 것입니다. 잘못된 곳을 찾아 바르게 계산해 보세요.

$$\begin{array}{r} 0.1\,6 \\ \times\quad 0.9 \\ \hline 1.4\,4 \end{array} \rightarrow \boxed{}$$

3-2 2.5×1.3을 계산한 것입니다. 잘못된 곳을 찾아 바르게 계산해 보세요.

$$\begin{array}{r} 2.5 \\ \times\ 1.3 \\ \hline 3\,2.5 \end{array} \rightarrow \boxed{}$$

4-1 빈칸에 알맞은 수를 써넣으세요.

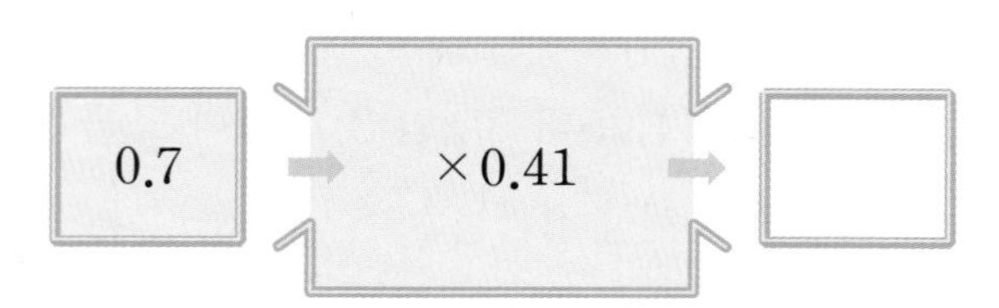

4-2 빈칸에 알맞은 수를 써넣으세요.

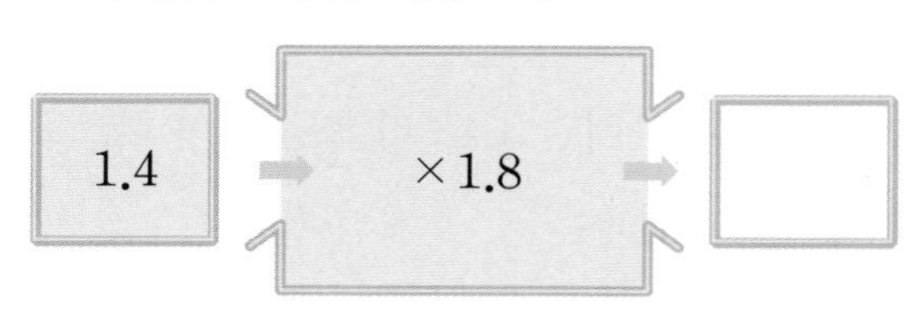

▶ 정답 및 풀이 20쪽

연산 → 문장제 연습 '~의 ~배'를 구할 때에는 곱셈을 하자.

연산 계산해 보세요.

$0.9 \times 0.6 = \square$

5-1 냉장고에 우유가 0.9 L 있고, 주스는 우유의 0.6배만큼 있습니다. 주스는 몇 L 있나요?

식 $\square \times \square = \square$

답 ______________

5-2 민하의 몸무게는 40.8 kg이고, 민하 어머니의 몸무게는 민하 몸무게의 1.3배입니다. 민하 어머니의 몸무게는 몇 kg인가요?

식 ______________

답 ______________

5-3 집에서 공원까지의 거리는 집에서 학교까지의 거리의 1.6배입니다. 집에서 공원까지의 거리는 몇 km인가요?

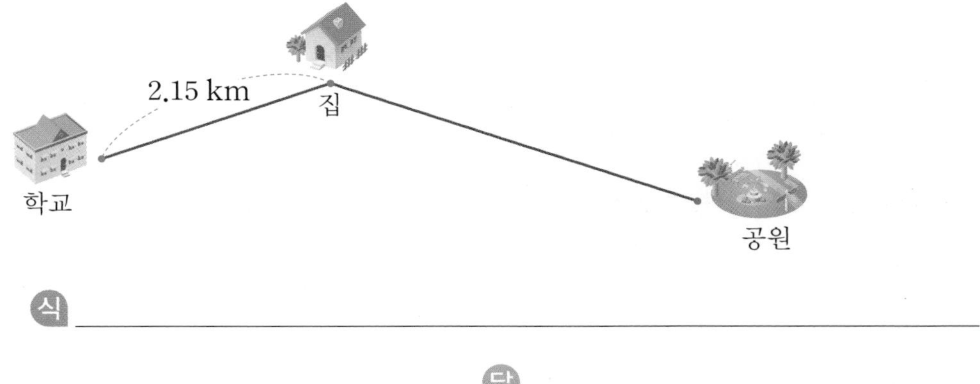

식 ______________

답 ______________

곱의 소수점 위치(1)

떡 1개: $0.12 \times 1 = 0.12$

떡 10개: $0.12 \times 10 = 1.2$

떡 100개: $0.12 \times 100 = 12$

교과서 기초 개념

- 자연수와 소수의 곱셈에서 곱의 소수점 위치의 규칙 찾기

(1) 소수에 1, 10, 100, 1000 곱하기

예

$0.12 \times 1 =$ ❶ (   )

$0.12 \times 10 = 1.2$

$0.12 \times 100 = 12$

$0.12 \times 1000 = 120$

곱하는 수의 **0이 하나씩 늘어날 때마다** 곱의 소수점이 오른쪽으로 한 칸씩 옮겨져.

(2) 자연수에 1, 0.1, 0.01, 0.001 곱하기

예

$123 \times 1 =$ ❷ (   )

$123 \times 0.1 = 12.3$

$123 \times 0.01 = 1.23$

$123 \times 0.001 = 0.123$

곱하는 소수의 **소수점 아래 자리 수가 하나씩 늘어날 때마다** 곱의 소수점이 왼쪽으로 한 칸씩 옮겨져.

정답 ❶ 0.12 ❷ 123

개념·원리 확인

▶ 정답 및 풀이 20쪽

1-1 다음을 보고 알맞은 말에 ○표 하세요.

$4.15 \times 1 = 4.15$
$4.15 \times 10 = 41.5$
$4.15 \times 100 = 415$
$4.15 \times 1000 = 4150$

➔ 곱하는 수의 0이 하나씩 늘어날 때마다 곱의 소수점이 (왼쪽 , 오른쪽)으로 한 칸씩 옮겨집니다.

1-2 다음을 보고 알맞은 말에 ○표 하세요.

$138 \times 1 = 138$
$138 \times 0.1 = 13.8$
$138 \times 0.01 = 1.38$
$138 \times 0.001 = 0.138$

➔ 곱하는 소수의 소수점 아래 자리 수가 하나씩 늘어날 때마다 곱의 소수점이 (왼쪽 , 오른쪽)으로 한 칸씩 옮겨집니다.

2-1 소수점의 위치를 생각하여 □ 안에 알맞은 수를 써넣으세요.

$2.163 \times 1 = 2.163$
$2.163 \times 10 = 21.63$
$2.163 \times 100 = \square$
$2.163 \times 1000 = \square$

2-2 소수점의 위치를 생각하여 □ 안에 알맞은 수를 써넣으세요.

$3715 \times 1 = 3715$
$3715 \times 0.1 = \square$
$3715 \times 0.01 = \square$
$3715 \times 0.001 = \square$

3-1 관계있는 것끼리 이어 보세요.

0.486×10 •	• 48.6
0.486×100 •	• 4.86
0.486×1000 •	• 486

3-2 관계있는 것끼리 이어 보세요.

520×0.1 •	• 5.2
520×0.01 •	• 0.52
520×0.001 •	• 52

소수의 곱셈 곱의 소수점 위치(2)

교과서 기초 개념

• 소수끼리의 곱셈에서 곱의 소수점 위치의 규칙 찾기

예

5×3= ❶ ☐

0.5×0.3=0.15

0.5×0.03=0.015

0.05×0.03=0.0015

곱의 소수점 위치는
자연수끼리 계산한 결과에 곱하는 두 수의 소수점 아래 자리 수를 더한 것만큼 **소수점이 왼쪽으로 옮겨져.**

두 소수의 곱의 끝자리 숫자가 0일 때에는 소수점 위치에 주의합니다.

예 5×8=40 ➔ 0.5×0.8=0.40 ➔ 0.4

예 15×2=30 ➔ 0.15×0.2=0.030 ➔ 0.03

정답 ❶ 15

개념·원리 확인

▶정답 및 풀이 21쪽

[1-1 ~ 1-2] 소수점의 위치를 생각하여 □ 안에 알맞은 수를 써넣으세요.

1-1

$7\times5=35$

$0.7\times0.5=0.35$

$0.7\times0.05=0.035$

$0.07\times0.05=$ □

1-2

$23\times48=1104$

$2.3\times4.8=11.04$

$0.23\times4.8=1.104$

$0.23\times0.48=$ □

[2-1 ~ 2-2] 자연수의 곱셈으로 계산하려고 합니다. □ 안에 알맞은 수를 써넣으세요.

2-1

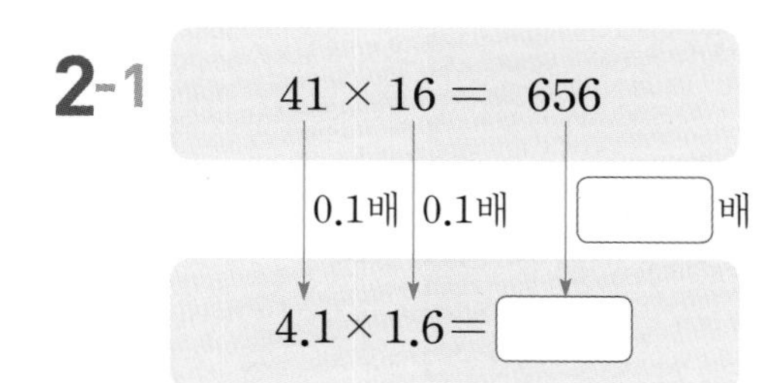

2-2

$9\times32=288$

0.1배 □배 □배

$0.9\times0.32=$ □

[3-1 ~ 3-2] 곱의 소수점 위치의 규칙에 따라 계산하려고 합니다. □ 안에 알맞은 수를 써넣으세요.

3-1 0.8×0.4

0.8은 소수 한 자리 수이고 0.4는 소수 한 자리 수이므로 0.8×0.4는 $8\times4=32$에서 소수점을 왼쪽으로 □칸 옮겨 표시하면 □입니다.

3-2 1.7×0.03

1.7은 소수 한 자리 수이고 0.03은 소수 두 자리 수이므로 1.7×0.03은 $17\times3=51$에서 소수점을 왼쪽으로 □칸 옮겨 표시하면 □입니다.

4-1 $76\times28=2128$을 이용하여 계산해 보세요.

(1) 7.6×2.8

(2) 0.76×2.8

4-2 $125\times36=4500$을 이용하여 계산해 보세요.

(1) 1.25×3.6

(2) 1.25×0.36

4일 기초 집중 연습

기본 문제 연습

[1-1 ~ 1-2] 소수점의 위치를 생각하여 곱의 결과에 소수점을 바르게 찍어 보세요.

1-1 $19 \times 35 = 665$

↓

$1.9 \times 3.5 = 6\ 6\ 5$

1-2 $47 \times 53 = 2491$

↓

$0.47 \times 5.3 = 2\ 4\ 9\ 1$

2-1 □ 안에 알맞은 수를 써넣으세요.

(1) $6 \times \square = 0.006$

(2) $2.38 \times \square = 23.8$

2-2 □ 안에 알맞은 수를 써넣으세요.

(1) $750 \times \square = 7.5$

(2) $0.14 \times \square = 14$

3-1 보기를 이용하여 식을 완성해 보세요.

보기

$25 \times 67 = 1675$

$2.5 \times \square = 16.75$

3-2 보기를 이용하여 식을 완성해 보세요.

보기

$183 \times 16 = 2928$

$1.83 \times \square = 0.2928$

4-1 계산 결과가 같으면 ○표, 다르면 ×표 하세요.

0.51×10　　51×0.01

(　　　　　　　　)

4-2 계산 결과가 같으면 ○표, 다르면 ×표 하세요.

730의 0.1배

0.73의 100배

(　　　　　　　　)

▶정답 및 풀이 21쪽

연산 → 문장제 연습 　곱하는 수에 따라 곱의 소수점 위치를 옮겨 계산하자.

연산 계산해 보세요.

$0.25 \times 10 = \square$

이 곱셈은 어떤 상황에 이용될까요?

5-1 건호는 우유를 매일 0.25 L씩 마셨습니다. 건호가 10일 동안 마신 우유의 양은 몇 L인가요?

식 $\square \times \square = \square$

답 ____________________

5-2 1 g의 가격이 10.6원인 젤리가 있습니다. 이 젤리 100 g의 가격은 얼마인가요?

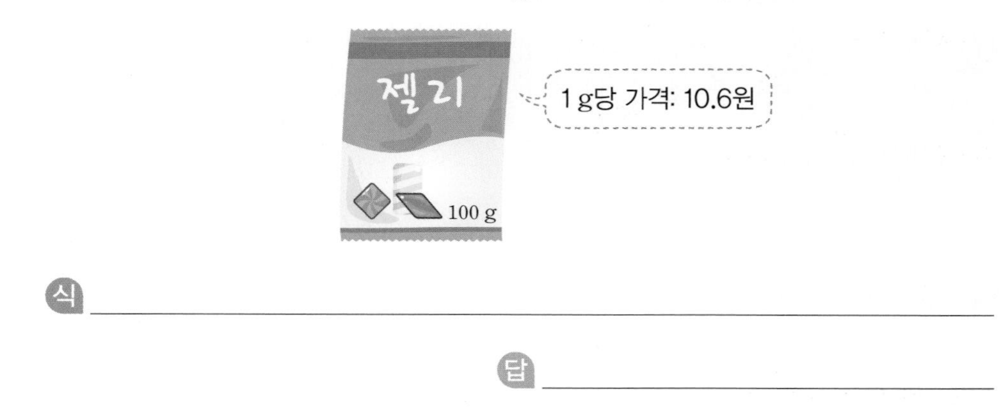

식 ____________________

답 ____________________

5-3 다희의 키는 146 cm입니다. 다희가 키우는 식물의 키는 다희 키의 0.1배일 때 식물의 키는 몇 cm인가요?

식 ____________________

답 ____________________

3주 4일

교과서 기초 개념

• 직육면체 알아보기

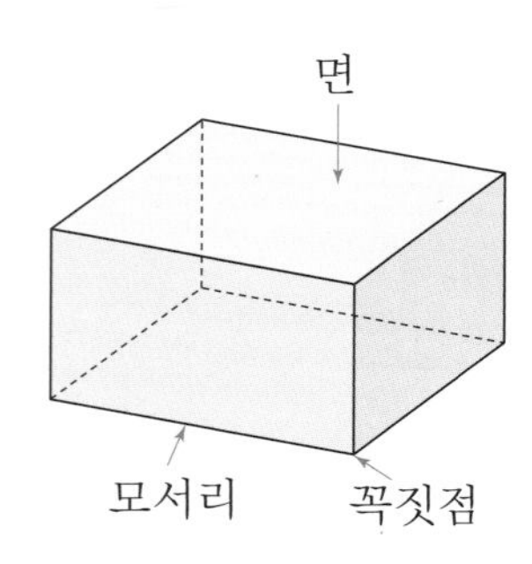

직육면체: 직사각형 6개로 둘러싸인 도형

- 면: 선분으로 둘러싸인 부분
- 모서리: 면과 ❶ ☐ 이 만나는 선분
- 꼭짓점: 모서리와 모서리가 만나는 점

한 직육면체에는 **면이 6개**, **모서리가 12개**, **꼭짓점이 8개** 있어.

정답 ❶ 면

개념 · 원리 확인

▶정답 및 풀이 21쪽

1-1 그림을 보고 ☐ 안에 알맞은 말을 써넣으세요.

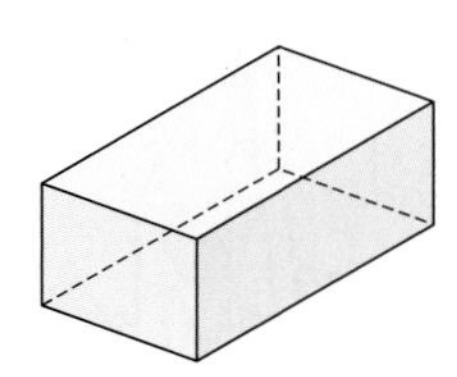

직사각형 6개로 둘러싸인 도형을 ☐(이)라고 합니다.

1-2 그림과 같이 직사각형 6개로 둘러싸인 도형을 무엇이라고 하나요?

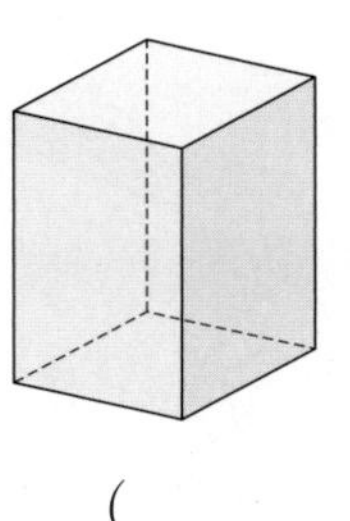

(   )

2-1 직육면체를 찾아 ○표 하세요.

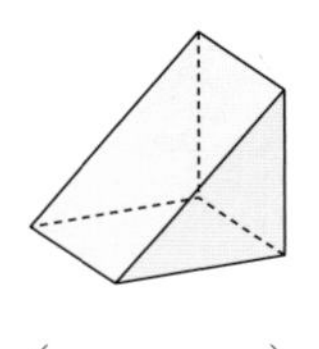
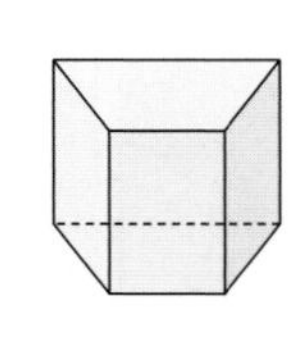
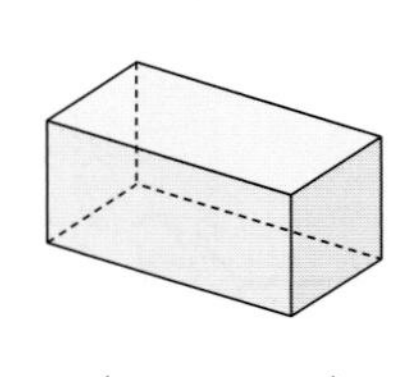

(   ) (   ) (   )

2-2 직육면체 모양의 물건을 찾아 ○표 하세요.

(   ) (   ) (   )

3-1 ☐ 안에 알맞은 말을 써넣으세요.

직육면체에서
선분으로 둘러싸인 부분을 면,
면과 면이 만나는 선분을 ☐,
모서리와 모서리가 만나는 점을 ☐
이라고 합니다.

3-2 직육면체의 각 부분의 이름을 ☐ 안에 알맞게 써넣으세요.

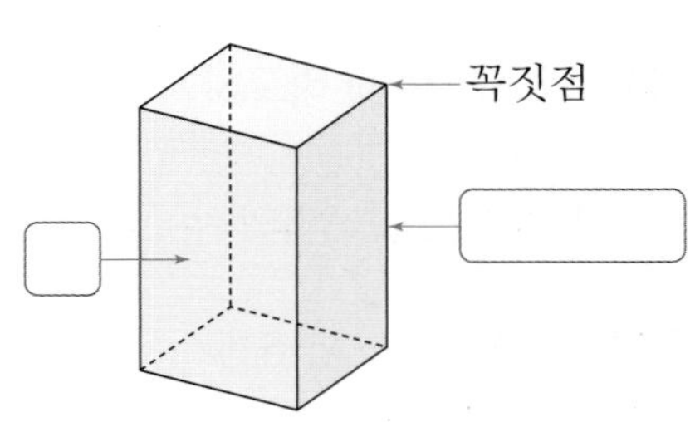

교과서 기초 개념

• 정육면체 알아보기

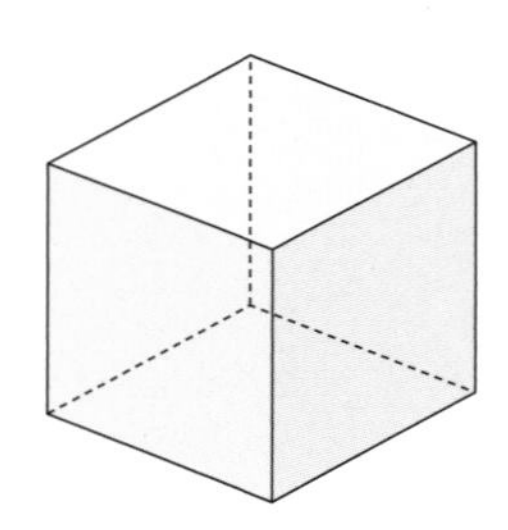

정육면체: **정사각형 6개로 둘러싸인 도형**

정사각형은 직사각형이라고 말할 수 있으므로 정육면체는 직육면체라고 말할 수 있어.

• 직육면체와 정육면체 비교하기

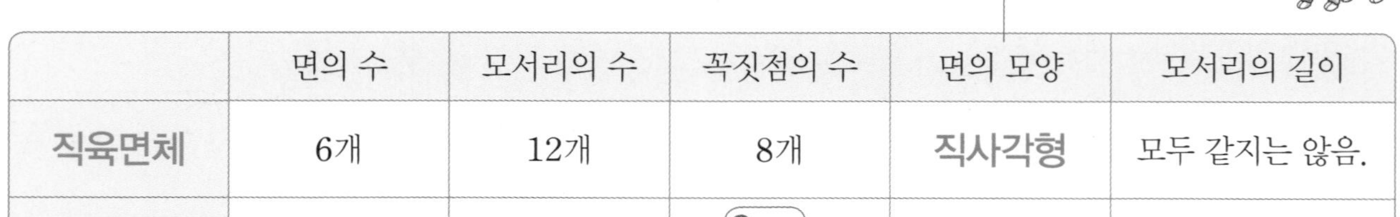

	면의 수	모서리의 수	꼭짓점의 수	면의 모양	모서리의 길이
직육면체	6개	12개	8개	직사각형	모두 같지는 않음.
정육면체	6개	12개	❶ ☐개	정사각형	모두 같음.

정답 ❶ 8

개념 · 원리 확인

▶정답 및 풀이 22쪽

1-1 그림을 보고 □ 안에 알맞은 말을 써넣으세요.

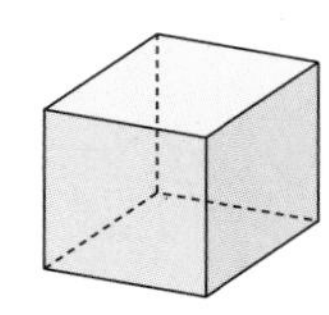

정사각형 6개로 둘러싸인 도형을 □(이)라고 합니다.

1-2 그림과 같이 정사각형 6개로 둘러싸인 도형을 무엇이라고 하나요?

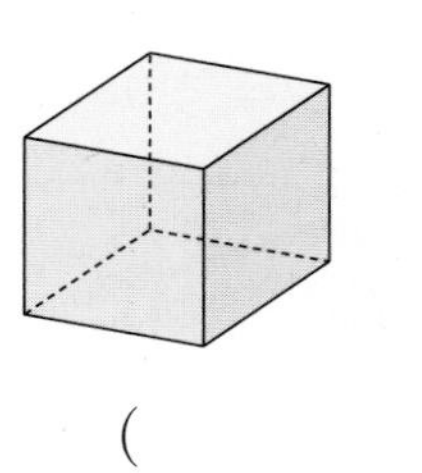

(　　　　　　)

2-1 정육면체를 찾아 기호를 써 보세요.

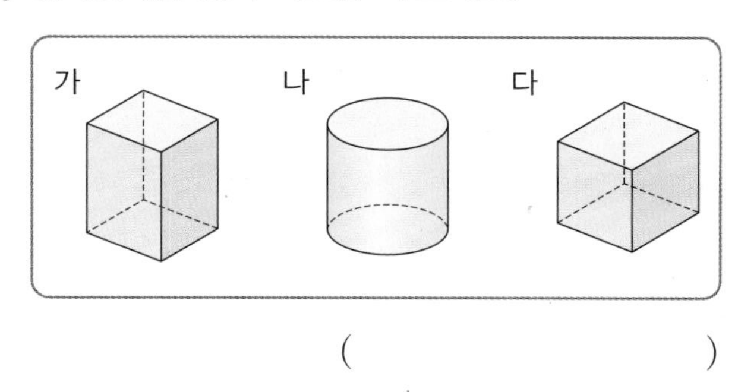

(　　　　　　)

2-2 정육면체 모양의 물건을 찾아 기호를 써 보세요.

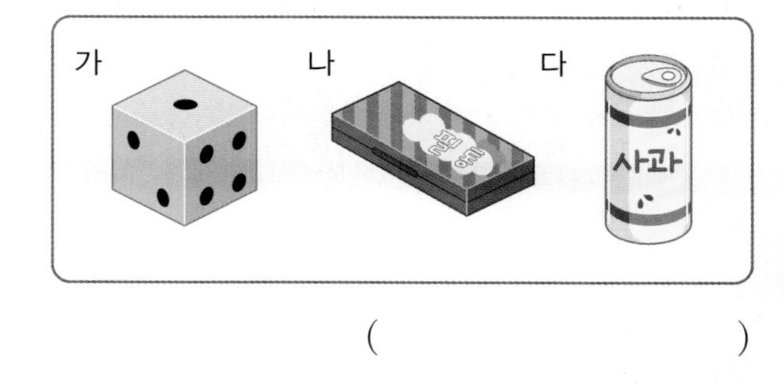

(　　　　　　)

3-1 알맞은 말이면 ○표, 그렇지 않으면 ×표 하세요.

정육면체의 면의 모양은 정사각형입니다.

(　　　　　　)

3-2 알맞은 말이면 ○표, 그렇지 않으면 ×표 하세요.

정육면체는 직육면체라고 할 수 있습니다.

(　　　　　　)

4-1 □ 안에 알맞은 수를 써넣으세요.

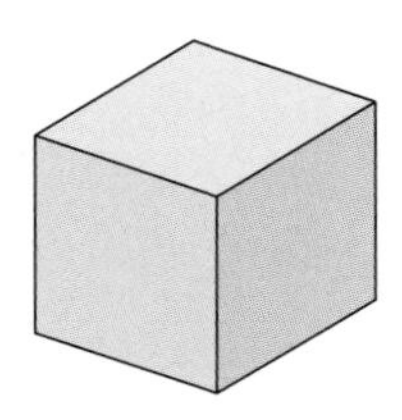

정육면체에서 보이는 면은 3개, 보이지 않는 면은 □개입니다.

4-2 □ 안에 알맞은 수를 써넣으세요.

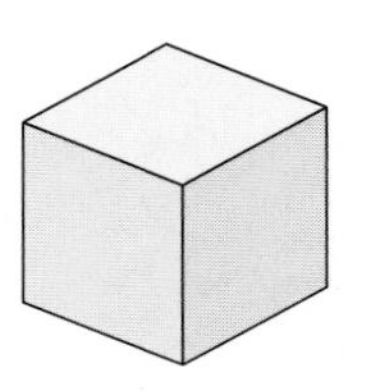

정육면체에서 보이는 모서리는 □개, 보이지 않는 모서리는 □개입니다.

3주 5일

5일

기초 집중 연습

기본 문제 연습

1-1 직육면체를 모두 찾아 기호를 써 보세요.

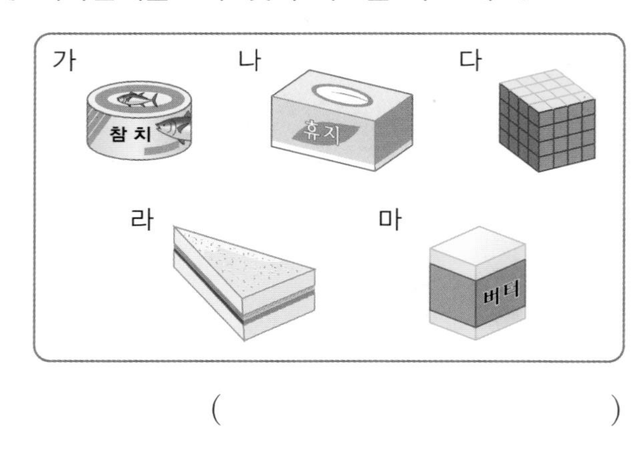

( )

1-2 정육면체를 모두 찾아 기호를 써 보세요.

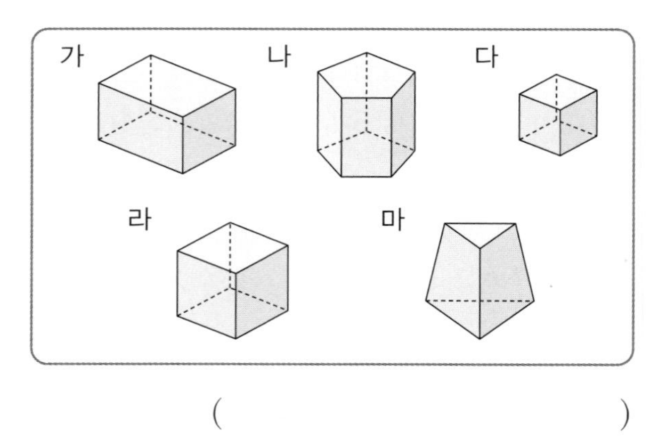

( )

2-1 직육면체에 대한 설명으로 옳은 것에 ○표 하세요.

- 직육면체에서 면과 면이 만나는 선분을 꼭짓점이라고 합니다. ( )
- 직육면체의 면의 모양은 직사각형입니다. ( )

2-2 정육면체에 대한 설명으로 옳은 것에 ○표 하세요.

- 정육면체의 모든 모서리의 길이는 같습니다. ( )
- 정육면체는 8개의 면으로 둘러싸여 있습니다. ( )

3-1 직육면체를 보고 빈칸에 알맞은 수를 써넣으세요.

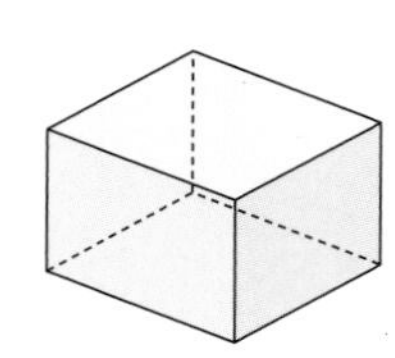

면의 수(개)	모서리의 수(개)	꼭짓점의 수(개)

3-2 정육면체를 보고 빈칸에 알맞은 수를 써넣으세요.

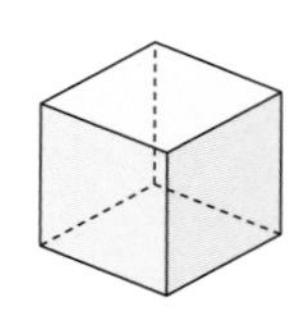

면의 수(개)	모서리의 수(개)	꼭짓점의 수(개)

▶정답 및 풀이 22쪽

기초 → 기본 연습 '정육면체는 모서리의 길이가 모두 같다'는 성질을 이용하자.

기초 정육면체에 대한 설명입니다. □ 안에 알맞은 수를 써넣으세요.

> 정육면체에는 길이가 같은 모서리가
> 모두 □개 있습니다.

4-1 다음 정육면체의 모든 모서리 길이의 합은 몇 cm인가요?

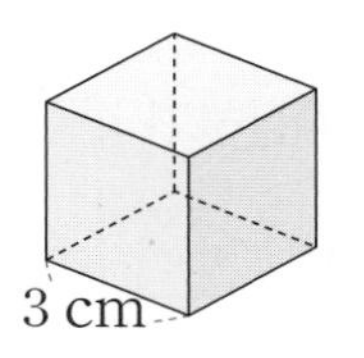

 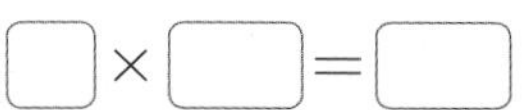 □×□=□

 답 ________

4-2 한 모서리의 길이가 4 cm인 정육면체 모양의 큐브가 있습니다. 이 큐브의 모든 모서리 길이의 합은 몇 cm인가요?

식 ________

답 ________

4-3 모든 모서리 길이의 합이 60 cm인 정육면체가 있습니다. 이 정육면체의 한 모서리의 길이는 몇 cm인가요?

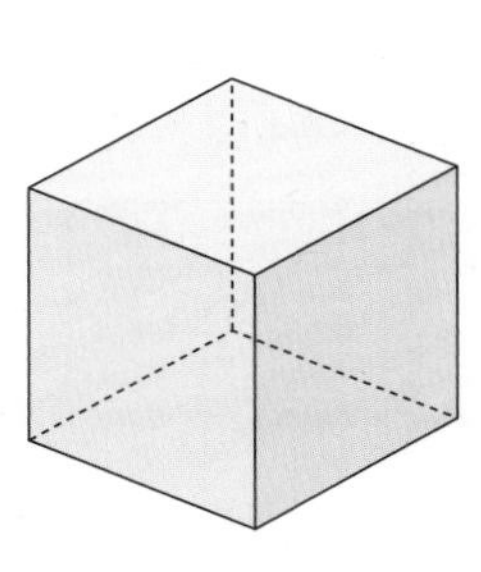

식 ________

답 ________

3주 5일

누구나 100점 맞는 테스트

1 0.6×4를 두 가지 방법으로 계산해 보세요.

0.6×4

덧셈식으로 계산하기

$0.6\times4=0.6+\square+\square+\square$
$=\square$

분수의 곱셈으로 계산하기

$0.6\times4=\frac{\square}{10}\times4=\frac{\square\times\square}{10}=\frac{\square}{10}$
$=\square$

2 다음 도형은 점대칭도형입니다. 대칭의 중심을 찾아 표시해 보세요.

(1)

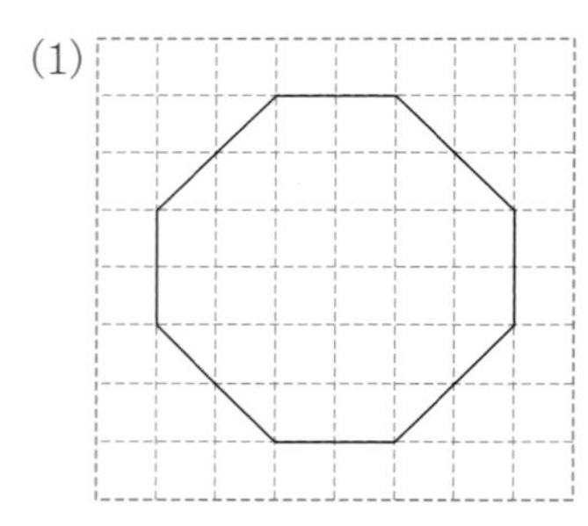

(2)

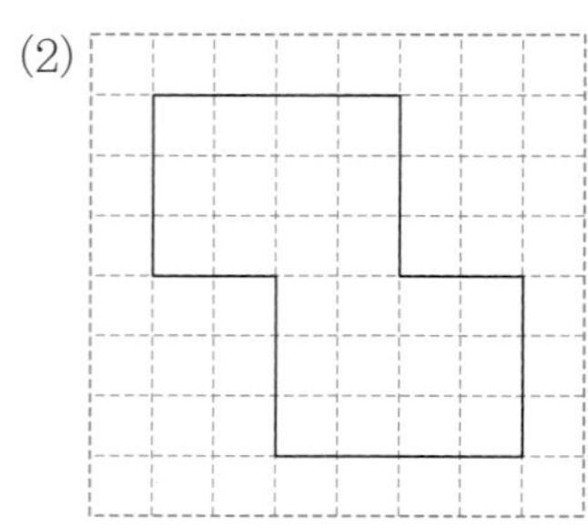

3 직육면체를 모두 고르세요. ....(,)

①
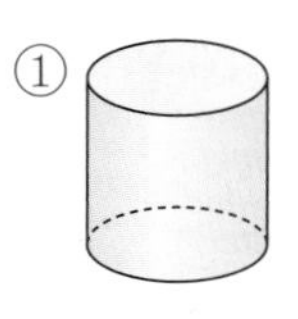
②
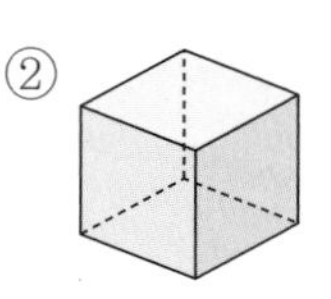
③
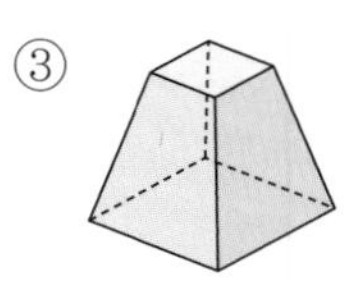
④
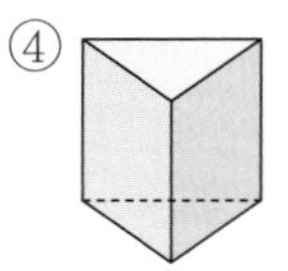
⑤
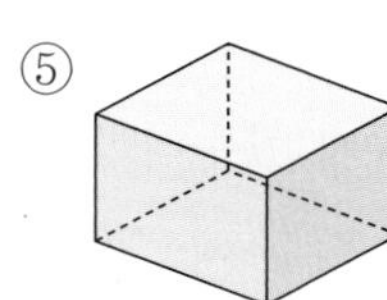

4 보기 와 같은 방법으로 계산해 보세요.

보기

$5\times0.9=5\times\frac{9}{10}=\frac{5\times9}{10}=\frac{45}{10}=4.5$

12×0.8 ______________________

5 계산해 보세요.

$$\begin{array}{r} 1.5 \\ \times\ 2.5 \\ \hline \end{array}$$

▶정답 및 풀이 22쪽

6 점대칭도형이 되도록 그림을 완성해 보세요.

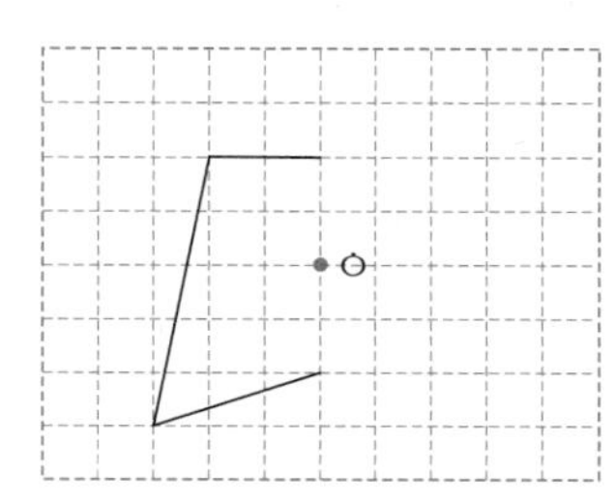

7 다음 곱셈식을 이용하여 계산해 보세요.

$427 \times 18 = 7686$

(1) 42.7×1.8

(2) 4.27×0.18

8 직육면체와 정육면체에 대해 바르게 설명한 사람의 이름을 써 보세요.

영탁: 직육면체와 정육면체의 모서리의 수는 같아.

태연: 직육면체는 정육면체라고 할 수 있어.

(   )

9 소연이가 꽃밭에 물을 매일 1.45 L씩 주었습니다. 소연이가 5일 동안 꽃밭에 준 물은 모두 몇 L인가요?

식 ______________________

답 ______________

10 가로가 0.72 m, 세로가 0.4 m인 직사각형이 있습니다. 이 직사각형의 넓이는 몇 m^2인가요?

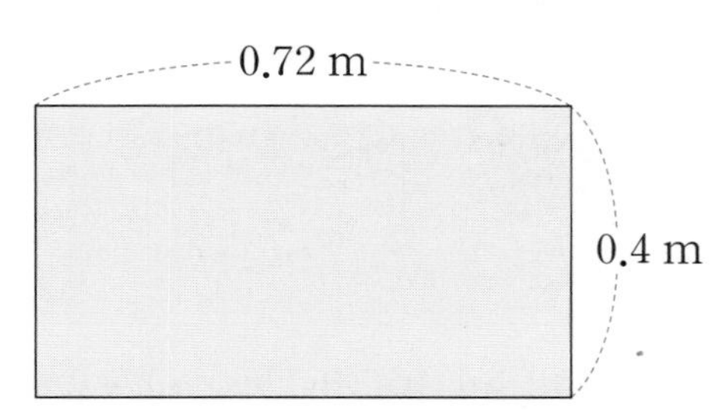

식 ______________________

답 ______________

특강 창의·융합·코딩

진짜 선물이 들어 있는 상자를 찾아라!

지우가 마법의 성에 왔습니다. 마법사들이 지우에게 선물을 주려고 합니다.

두 마법사의 힌트가 적힌 종이를 겹쳐서 진짜 선물이 들어 있는 상자를 알아보세요.

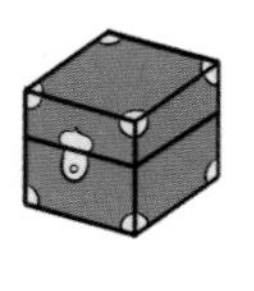	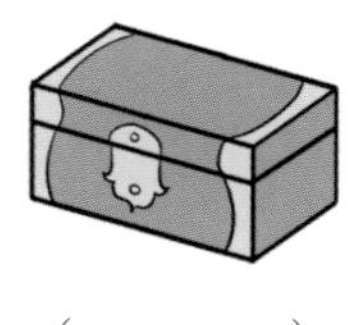	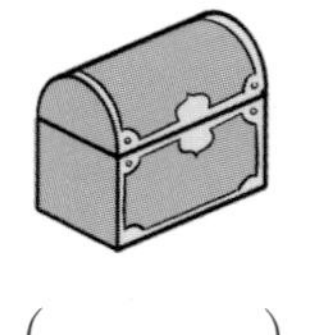	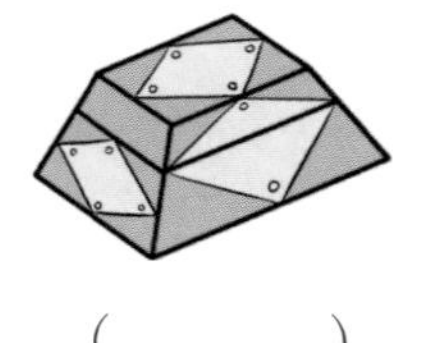
(　　)	(　　)	(　　)	(　　)

▶정답 및 풀이 23쪽

달에서 잰 몸무게는 몇 kg일까?

승호와 하윤이가 달로 우주 여행을 갔는데 하윤이가 신이 나서 웃음을 터뜨렸습니다. 하윤이가 웃음 사이로 한 말이 무엇인지 알아보고 물음에 답하세요.

하윤이의 원래 몸무게는 몇 kg일까?

답 ____________

달에서 잰 하윤이의 몸무게는 약 몇 kg일까?

답 약 ____________

융합 3 희수네 가족이 하루에 변기에서 사용하는 물은 258 L입니다. *절수형 변기로 바꾸면 평소 사용량의 0.3만큼 물을 아낄 수 있다고 합니다. 희수네 가족이 절수형 변기로 바꾸었을 때 하루에 변기에서 사용하는 물을 몇 L 아낄 수 있나요?

*절수: 물을 아끼다.

답 ____________

창의 4 다음은 준영이의 간식표입니다. 이번 주에 필요한 간식을 준비하려면 우유와 주스가 각각 몇 L 필요한지 구해 보세요.

♥♥♥♥ 준영이의 간식표 ♥♥♥♥

월	화	수	목	금
우유 0.35 L 빵 1개	우유 0.35 L 고구마 1개	주스 0.5 L 사과 1개	우유 0.35 L 바나나 1개	주스 0.5 L 빵 1개

답 우유 ____________ L

주스 ____________ L

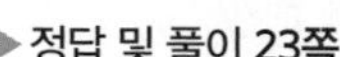

다음은 세 자물쇠의 열쇠 구멍 모양입니다. 민지의 책상 서랍 자물쇠의 열쇠 구멍 모양은 열쇠를 넣고 180° 돌렸을 때 처음 모양과 완전히 겹친다고 합니다. 다음 중 책상 서랍 자물쇠의 열쇠 구멍을 찾아 기호를 써 보세요.

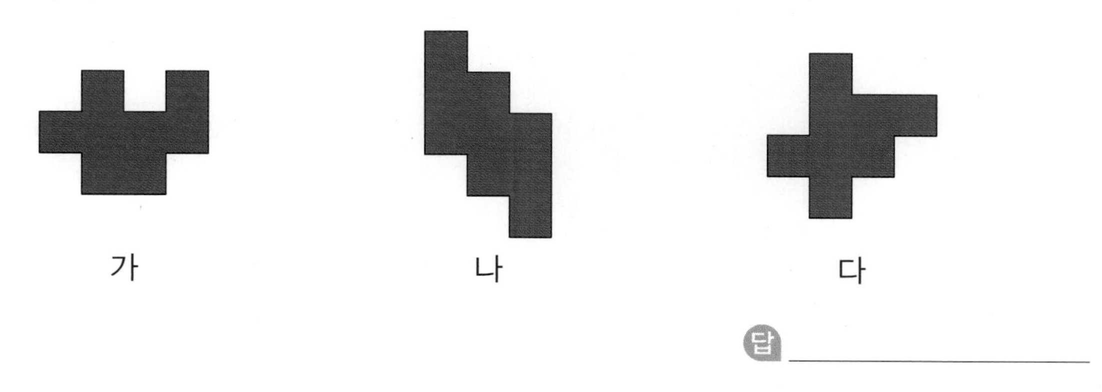

답 ____________________

코딩 6

화살표 규칙에 따라 빈칸에 알맞은 수를 써넣으세요.

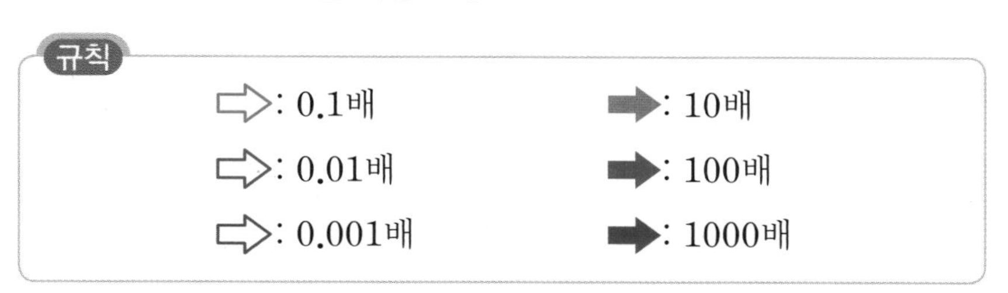

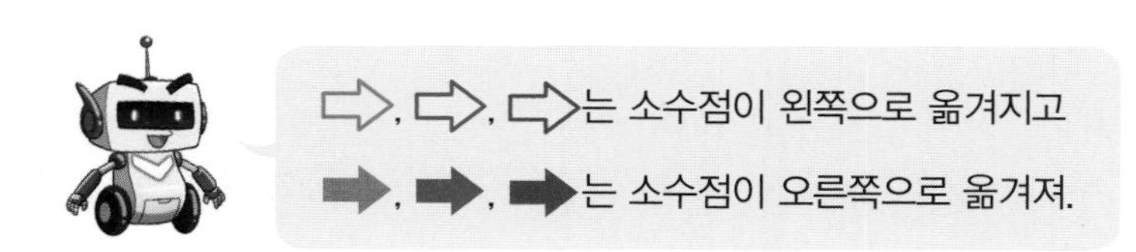

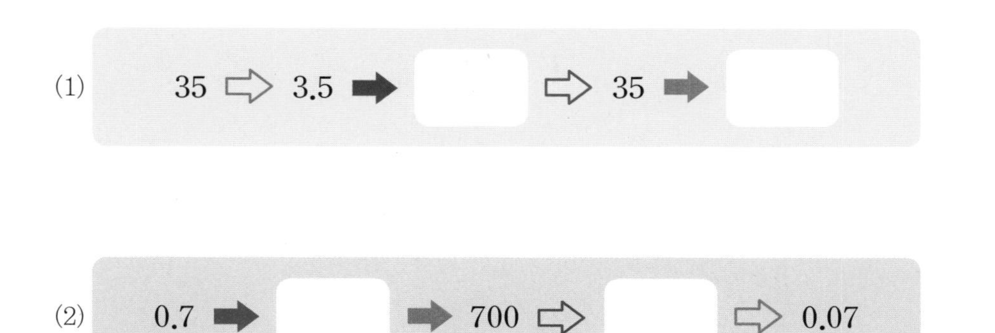

TV와 휴대 전화의 화면 크기는 화면의 대각선 길이를 재어 인치(inch)로 나타냅니다. 1인치는 2.54 cm일 때 윤수의 휴대 전화 화면의 대각선 길이는 몇 cm인가요?

답 ____________________

창의 8

수를 나타내는 영어 단어가 쓰여 있는 카드입니다. 쓰여 있는 알파벳 하나하나가 모두 점대칭도형인 카드를 찾아 그 단어를 숫자로 나타내어 보세요.

1 ONE	2 TWO	6 SIX

 ____________________

▶정답 및 풀이 23쪽

[9~10] 정사각형을 그리기 위한 코딩을 만들었습니다. 보기와 같이 코딩을 통해 정사각형을 그리고, 그린 정사각형의 둘레는 몇 cm인지 구해 보세요.

보기

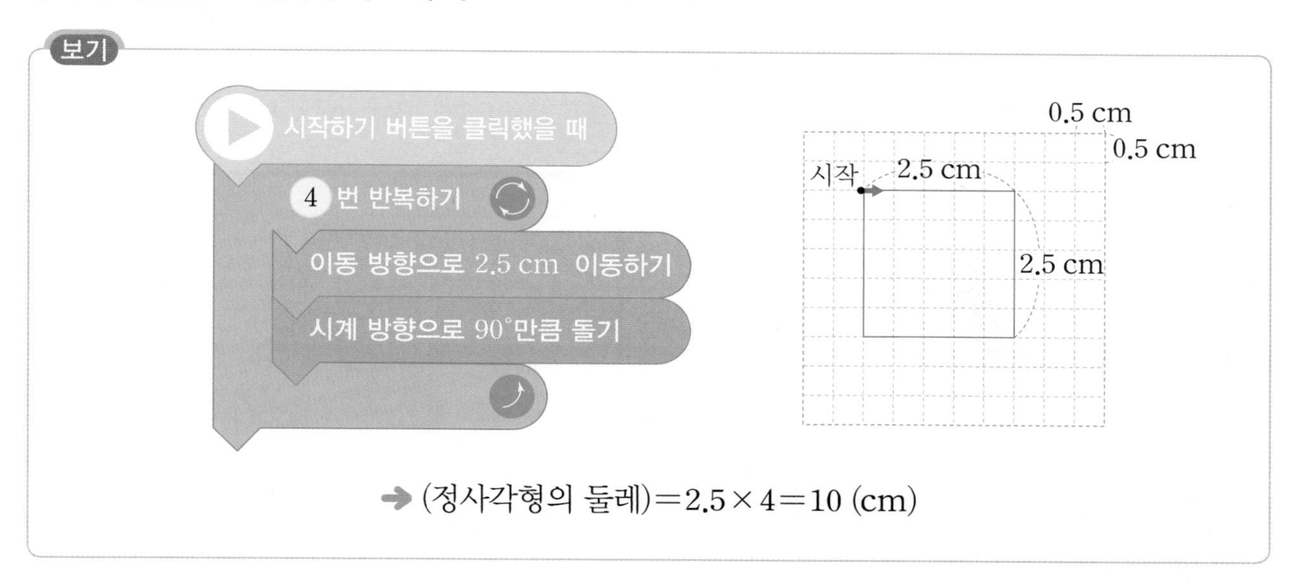

➔ (정사각형의 둘레)$=2.5\times4=10$ (cm)

코딩 9

시작하기 버튼을 클릭했을 때

4 번 반복하기

이동 방향으로 3.5 cm 이동하기

시계 방향으로 90°만큼 돌기

0.5 cm

0.5 cm

시작

답 ______________

코딩 10

시작하기 버튼을 클릭했을 때

4 번 반복하기

이동 방향으로 1.5 cm 이동하기

시계 반대 방향으로 90°만큼 돌기

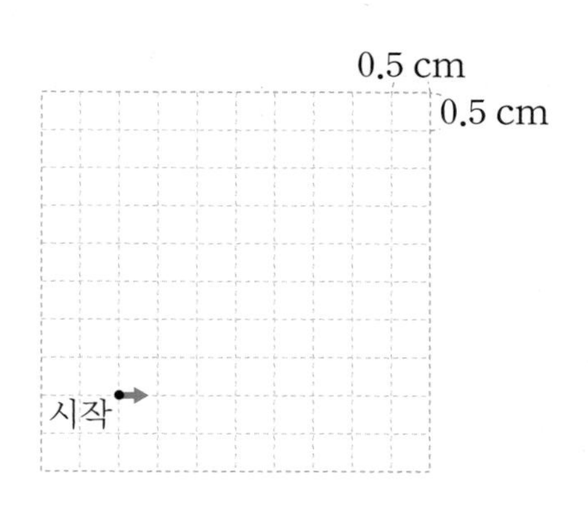

답 ______________

3주 특강

4주 직육면체 / 평균과 가능성

4주에는 무엇을 공부할까? ①

1일 직육면체의 성질, 겨냥도
2일 정육면체와 직육면체의 전개도
3일 평균 구하기
4일 평균 이용하기
5일 일이 일어날 가능성을 말과 수로 표현하기

게임한 시간

	그제	어제	오늘
게임한 시간	25분	15분	50분

(평균)$=(25+15+50)\div 3$
$=90\div 3$
$=30$(분)

4주에는 무엇을 공부할까? ②

4-1 막대그래프

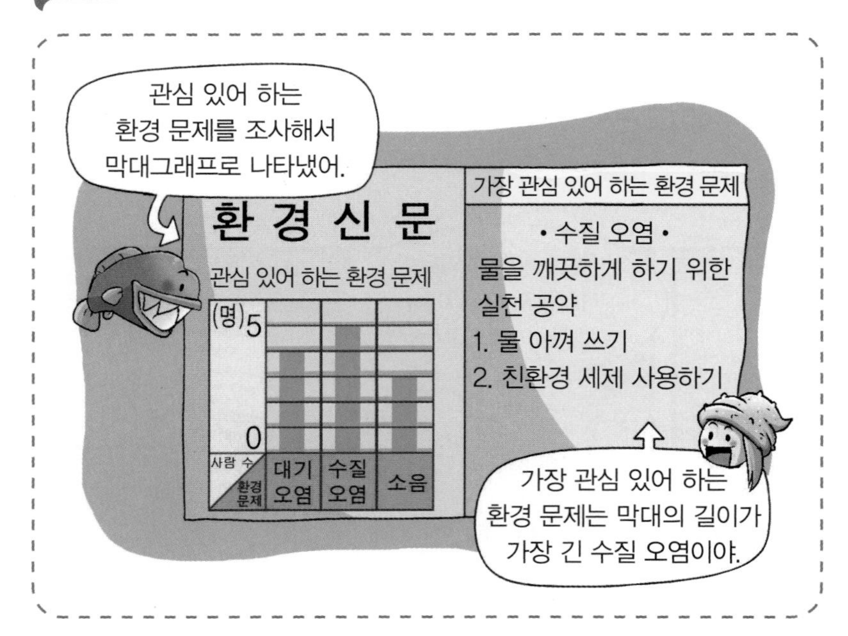

조사한 자료를 막대 모양으로 나타낸 그래프를 막대그래프라고 해.

막대의 길이가 길수록 그 수가 많고, 막대의 길이가 짧을수록 그 수가 적어.

[1-1 ~ 2-1] 은수네 반 학생들의 혈액형을 나타낸 막대그래프입니다. 물음에 답하세요.

혈액형별 학생 수

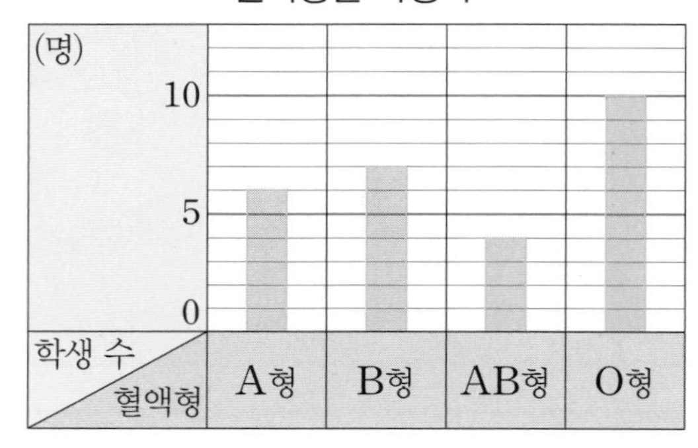

1-1 혈액형이 A형인 학생은 몇 명인가요?

(   )

2-1 학생 수가 가장 많은 혈액형은 무엇인가요?

(   )

[1-2 ~ 2-2] 선아네 반 학생들이 즐겨 보는 프로그램을 나타낸 막대그래프입니다. 물음에 답하세요.

즐겨 보는 프로그램별 학생 수

1-2 만화를 즐겨 보는 학생은 몇 명인가요?

(   )

2-2 학생 수가 가장 적은 프로그램은 무엇인가요?

(   )

▶정답 및 풀이 24쪽

4-2 꺾은선그래프

꺾은선그래프는 수량을 점으로 표시하고, 그 점들을 선분으로 이어 그린 그래프야.

선의 기울기에 따라 변화를 알 수 있어.

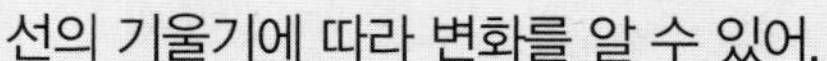

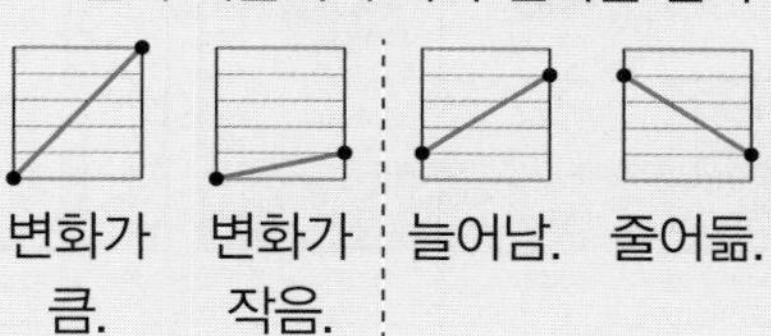

[3-1 ~ 4-1] 재연이가 키우는 강아지의 몸무게를 나타낸 꺾은선그래프입니다. 물음에 답하세요.

강아지의 몸무게

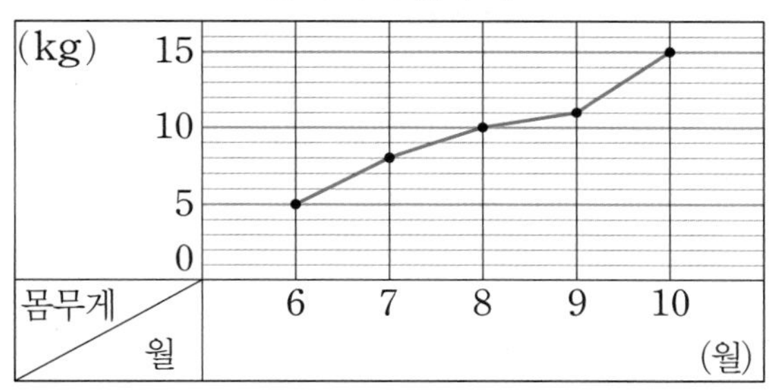

3-1 7월에 강아지의 몸무게는 몇 kg인가요?

( )

4-1 강아지의 몸무게가 가장 적게 변한 때는 몇 월과 몇 월 사이인가요?

( )월과 ( )월 사이

[3-2 ~ 4-2] 세현이네 교실의 기온을 나타낸 꺾은선그래프입니다. 물음에 답하세요.

교실의 기온

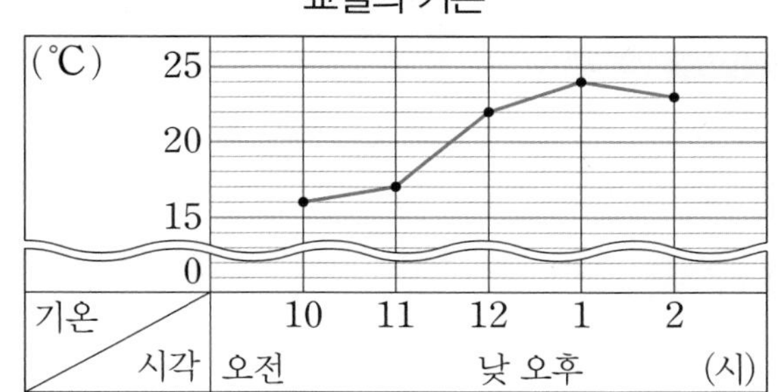

3-2 기온이 가장 높은 때는 몇 시인가요?

( )

4-2 기온이 가장 많이 변한 때는 몇 시와 몇 시 사이인가요?

( )시와 ( )시 사이

직육면체의 성질

교과서 기초 개념

• 서로 마주 보고 있는 면의 관계

색칠한 두 면처럼 계속 늘여도 만나지 않는 두 면은 서로 평행해.

직육면체의 밑면: 서로 평행한 두 면

└ 서로 마주 보는 두 면

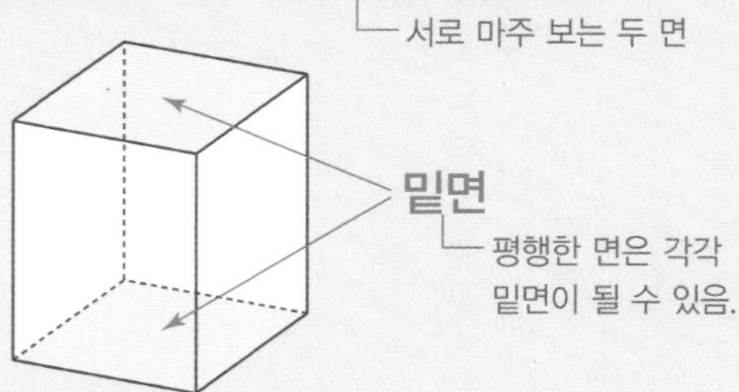

서로 평행한 면은 ❶ [ ] 쌍입니다.

• 서로 만나는 두 면 사이의 관계

색칠한 두 면처럼 만나는 두 면은 서로 수직이야.

┌ 밑면과 만나는 면

직육면체의 옆면: 밑면과 수직인 면

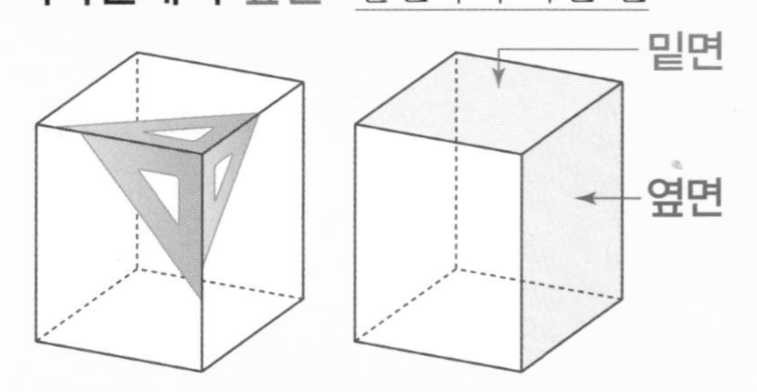

한 밑면과 수직인 면은  **개입니다.**

정답 ❶ 3 ❷ 4

▶정답 및 풀이 25쪽

1-1 직육면체에서 서로 평행한 두 면을 무엇이라고 하나요?

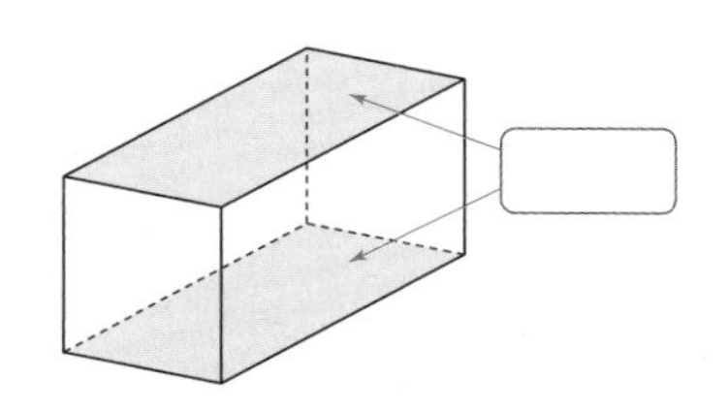

1-2 직육면체에서 밑면과 수직인 면을 무엇이라고 하나요?

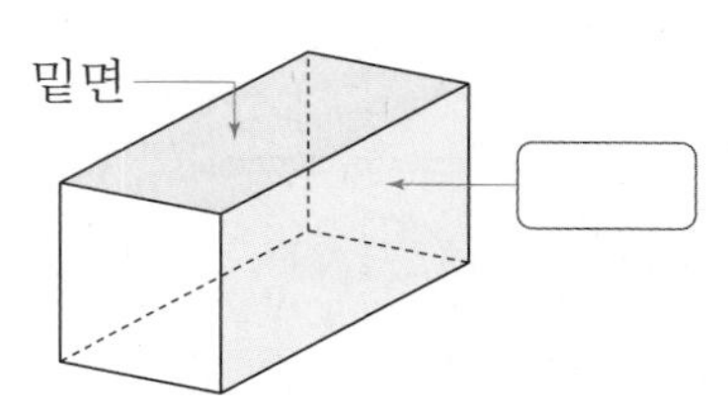

[2-1 ~ 2-2] 직육면체에서 색칠한 면과 평행한 면을 찾아 색칠해 보세요.

2-1

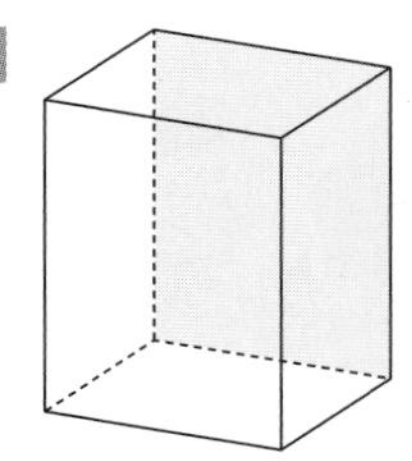

2-2

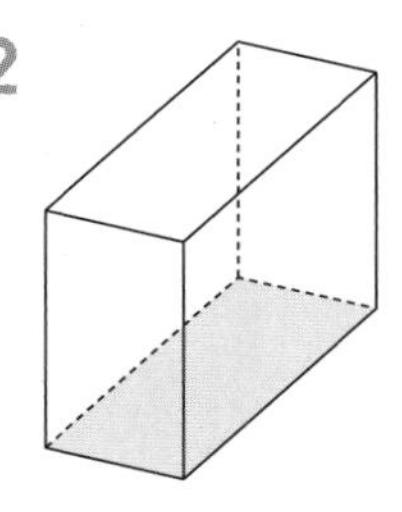

3-1 직육면체에서 서로 평행한 면을 찾아 써 보세요.

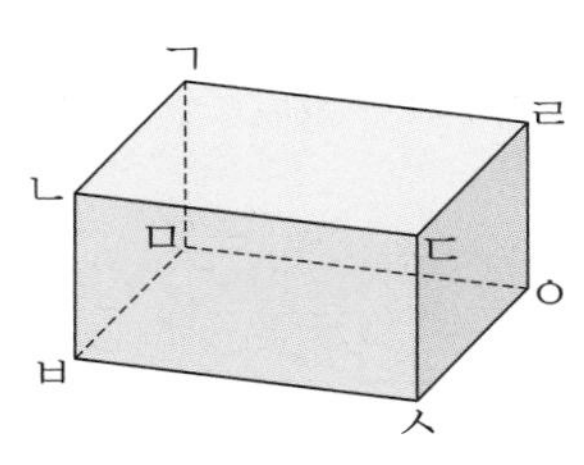

면 ㄱㄴㄷㄹ과 면 ______________

면 ㄴㅂㅅㄷ과 면 ______________

면 ㄴㅂㅁㄱ과 면 ______________

3-2 직육면체에서 색칠한 면과 수직인 면을 모두 찾아 써 보세요.

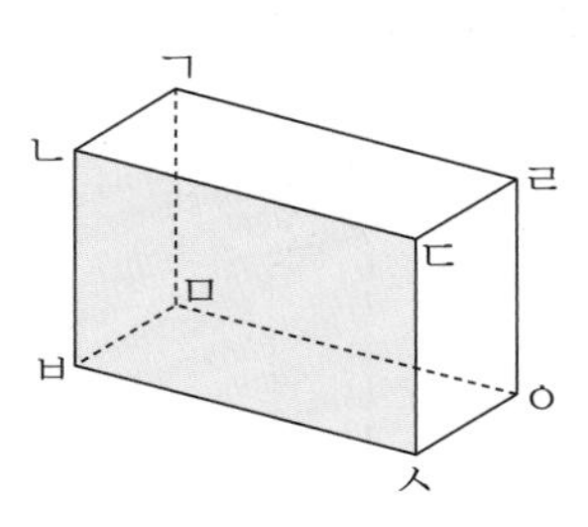

면 ______________, 면 ______________,

면 ______________, 면 ______________

4-1 직육면체에서 서로 평행한 면은 몇 쌍인가요?

( )

4-2 직육면체에서 한 면과 수직인 면은 몇 개인가요?

( )

1일 직육면체

직육면체의 겨냥도

교과서 기초 개념

- **직육면체의 겨냥도**: 직육면체 모양을 잘 알 수 있도록 나타낸 그림

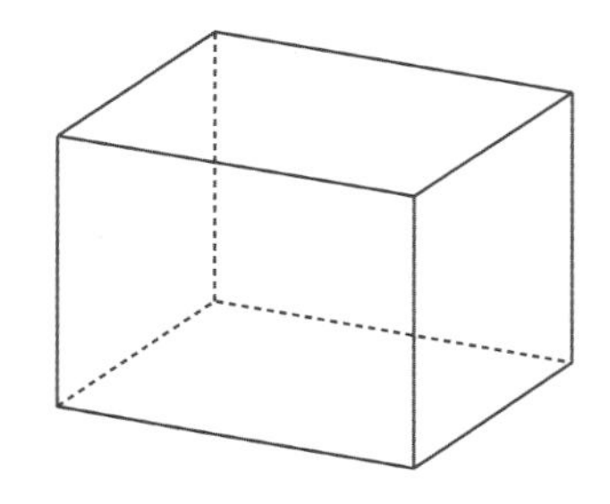

보이는 모서리는 실선으로,
보이지 않는 모서리는 점선으로 그립니다.

면, 모서리, 꼭짓점이 **가장 많이 보일 때** 각각의 개수는 다음과 같습니다.

면의 수(개)		모서리의 수(개)		꼭짓점의 수(개)	
보이는 면	보이지 않는 면	보이는 모서리	보이지 않는 모서리	보이는 꼭짓점	보이지 않는 꼭짓점
3	3	9	❶	7	❷

정답 ❶ 3 ❷ 1

개념 · 원리 확인

▶ 정답 및 풀이 25쪽

1-1 직육면체 모양을 잘 알 수 있도록 나타낸 그림을 무엇이라고 하나요?

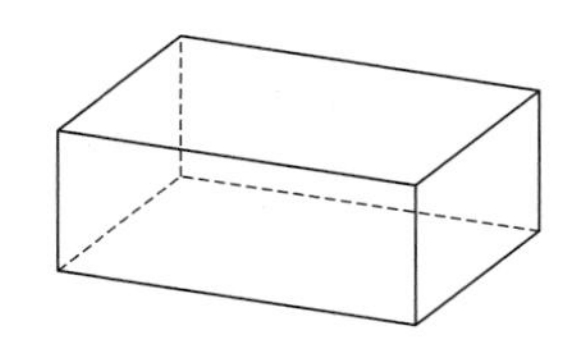

직육면체의 [ ]

1-2 알맞은 말에 ○표 하세요.

직육면체의 겨냥도를 그릴 때
보이는 모서리는 (실선 , 점선)으로,
보이지 않는 모서리는 (실선 , 점선)으로
그립니다.

2-1 직육면체의 겨냥도를 바르게 그린 것에 ○표 하세요.

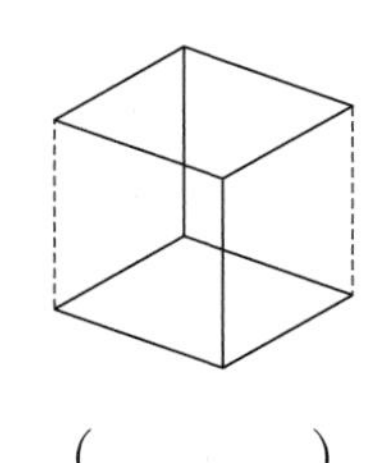

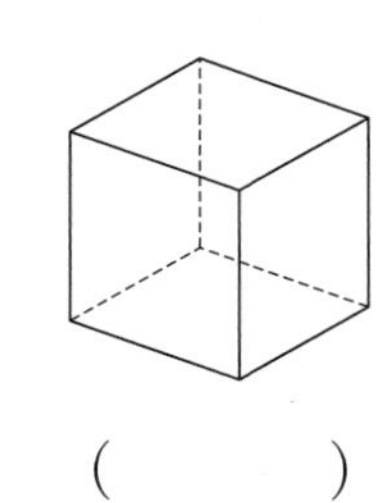

( ) ( )

2-2 직육면체의 겨냥도를 바르게 그린 것의 기호를 써 보세요.

가

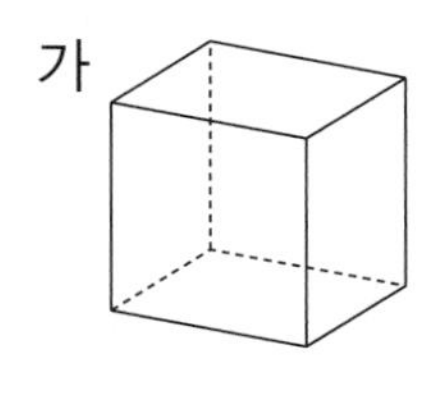

나

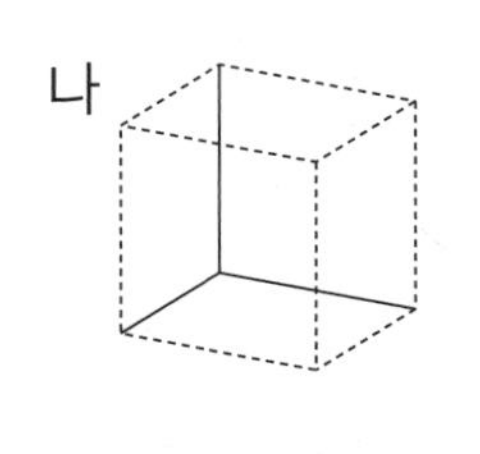

( )

3-1 직육면체의 겨냥도를 보고 보이는 모서리는 몇 개인지 써 보세요.

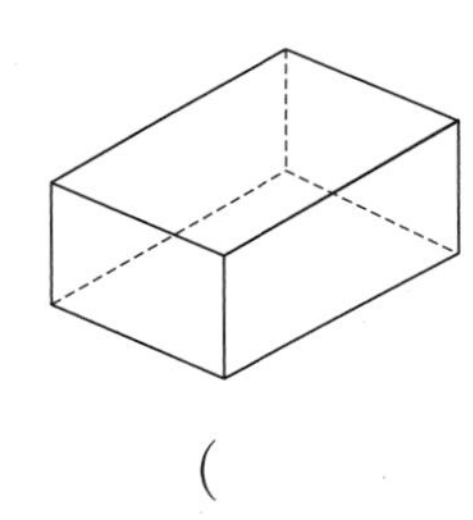

( )

3-2 직육면체에서 보이지 않는 모서리를 점선으로 그려 보세요.

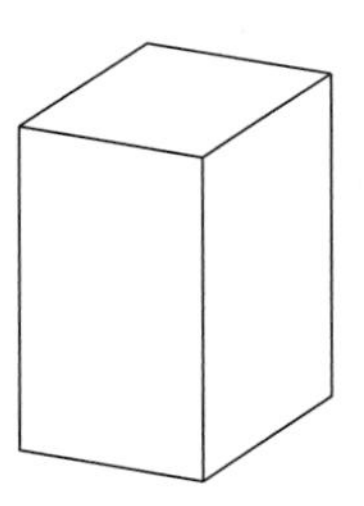

[4-1 ~ 4-2] 그림에서 빠진 부분을 그려 넣어 직육면체의 겨냥도를 완성해 보세요.

4-1

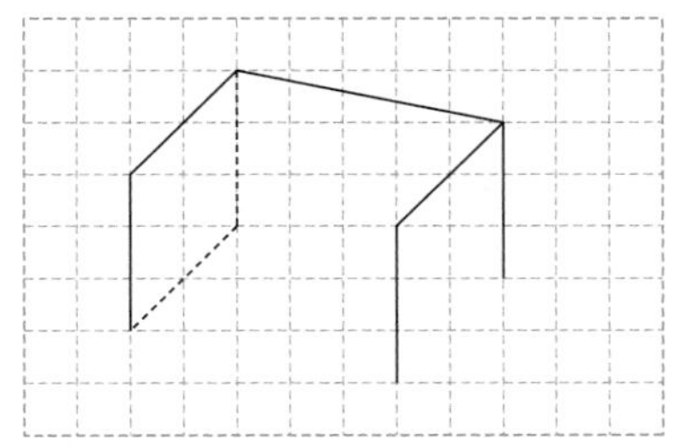

4-2

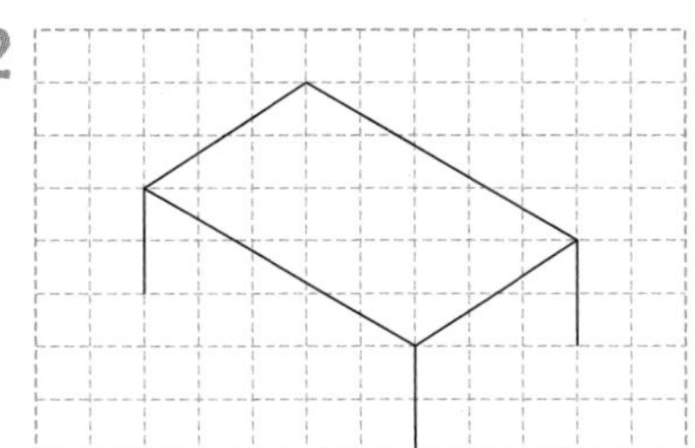

4주 1일

1일 기초 집중 연습

기본 문제 연습

1-1 면 ㅁㅂㅅㅇ과 평행한 면을 찾아 써 보세요.

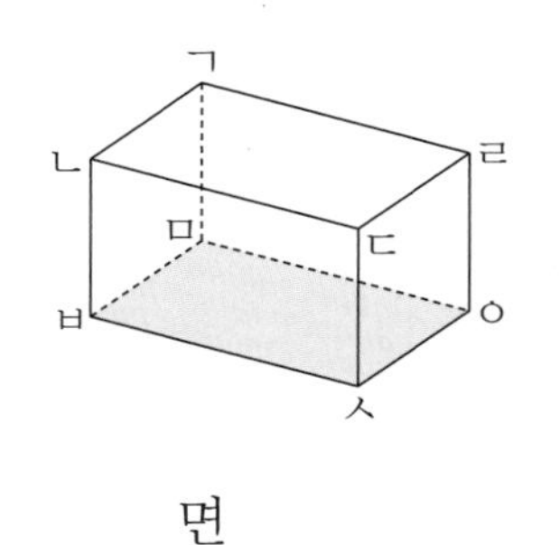

면 ______

1-2 면 ㅁㅂㅅㅇ과 수직인 면을 모두 찾아 써 보세요.

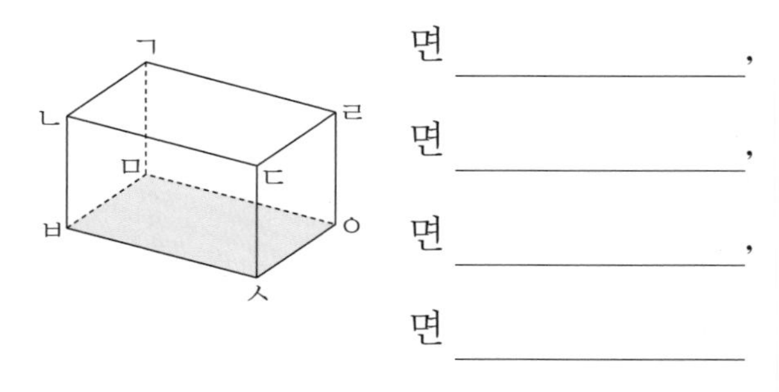

면 ______, 면 ______, 면 ______, 면 ______

2-1 직육면체의 겨냥도를 보고 보이는 면과 보이지 않는 면은 각각 몇 개인지 써 보세요.

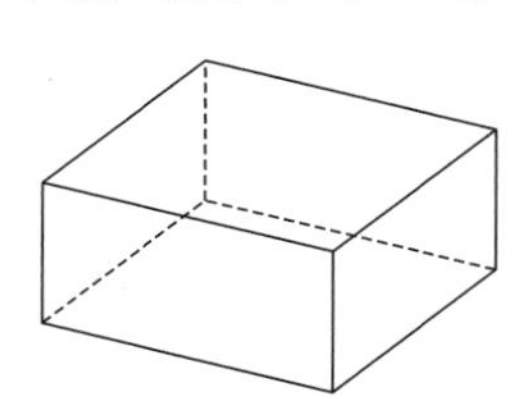

보이는 면 (　　　　)
보이지 않는 면 (　　　　)

2-2 오른쪽 직육면체의 겨냥도를 보고 잘못 설명한 것을 찾아 기호를 써 보세요.

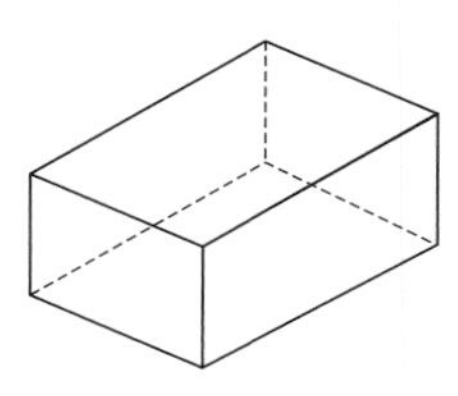

㉠ 보이는 모서리는 9개입니다.
㉡ 보이지 않는 꼭짓점은 3개입니다.
㉢ 보이지 않는 모서리는 3개입니다.

(　　　　)

3-1 직육면체의 겨냥도에 빠진 부분을 그려 넣고, 어떻게 그려야 하는지 설명해 보세요.

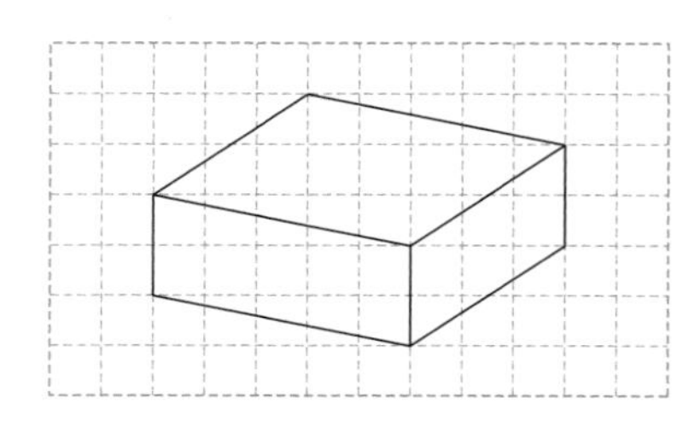

설명 ______

3-2 직육면체의 겨냥도를 잘못 그린 것입니다. 그 이유를 써 보세요.

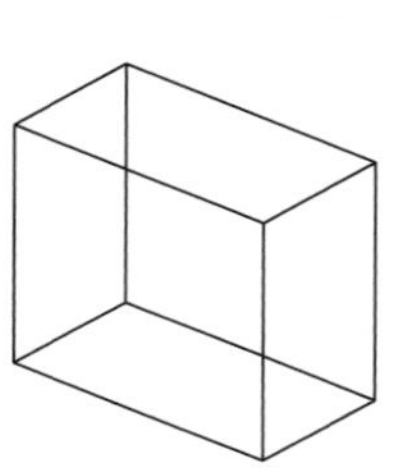

이유 ______

▶정답 및 풀이 26쪽

기초 → 기본 연습 보이지 않는 모서리를 점선으로 그려 각각의 길이를 알아보자.

기초 직육면체에서 보이지 않는 모서리를 점선으로 그려 보세요.

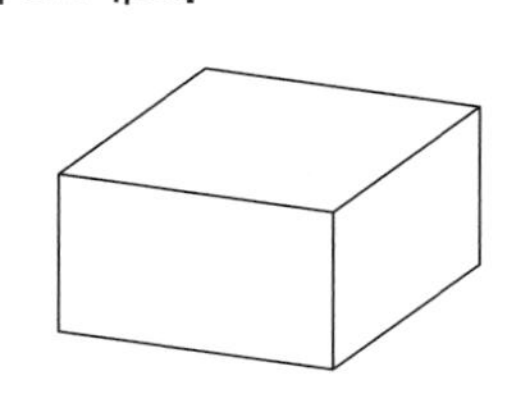

4-1 직육면체에서 보이지 않는 모서리의 길이의 합은 몇 cm인가요?

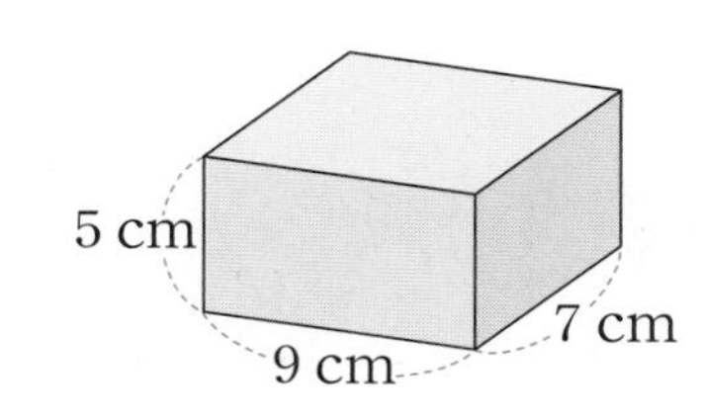

보이지 않는 모서리는
- 길이가 5 cm인 모서리 ☐개
- 길이가 9 cm인 모서리 ☐개
- 길이가 7 cm인 모서리 ☐개

 답 ______________

4-2 직육면체에서 보이지 않는 모서리의 길이의 합은 몇 cm인가요?

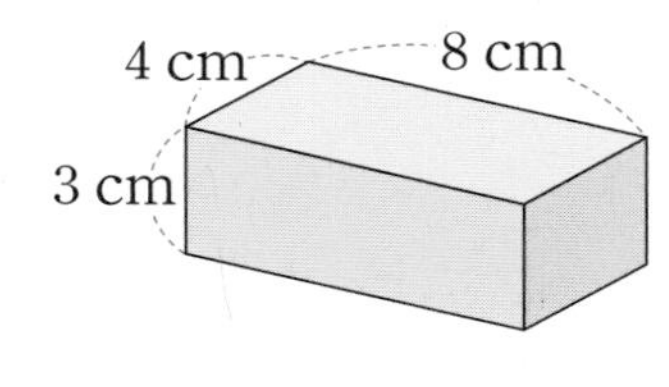

보이지 않는 모서리는
- 길이가 8 cm인 모서리 ☐개
- 길이가 4 cm인 모서리 ☐개
- 길이가 3 cm인 모서리 ☐개

답 ______________

4-3 직육면체에서 보이지 않는 모서리의 길이의 합은 몇 cm인가요?

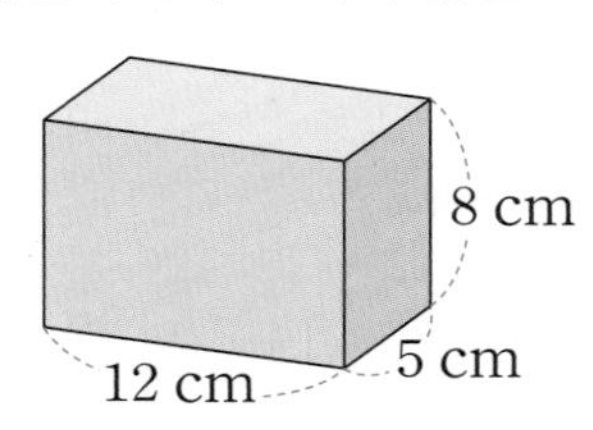

보이지 않는 모서리는
- 길이가 8 cm인 모서리 ☐개
- 길이가 5 cm인 모서리 ☐개
- 길이가 12 cm인 모서리 ☐개

 답 ______________

정육면체의 전개도

교과서 기초 개념

• **정육면체의 전개도**: 정육면체의 모서리를 잘라서 펼친 그림

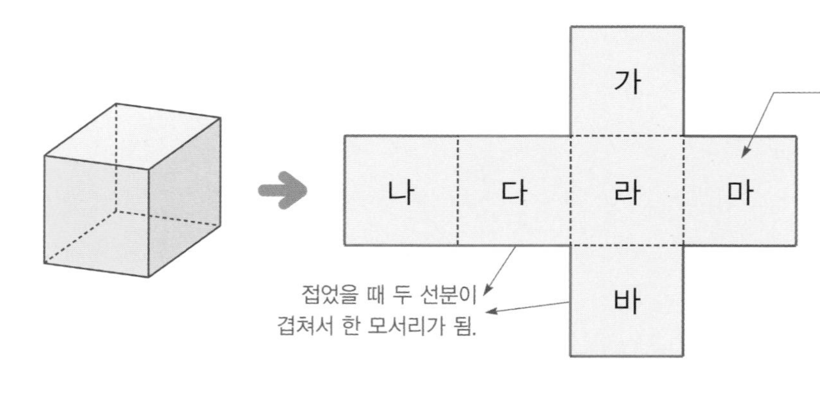

전개도를 접었을 때

- 면 라와 평행한 면 ➔ 면 나
- 면 라와 수직인 면 ➔ 면 가, 면 다, 면 마, 면 ❶ 

↳ 면 라와 평행한 면인 면 나를 제외한 면

정답 ❶ 바

개념 · 원리 확인

▶정답 및 풀이 26쪽

1-1 ☐ 안에 알맞은 말을 써넣으세요.

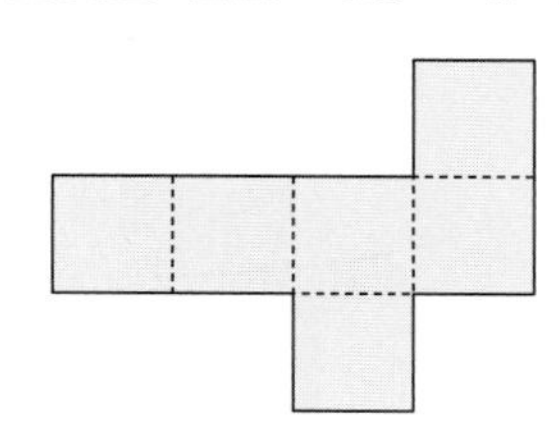

위와 같이 정육면체의 모서리를 잘라서 펼친 그림을 정육면체의 ☐(이)라고 합니다.

1-2 ☐ 안에 알맞은 말을 써넣으세요.

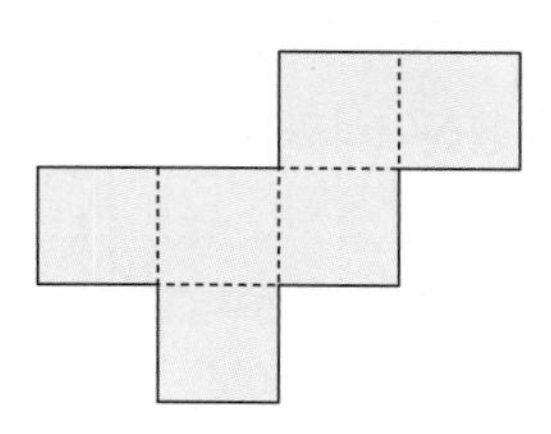

정육면체의 전개도에서 잘린 모서리는 ☐선으로, 잘리지 않은 모서리는 ☐선으로 표시합니다.

[2-1 ~ 2-2] 전개도를 접어서 정육면체를 만들었을 때 색칠한 면과 평행한 면에 색칠해 보세요.

2-1

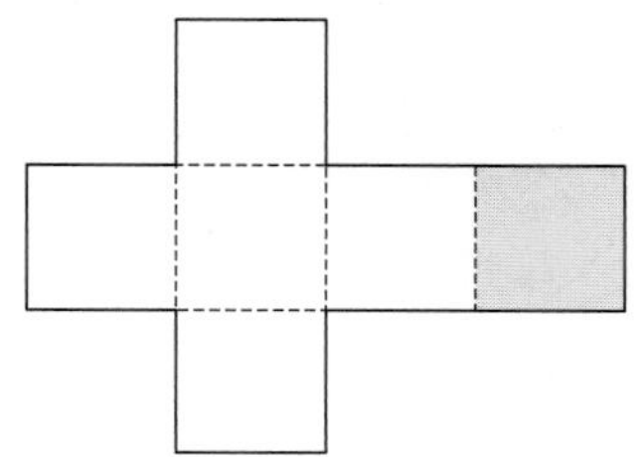

2-2

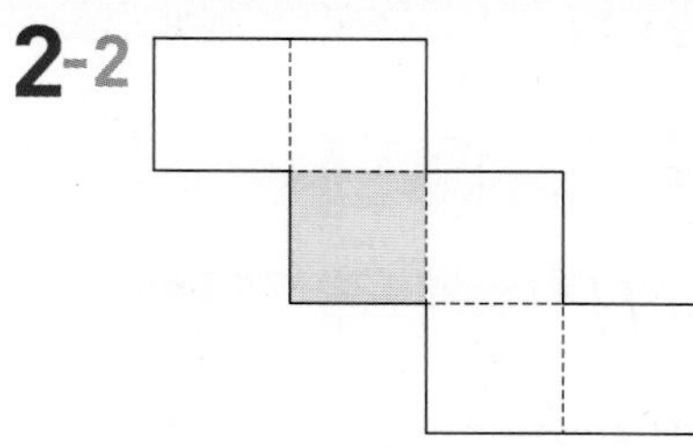

[3-1 ~ 3-2] 전개도를 접어서 정육면체를 만들었을 때 색칠한 면과 수직인 면에 모두 색칠해 보세요.

3-1

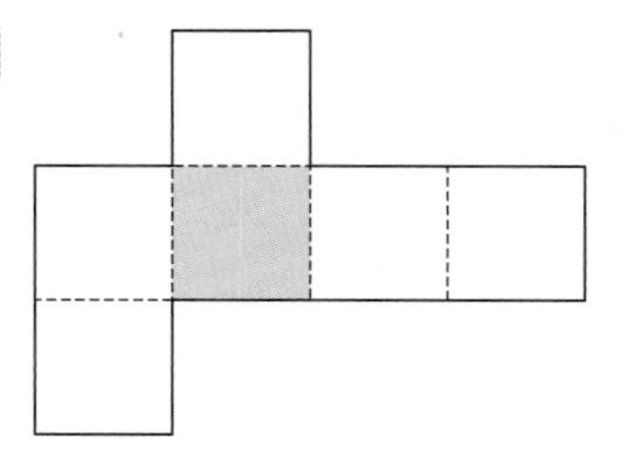

3-2

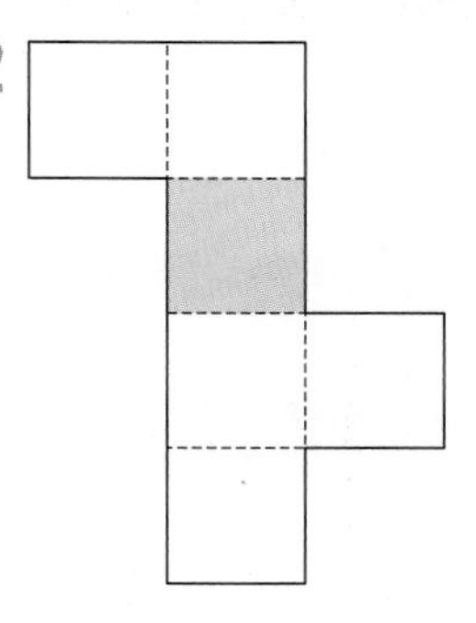

[4-1 ~ 4-2] 정육면체의 전개도이면 ○표, 그렇지 않으면 ×표 하세요.

4-1

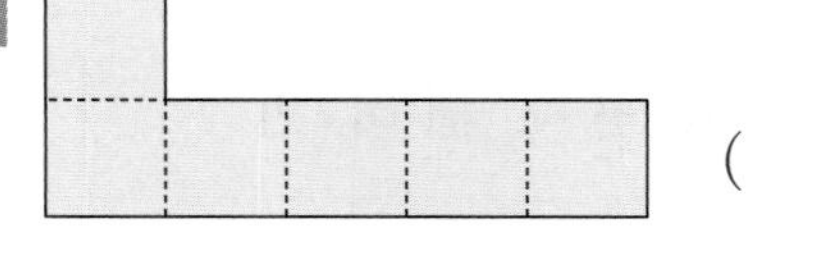

(　　　　)

4-2

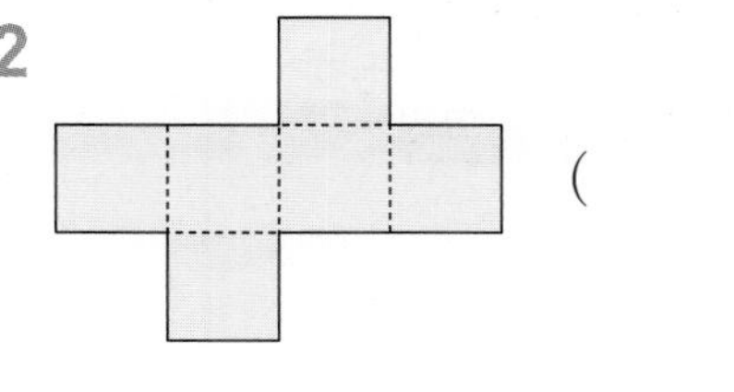

(　　　　)

교과서 기초 개념

• **직육면체의 전개도**: 직육면체의 모서리를 잘라서 펼친 그림

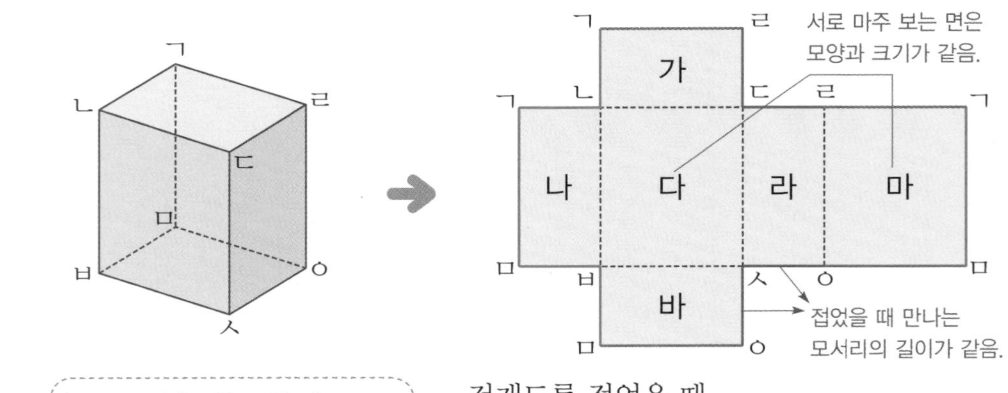

전개도를 접었을 때

- 면 나와 평행한 면 ➔ 면 라
- 면 나와 수직인 면 ➔ 면 가, 면 다, 면 마, 면 ❶ 

└➔ 면 나와 평행한 면인 면 라를 제외한 면

정답 ❶ 바

▶정답 및 풀이 26쪽

[1-1 ~ 1-2] 전개도를 접어서 직육면체를 만들었을 때 ☐ 안에 알맞게 써넣으세요.

1-1

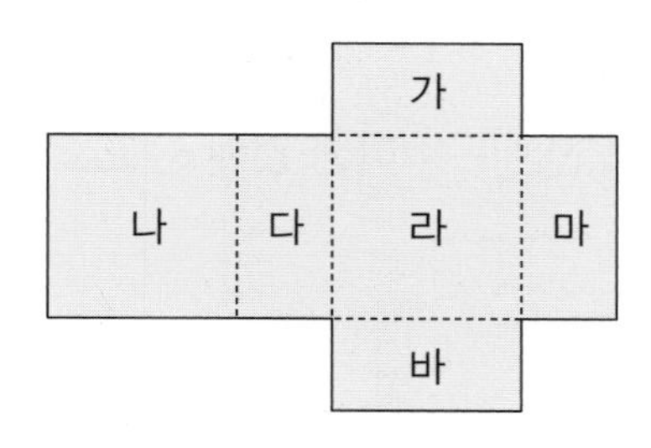

(1) 면 다와 평행한 면 ➔ 면 ☐

(2) 면 다와 수직인 면

➔ 면 가, 면 ☐, 면 ☐, 면 ☐

1-2

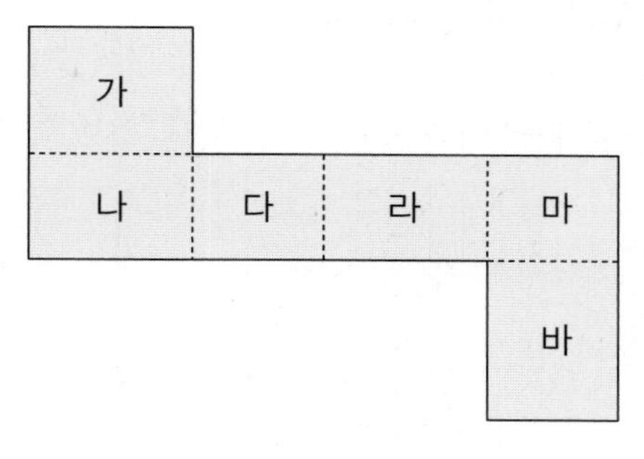

(1) 면 가와 평행한 면 ➔ 면 ☐

(2) 면 가와 수직인 면

➔ 면 ☐, 면 ☐, 면 ☐, 면 ☐

[2-1 ~ 2-2] 오른쪽 직육면체의 전개도를 보고 알맞은 수나 말에 ○표 하세요.

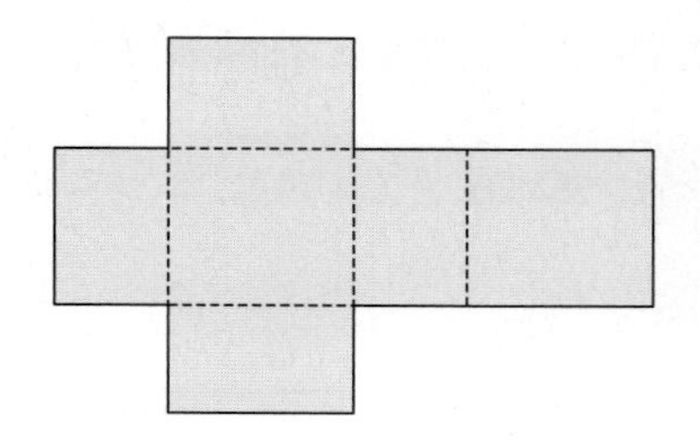

2-1

모양과 크기가 같은 면이 (2 , 3 , 4)쌍 있습니다.

2-2

접었을 때 만나는 모서리의 길이는 (같습니다 , 다릅니다).

[3-1 ~ 3-2] 직육면체의 전개도를 그린 것입니다. ☐ 안에 알맞은 수를 써넣으세요.

3-1

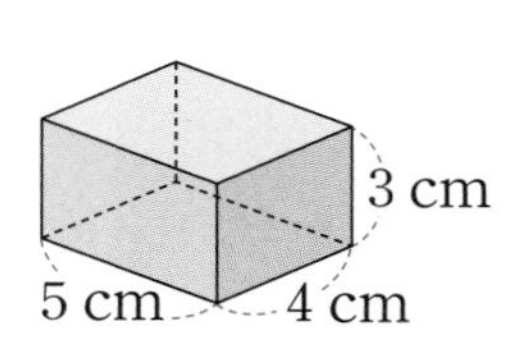

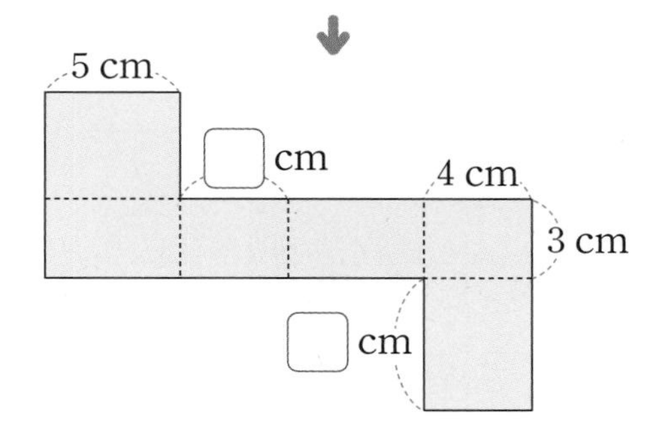

3-2

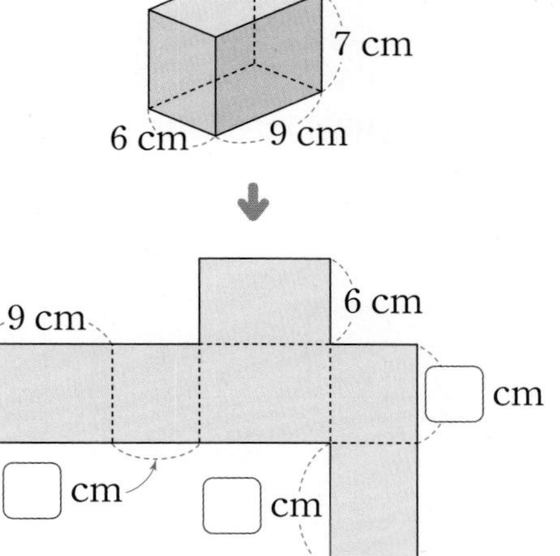

2일 기초 집중 연습

기본 문제 연습

1-1 정육면체의 전개도가 아닌 것에 ○표 하세요.

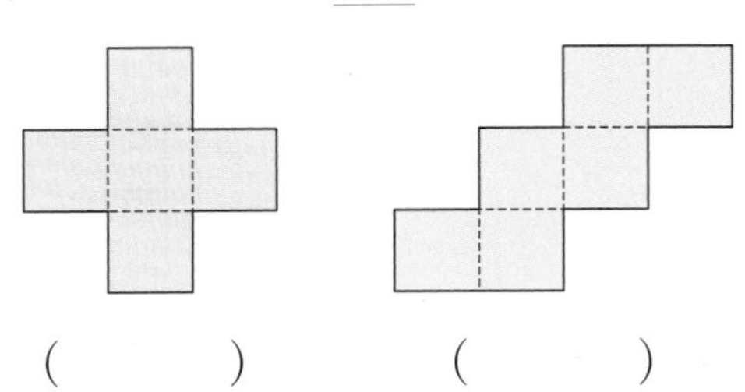

(   ) (   )

1-2 직육면체의 전개도가 아닌 것에 ○표 하세요.

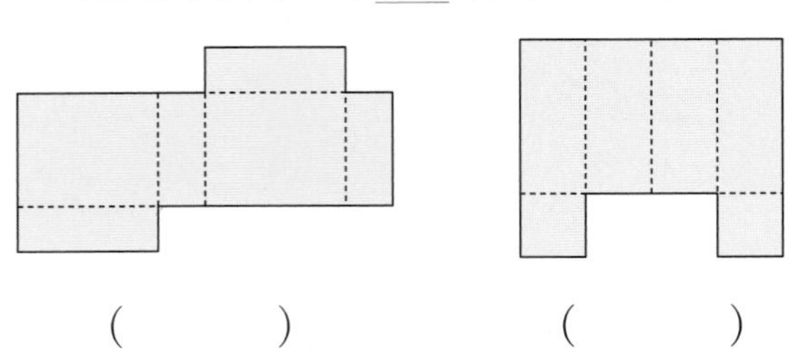

(   ) (   )

2-1 전개도를 접어서 정육면체를 만들었습니다. 면 나와 평행한 면과 수직인 면을 모두 찾아 각각 써 보세요.

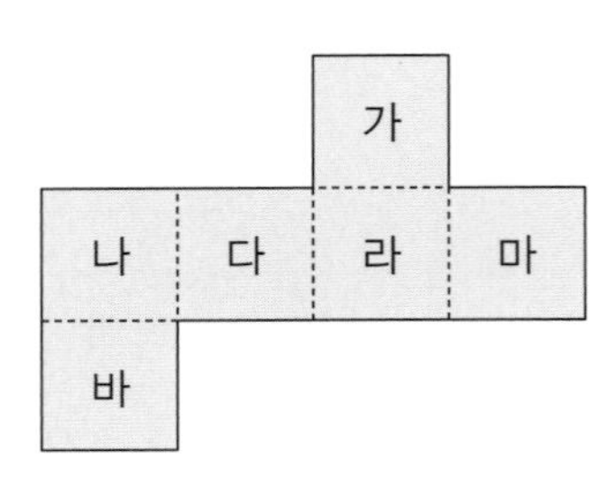

평행한 면 (   )

수직인 면 (   )

2-2 전개도를 접어서 정육면체를 만들었습니다. 주어진 선분과 겹치는 선분을 각각 찾아 써 보세요.

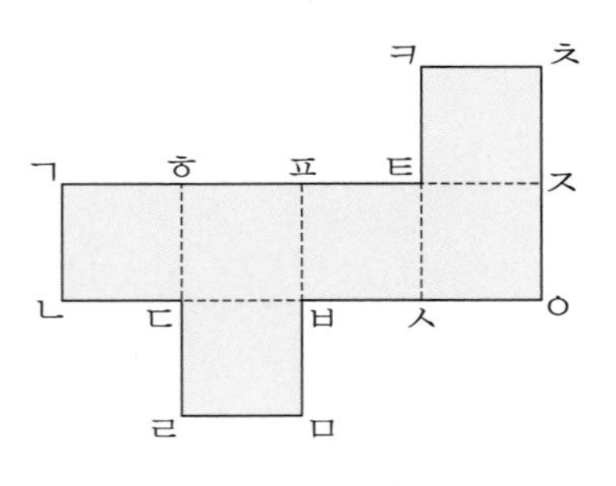

선분 ㅍㅌ과 선분 (   )

선분 ㄱㄴ과 선분 (   )

3-1 직육면체의 전개도를 접었을 때 점 ㅎ과 만나는 점을 찾아 써 보세요.

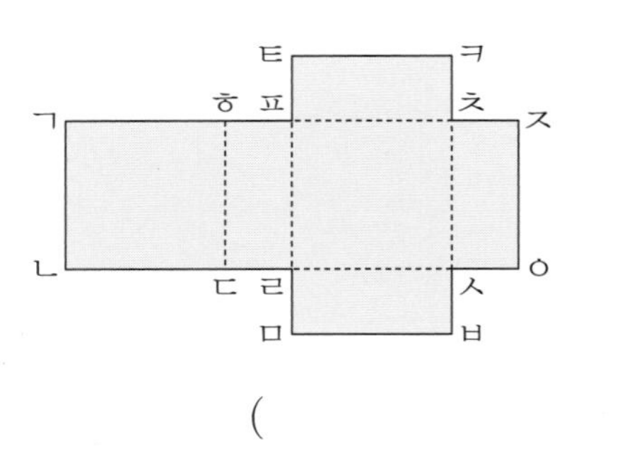

(   )

3-2 직육면체의 전개도를 접었을 때 선분 ㅌㅋ과 겹치는 선분을 찾아 써 보세요.

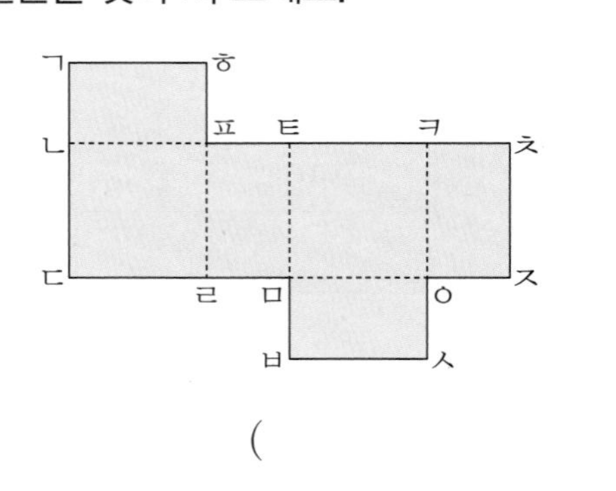

(   )

▶정답 및 풀이 27쪽

기초 → 기본 연습 전개도 그리는 방법에 따라 직육면체의 전개도를 그리자.

기초 직육면체의 전개도를 그리는 방법을 잘못 설명한 것의 기호를 써 보세요.

㉠ 전개도를 접었을 때 만나는 모서리의 길이를 같게 그립니다.

㉡ 잘린 모서리는 점선으로, 잘리지 않은 모서리는 실선으로 표시합니다.

답 ______________

4-1 직육면체를 보고 전개도를 완성해 보세요.

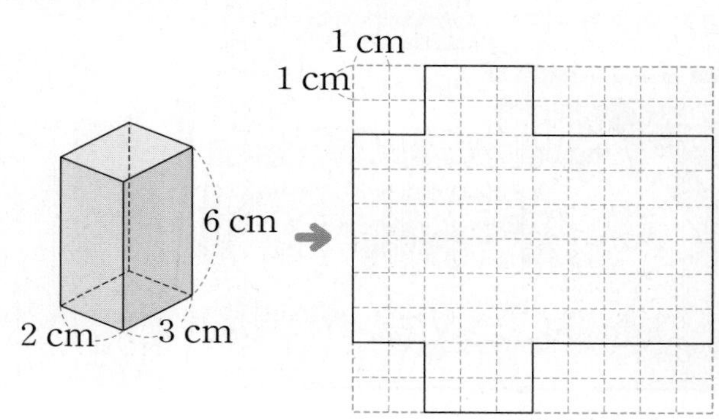

4-2 직육면체를 보고 전개도를 완성해 보세요.

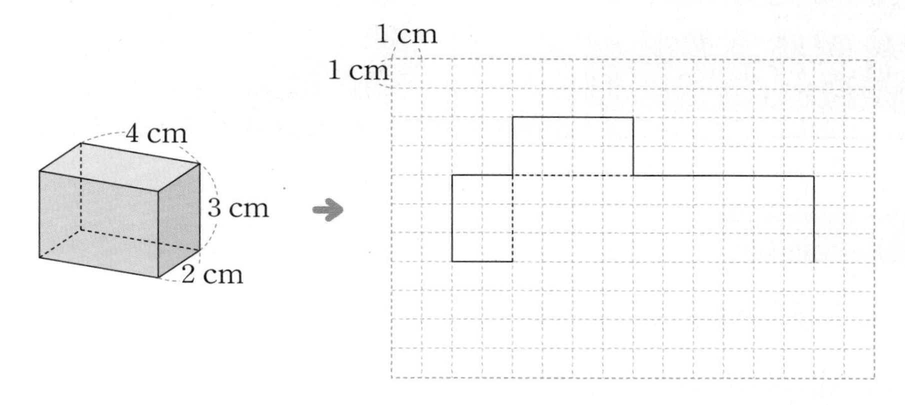

4-3 정육면체를 보고 전개도를 완성해 보세요.

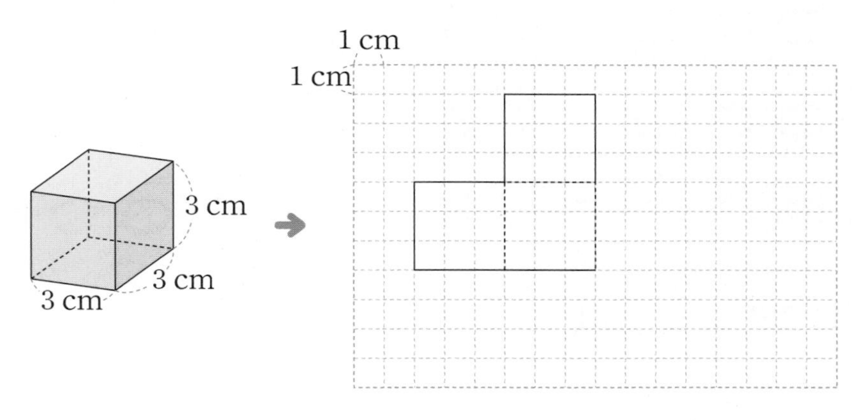

4주 2일

교과서 기초 개념

• **평균**: 자료의 값을 모두 더해 자료의 수로 나눈 값

평균은 자료를 대표하는 값으로 정할 수 있습니다.

예 자료의 값을 고르게 하여 정우네 모둠의 걸린 고리 수의 평균 구하기

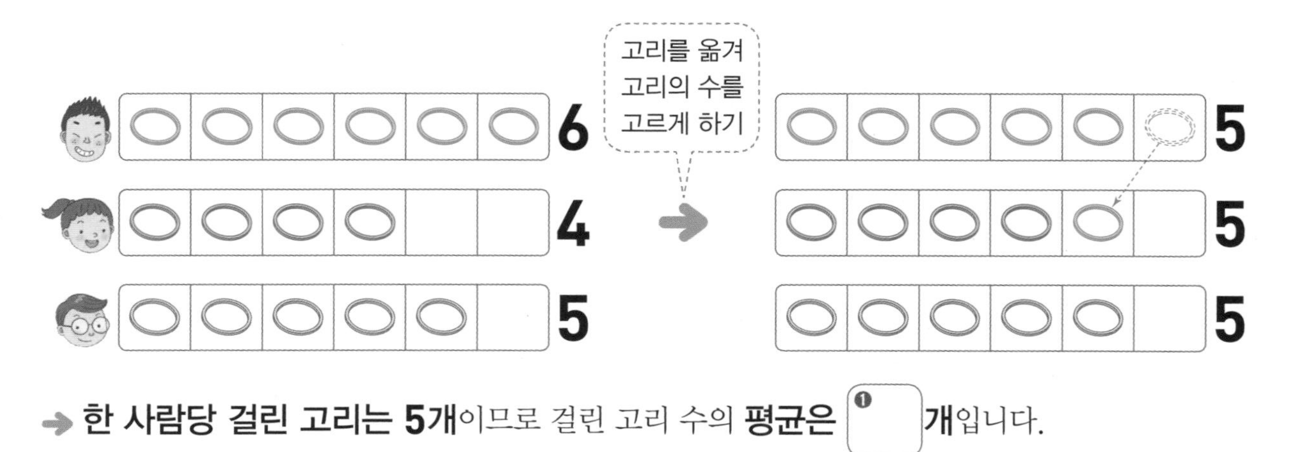

→ **한 사람당 걸린 고리는 5개**이므로 걸린 고리 수의 **평균은** ❶ [ ] **개**입니다.

정답 ❶ 5

개념 · 원리 확인

▶정답 및 풀이 27쪽

[1-1 ~ 1-2] 그림을 옮겨 그림의 수를 고르게 나타낸 것을 보고 평균을 구해 보세요.

1-1 6

8 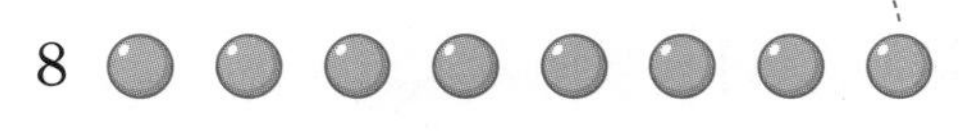

7

➔ 6, 8, 7의 평균: ☐

1-2

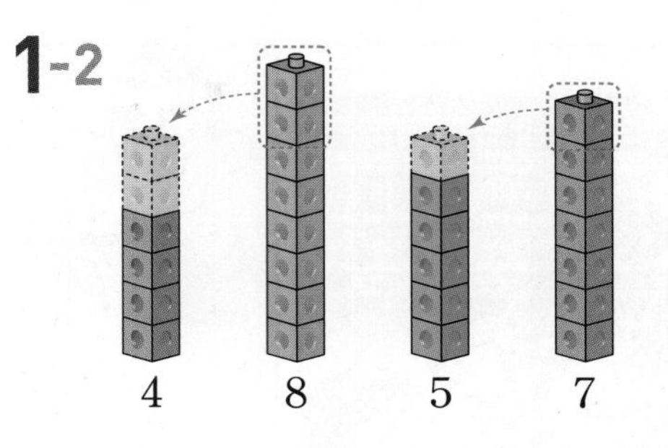

➔ 4, 8, 5, 7의 평균: ☐

[2-1 ~ 2-2] 종이띠를 반으로 접고 다시 반으로 접어 4등분이 된 것을 보고 평균을 구해 보세요.

2-1

2 5 5 4

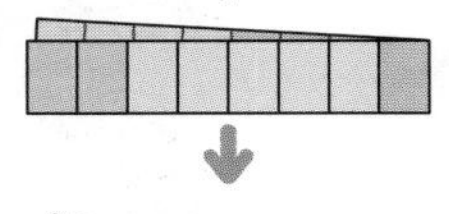

➔ 2, 5, 5, 4의 평균: ☐

2-2

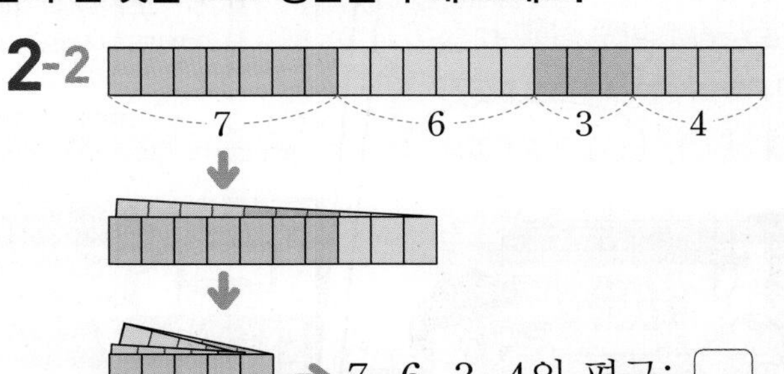

➔ 7, 6, 3, 4의 평균: ☐

3-1 읽은 책 수의 평균을 예상하고 ○표를 옮겨 평균을 구해 보세요.

하나네 모둠이 읽은 책 수

이름	하나	지연	소민	성주
책 수(권)	2	5	1	4

예상한 평균: ☐권

	○		
	○		○
	○		○
○	○		○
○	○	○	○
하나	지연	소민	성주

➔ 읽은 책 수의 평균: ☐권

3-2 투호에 넣은 화살 수의 평균을 예상하고 ○표를 옮겨 평균을 구해 보세요.

수호네 모둠이 투호에 넣은 화살 수

이름	수호	세찬	지민	환희
화살 수(개)	5	3	2	6

예상한 평균: ☐개

			○
○			○
○			○
○	○		○
○	○	○	○
○	○	○	○
수호	세찬	지민	환희

➔ 투호에 넣은 화살 수의 평균: ☐개

평균 구하기(2)

교과서 기초 개념

• 평균을 구하는 방법

자료의 값을 모두 더한 수를 자료의 수로 나누면 평균을 구할 수 있어.

(평균)=(자료의 값을 모두 더한 수)÷(자료의 수)

예 준하네 모둠의 공을 넣은 횟수의 평균 구하기

농구 골대에 공을 넣은 횟수

이름	준하	세빈	재희	영아
횟수(번)	6	5	8	5

4명

(평균)=(6+5+8+5)÷4

=24÷4=❶☐(번)

정답 ❶ 6

▶정답 및 풀이 28쪽

[1-1 ~ 1-2] 표를 보고 평균 기록을 구하려고 합니다. □ 안에 알맞은 수를 써넣으세요.

1-1 혜림이네 모둠의 100 m 달리기 기록

이름	혜림	성훈	민서	진수
기록(초)	17	16	20	19

(평균 기록)
$=(17+16+\square+\square)\div 4$
$=\square\div 4=\square$(초)

1-2 재림이네 모둠의 줄넘기 기록

이름	재림	승민	동석	나은
기록(번)	39	43	41	37

(평균 기록)
$=(39+\square+\square+\square)\div 4$
$=\square\div 4=\square$(번)

[2-1 ~ 2-2] 주어진 수의 평균을 구해 보세요.

2-1

15　32　25　20

자료의 값을 모두 더한 수: □
자료의 수: □
평균: □

2-2

48　44　52　61　55

자료의 값을 모두 더한 수: □
자료의 수: □
평균: □

3-1 태서네 학교 5학년 전체 학생 수와 반별 학생 수의 평균은 각각 몇 명인가요?

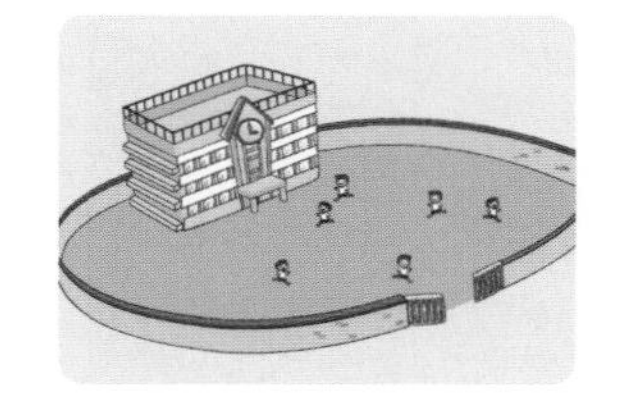

태서네 학교 5학년 반별 학생 수

반	1반	2반	3반	4반
학생 수(명)	22	25	26	23

전체 학생 수 (　　　　　)
평균 (　　　　　)

3-2 민석이가 5일 동안 숙제한 전체 시간과 요일별 숙제한 시간의 평균은 각각 몇 분인가요?

민석이가 5일 동안 숙제한 시간

요일	월	화	수	목	금
시간(분)	50	45	55	35	40

숙제한 전체 시간 (　　　　　)
평균 (　　　　　)

4주 3일

3일 기초 집중 연습

기본 문제 연습

[1-1 ~ 1-2] 주어진 수의 평균을 구해 보세요.

1-1

34 40 29 37

( )

1-2

320 296 314

( )

[2-1 ~ 2-2] 건우가 과녁 맞히기를 하여 얻은 점수입니다. 얻은 점수의 평균을 두 가지 방법으로 구해 보세요.

건우가 얻은 점수

회	1회	2회	3회	4회
점수(점)	4	1	2	5

2-1 얻은 점수의 평균을 예상하고 ○표를 옮겨 평균을 구해 보세요.

예상한 평균: □점

			○
○			○
○			○
○		○	○
○	○	○	○
1회	2회	3회	4회

➔ (얻은 점수의 평균)=□점

2-2 얻은 점수를 모두 더한 수를 횟수로 나누어 평균을 구해 보세요.

(얻은 점수를 모두 더한 수)

=□+□+□+□

=□(점)

➔ (얻은 점수의 평균)

=□÷□=□(점)

3-1 태지는 5일 동안 수학 공부를 275분 하였습니다. 태지가 하루 평균 수학 공부를 한 시간은 몇 분인가요?

( )

3-2 영재는 일주일 동안 배드민턴을 280분 쳤습니다. 영재가 하루 평균 배드민턴을 친 시간은 몇 분인가요?

( )

기초 → 문장제 연습 자료의 평균을 구하여 문제에 주어진 수의 범위와 비교하자.

기초 주어진 수들의 평균이 40 이상이면 ○표, 그렇지 않으면 ×표 하세요.

38　　42　　43　　45

 ____________

4-1 세은이의 제기차기 기록의 평균이 40번 이상이 되어야 반 대표로 대회에 나갈 수 있습니다. 세은이는 반 대표로 대회에 나갈 수 있나요?

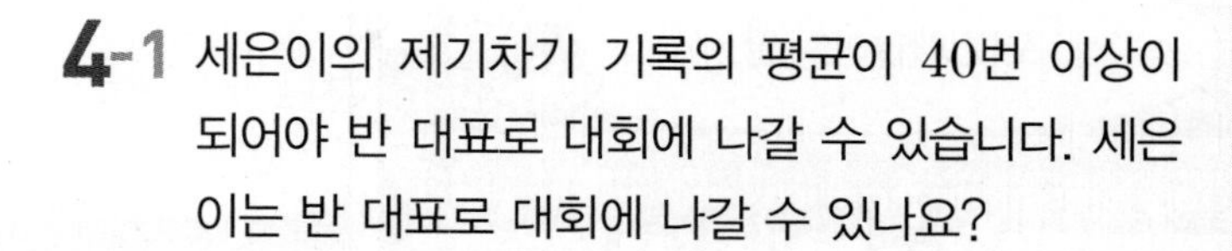

세은이의 제기차기 기록

회	1회	2회	3회	4회
기록(번)	38	42	43	45

 ____________

4-2 현민이네 모둠의 단체 줄넘기 기록의 평균이 20번 이상이 되어야 예선을 통과할 수 있습니다. 현민이네 모둠은 예선을 통과할 수 있나요?

현민이네 모둠의 단체 줄넘기 기록

회	1회	2회	3회	4회
기록(번)	18	17	16	21

 ____________

4-3 이번 주 월요일부터 금요일까지 민선이의 TV 시청 시간의 평균이 50분 이하이면 다음 주에도 TV를 시청할 수 있습니다. 민선이는 다음 주에 TV를 시청할 수 있나요?

이번 주 민선이의 TV 시청 시간

요일	월	화	수	목	금
시간(분)	40	55	45	50	55

 ____________

평균 이용하기(1)

오래 매달리기 기록의 합과 학생 수

	세빈이네 모둠	영아네 모둠
기록의 합(초)	24	28
학생 수(명)	3	4

교과서 기초 개념

• **평균 비교하기**

㉠ 세빈이네 모둠과 영아네 모둠의 오래 매달리기 기록 비교하기

세빈이네 모둠의 기록

이름	세빈	수영	이찬
기록(초)	10	6	8

3명

(세빈이네 모둠 기록의 평균)

$=(10+6+8)\div3$

$=24\div3=$ ❶ $\square$ (초)

영아네 모둠의 기록

이름	영아	민혁	종은	현우
기록(초)	8	7	8	5

4명

(영아네 모둠 기록의 평균)

$=(8+7+8+5)\div4$

$=28\div4=$ ❷ $\square$ (초)

→ **기록의 평균을 비교하면 8 > 7**이므로 세빈이네 모둠이 더 잘했습니다.

정답 ❶ 8 ❷ 7

개념·원리 확인

▶정답 및 풀이 29쪽

1-1 두 모둠의 왕복 오래달리기 기록의 합과 학생 수를 나타낸 표입니다. 기록의 평균이 더 많은 모둠은 어느 모둠인가요?

왕복 오래달리기 기록의 합과 학생 수

	제호네 모둠	은채네 모둠
기록의 합(번)	296	486
학생 수(명)	4	6

(재호네 모둠 기록의 평균)
$=296\div4=\square$(번)
(은채네 모둠 기록의 평균)
$=\square\div\square=\square$(번)
➜ 기록의 평균이 더 많은 모둠: □네 모둠

1-2 두 모둠의 수행평가 점수의 합과 학생 수를 나타낸 표입니다. 점수의 평균이 더 높은 모둠은 어느 모둠인가요?

수행평가 점수의 합과 학생 수

	은서네 모둠	혁우네 모둠
점수의 합(점)	510	440
학생 수(명)	6	5

(은서네 모둠 점수의 평균)
$=\square\div6=\square$(점)
(혁우네 모둠 점수의 평균)
$=440\div\square=\square$(점)
➜ 점수의 평균이 더 높은 모둠: □네 모둠

[2-1 ~ 3-1] 두 모둠이 투호에 넣은 화살 수를 나타낸 표입니다. 물음에 답하세요.

민서네 모둠이 넣은 화살 수

이름	화살 수(개)
민서	8
연주	7
재희	6

지호네 모둠이 넣은 화살 수

이름	화살 수(개)
지호	9
정우	6
지은	8
현세	9

2-1 두 모둠이 넣은 화살 수의 평균은 각각 몇 개인가요?

민서네 모둠 (　　　　　)
지호네 모둠 (　　　　　)

3-1 어느 모둠이 투호를 더 잘했다고 할 수 있나요?

(　　　　　)

[2-2 ~ 3-2] 두 모둠의 50 m 달리기 기록을 나타낸 표입니다. 물음에 답하세요.

현지네 모둠의 기록

이름	현지	태호	아정
기록(초)	12	11	13

희주네 모둠의 기록

이름	희주	승규	유나	지유
기록(초)	13	9	12	10

2-2 두 모둠의 기록의 평균은 각각 몇 초인가요?

현지네 모둠 (　　　　　)
희주네 모둠 (　　　　　)

3-2 어느 모둠이 달리기를 더 잘했다고 할 수 있나요?

(　　　　　)

제기차기 기록

이름	준하	세빈	재희	영아
기록(개)	4	7		5

(기록의 합계)$=6\times4=24$(개)

(재희의 기록)$=24-(4+7+5)=8$(개)

교과서 기초 개념

- **평균을 이용하여 자료의 값 구하기**

㉮ 안경을 쓴 학생 수의 **평균이 6명**일 때 3반의 안경을 쓴 학생 수 구하기

학급별 안경을 쓴 학생 수

학급(반)	1	2	3	4
학생 수(명)	4	7		5

← 4학급

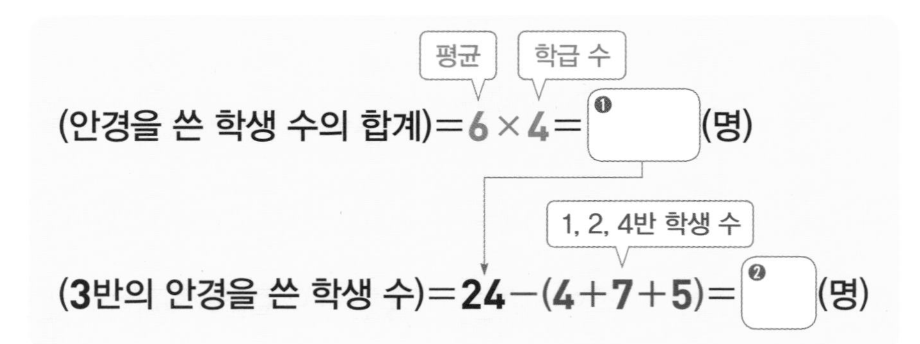

정답 ❶ 24 ❷ 8

▶정답 및 풀이 29쪽

[1-1 ~ 2-1] 다음 4개 수의 평균은 16입니다. 물음에 답하세요.

12	20	17	●

1-1 4개 수의 합은 얼마인가요?

□×4=□

2-1 ●에 알맞은 수는 얼마인가요?

□−(12+20+17)=□

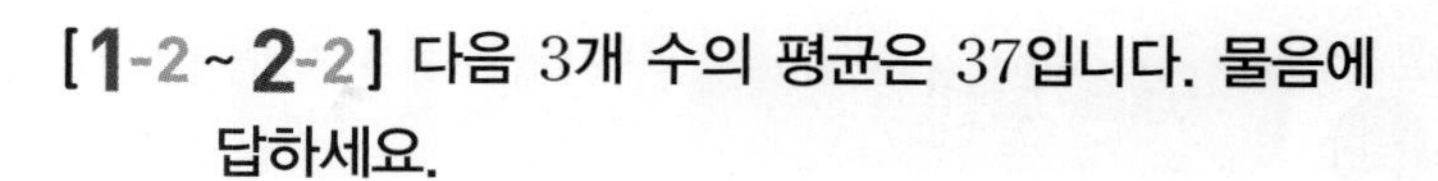

[1-2 ~ 2-2] 다음 3개 수의 평균은 37입니다. 물음에 답하세요.

33	38	▲

1-2 3개 수의 합은 얼마인가요?

□×3=□

2-2 ▲에 알맞은 수는 얼마인가요?

□−(33+□)=□

[3-1 ~ 4-1] 지난주 5일 동안 요일별 최저 기온입니다. 최저 기온의 평균이 5 ℃일 때 물음에 답하세요.

요일별 최저 기온

요일	월	화	수	목	금
기온(℃)	2		4	6	8

3-1 5일 동안의 최저 기온을 모두 더하면 몇 ℃인가요?

(　　　　　　)

4-1 화요일의 최저 기온은 몇 ℃인가요?

(　　　　　　)

[3-2 ~ 4-2] 4일 동안 날짜별 미술관의 입장객 수입니다. 하루 평균 입장객 수가 40명일 때 물음에 답하세요.

날짜별 미술관의 입장객 수

날짜	15일	16일	17일	18일
입장객 수(명)		42	36	49

3-2 4일 동안의 미술관의 입장객은 모두 몇 명인가요?

(　　　　　　)

4-2 15일의 미술관 입장객은 몇 명인가요?

(　　　　　　)

4주 4일

4일

기초 집중 연습

기본 문제 연습

1-1 은형이가 4개월 동안 받은 칭찬 도장 수입니다. 월별 칭찬 도장 수의 평균이 16개일 때 빈칸에 알맞은 수를 써넣으세요.

칭찬 도장 수

월	9월	10월	11월	12월
도장 수(개)	17	24	10	

1-2 윤선이가 과녁 맞히기를 하여 얻은 점수입니다. 얻은 점수의 평균이 22점일 때 빈칸에 알맞은 수를 써넣으세요.

과녁 맞히기 점수

회	1회	2회	3회	4회
점수(점)	22	19	24	

[2-1 ~ 3-1] 지우네 반의 모둠별 학생 수와 읽은 책 수입니다. 읽은 책 수의 평균이 가장 많은 독서왕 모둠을 정하려고 합니다. 물음에 답하세요.

모둠별 학생 수와 읽은 책 수

	모둠 1	모둠 2	모둠 3
학생 수(명)	4	5	3
책 수(권)	24	25	21

2-1 모둠별로 읽은 책 수의 평균을 구해 보세요.

읽은 책 수의 평균

모둠	모둠 1	모둠 2	모둠 3
평균(권)	6		

3-1 독서왕 모둠은 어느 모둠인가요?

( )

[2-2 ~ 3-2] 현수네 반 학생들의 턱걸이 기록입니다. 턱걸이 대표 선수를 정하려고 합니다. 물음에 답하세요.

학생별 턱걸이 기록

	현수	도영	재호
1회	8개	9개	12개
2회	13개	7개	6개
3회	12개	11개	12개

2-2 학생별로 턱걸이 기록의 평균을 구해 보세요.

턱걸이 기록의 평균

이름	현수	도영	재호
평균(개)	11		

3-2 턱걸이 대표 선수는 누가 되는 것이 좋은가요?

( )

기초 → 문장제 연습 자료 값의 합은 평균에 자료의 수를 곱하여 구하자.

기초 세 수의 평균이 41일 때 세 수의 합은 얼마인가요?

43	38	㉠

답 ______

4-1 현수네 모둠 3명의 몸무게 평균은 41 kg입니다. 3명의 몸무게의 합은 몇 kg인가요?

식 □×□=□

답 ______

4-2 재희는 엄마와 함께 10일 동안 하루 평균 35분 동안 춤을 췄습니다. 재희가 10일 동안 춤을 춘 시간은 모두 몇 분인가요?

식 ______

답 ______

4-3 준석이는 지난해에 한 달 평균 5000원을 저금하였습니다. 준석이가 지난해에 1년 동안 저금한 금액은 모두 얼마인가요?

식 ______

답 ______

일이 일어날 가능성을 말로 표현하기

교과서 기초 개념

• **가능성**: 어떠한 상황에서 특정한 일이 일어나길 기대할 수 있는 정도

가능성의 정도를 표현하는 말

예) 노란색 구슬만 2개 담긴 주머니에서 꺼낸 구슬은 흰색일 것입니다. ⟶ **불가능하다**
(흰색 구슬은 나올 수 없음.)

동전을 3번 던지면 3번 모두 그림 면이 나올 것입니다. ⟶ **~아닐 것 같다**
(모두 그림 면이 나오지는 않을 것 같음.)

동전을 던지면 숫자 면이 나올 것입니다. ⟶ **반반이다**
(숫자 면과 그림 면이 나올 수 있음.)

주사위를 굴리면 주사위 눈의 수가 2 이상 6 이하로 나올 것입니다. ⟶ **~일 것 같다**
(1부터 6까지의 눈 중 하나가 나옴.)

화요일 다음 날은 수요일일 것입니다. ⟶ **확실하다**
(화요일 다음 날은 수요일임.)

개념 · 원리 확인

▶정답 및 풀이 30쪽

[1-1 ~ 1-2] 일기 예보를 보고 가능성에 맞게 ○표 하세요.

오늘		내일		모레	
오전	오후	오전	오후	오전	오후
맑음	구름	비	비	비	눈

1-1 내일 오전의 날씨는 (맑음 , 비)이므로 눈이 (올 , 오지 않을) 것입니다.

1-2 모레 오후의 날씨는 (구름 , 눈)이므로 눈이 (올 , 오지 않을) 것입니다.

[2-1 ~ 2-2] 일이 일어날 가능성을 생각해 보고, 알맞게 표현한 곳에 ○표 하세요.

2-1 3과 4를 곱하면 10이 될 것입니다.

불가능하다	반반이다	확실하다

2-2 내년에는 10월이 7월보다 늦게 올 것입니다.

불가능하다	반반이다	확실하다

[3-1 ~ 3-2] 1부터 6까지의 눈이 그려져 있는 주사위를 한 번 굴릴 때 일이 일어날 가능성을 보기에서 찾아 기호를 써 보세요.

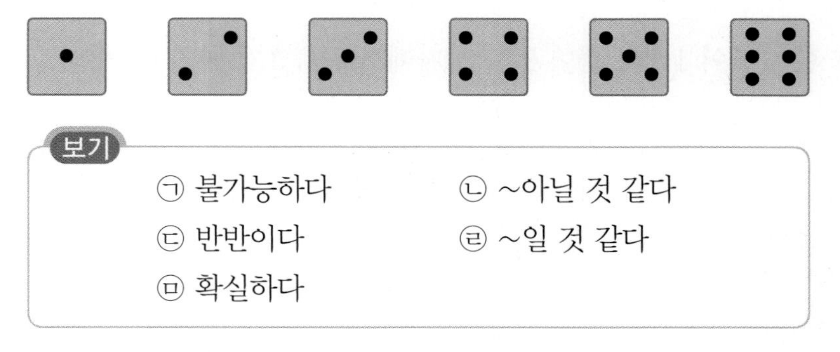

3-1 주사위 눈의 수가 6 이하로 나올 가능성

( )

3-2 주사위 눈의 수가 0이 나올 가능성

( )

일이 일어날 가능성을 말과 수로 표현하기

교과서 기초 개념

• 일이 일어날 가능성을 말과 수로 표현하기

예 검은색 공과 흰색 공이 1개씩 들어 있는 상자에서 공을 1개 꺼낼 때 가능성을 말과 수로 표현하기

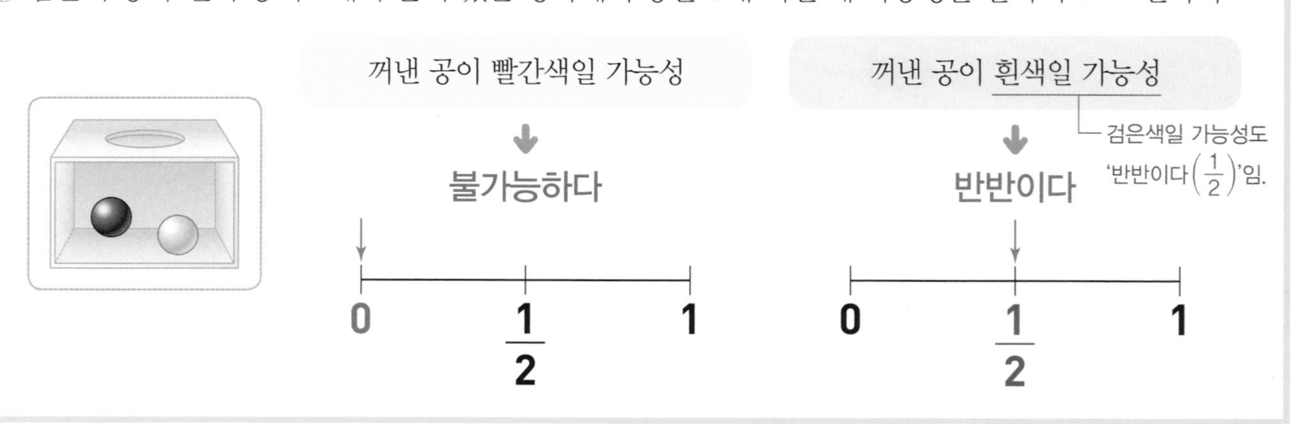

개념 · 원리 확인

▶ 정답 및 풀이 30쪽

1-1 일이 일어날 가능성을 다음과 같이 나타내려고 합니다. 0부터 1까지의 수 중 □ 안에 알맞은 수를 써넣으세요.

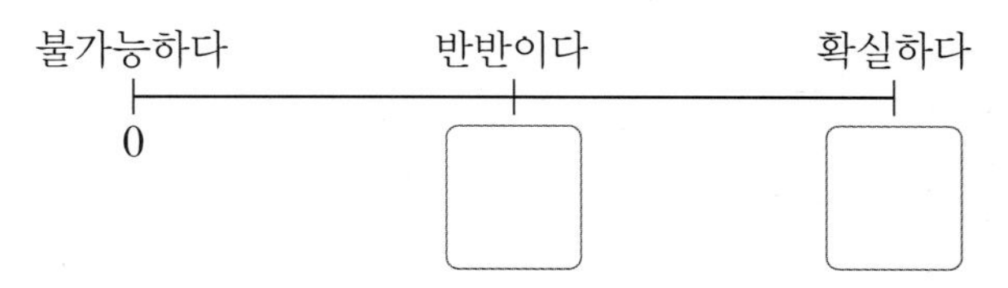

1-2 가능성을 표현하는 말과 수를 알맞게 이어 보세요.

반반이다 •	• 0
확실하다 •	• 1
불가능하다 •	• $\frac{1}{2}$

[2-1 ~ 2-2] 오른쪽 그림과 같이 흰색 바둑돌만 2개 들어 있는 주머니에서 바둑돌을 1개 꺼냈습니다. 알맞은 수에 ○표 하세요.

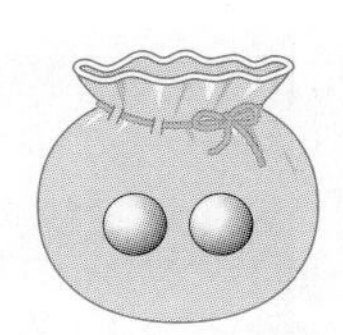

2-1 꺼낸 바둑돌이 흰색일 가능성을 수로 표현하면 $\left(0, \frac{1}{2}, 1 \right)$입니다.

2-2 꺼낸 바둑돌이 검은색일 가능성을 수로 표현하면 $\left(0, \frac{1}{2}, 1 \right)$입니다.

3-1 회전판을 돌릴 때 화살이 빨간색에 멈출 가능성을 말로 표현하고, ↓로 나타내어 보세요.

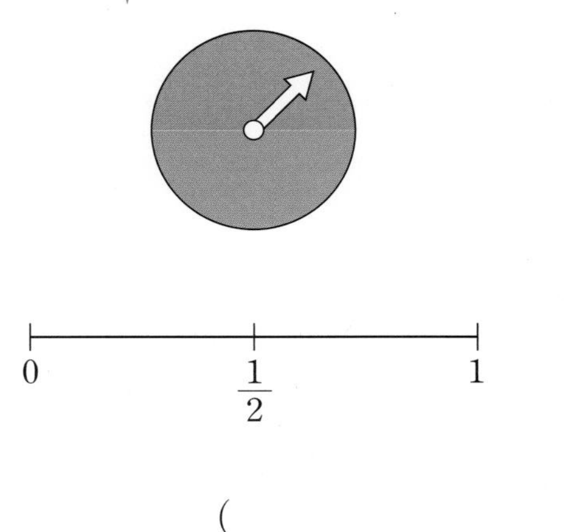

(　　　　　　　　)

3-2 회전판을 돌릴 때 화살이 파란색에 멈출 가능성을 말로 표현하고, ↓로 나타내어 보세요.

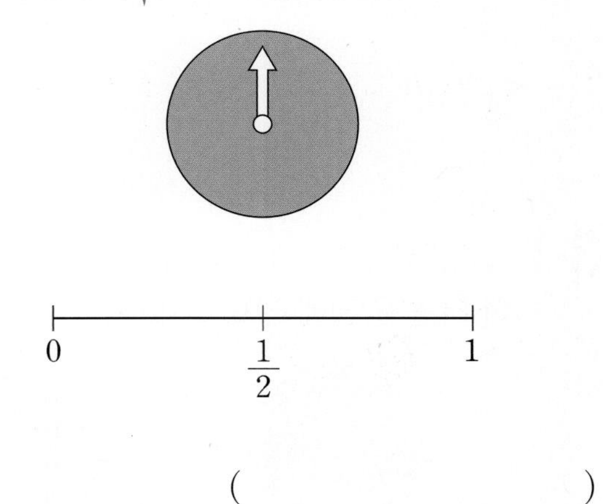

(　　　　　　　　)

5일 기초 집중 연습

기본 문제 연습

[1-1 ~ 1-2] 일이 일어날 가능성을 알맞게 표현한 것에 ○표 하세요.

1-1 내일 아침에 동쪽에서 해가 뜰 것입니다.

불가능하다	~아닐 것 같다	반반이다	~일 것 같다	확실하다

1-2 은행에서 뽑은 대기 번호표의 번호가 홀수일 것입니다.

불가능하다	~아닐 것 같다	반반이다	~일 것 같다	확실하다

2-1 노란색 공 2개와 초록색 공 2개가 들어 있는 주머니에서 공을 1개 꺼냈습니다. 물음에 답하세요.

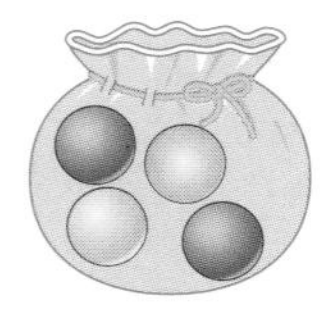

(1) 꺼낸 공이 노란색일 가능성을 말로 표현해 보세요.

(　　　　　　　　　　)

(2) 꺼낸 공이 노란색일 가능성을 수로 표현해 보세요.

(　　　　　　　　　　)

2-2 빨간색 공 4개가 들어 있는 상자에서 공을 1개 꺼냈습니다. 물음에 답하세요.

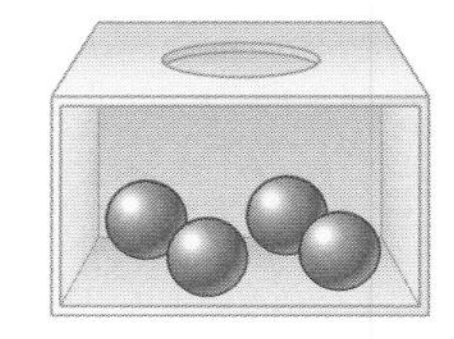

(1) 꺼낸 공이 파란색일 가능성을 말로 표현해 보세요.

(　　　　　　　　　　)

(2) 꺼낸 공이 파란색일 가능성을 수로 표현해 보세요.

(　　　　　　　　　　)

3-1 회전판을 돌릴 때 화살이 빨간색에 멈출 가능성이 더 높은 것에 ○표 하세요.

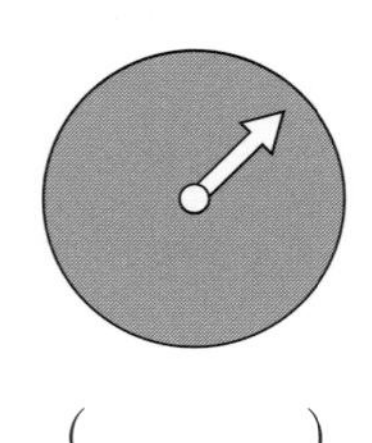

(　　　)

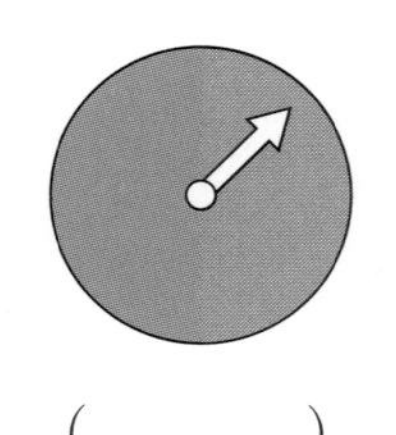

(　　　)

3-2 회전판을 돌릴 때 화살이 노란색에 멈출 가능성이 더 높은 것에 ○표 하세요.

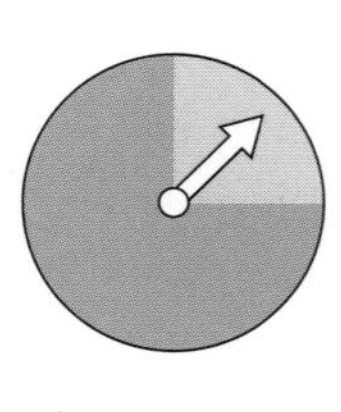

(　　　)

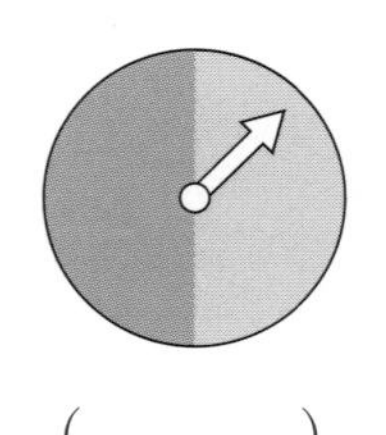

(　　　)

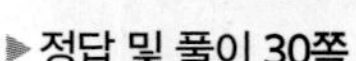

▶정답 및 풀이 30쪽

기초 → 기본 연습 일이 일어날 가능성을 수로 표현하여 수직선에 나타내자.

기초 100원짜리 동전을 1개 던질 때 그림 면이 나올 가능성을 수로 표현해 보세요.

그림 면　　숫자 면

답 ______________

4-1 100원짜리 동전을 1개 던질 때 그림 면이 나올 가능성을 ↓로 나타내어 보세요.

그림 면　　숫자 면

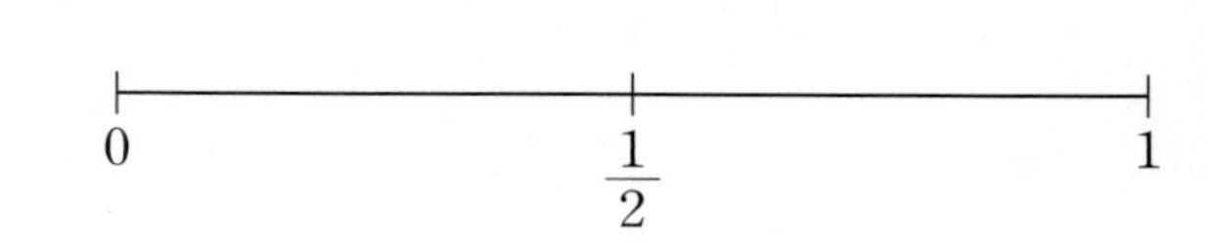

4-2 재현이는 계산기로 4 + 5 = 을 눌렀습니다. 계산기에 7이 나올 가능성을 ↓로 나타내어 보세요.

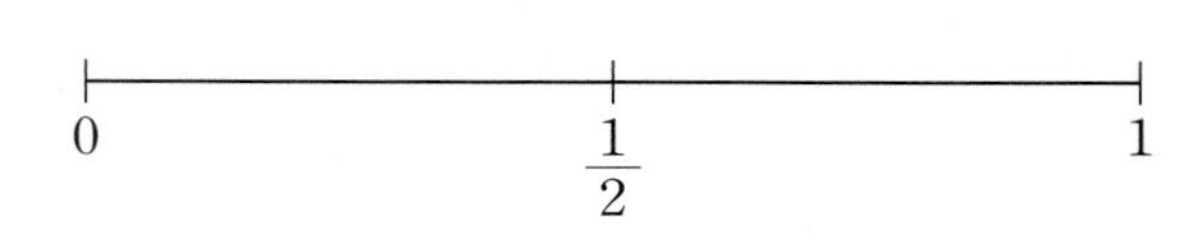

4-3 6장의 수 카드 중에서 한 장을 뽑았을 때 뽑은 카드에 쓰여 있는 수가 짝수일 가능성을 ↓로 나타내어 보세요.

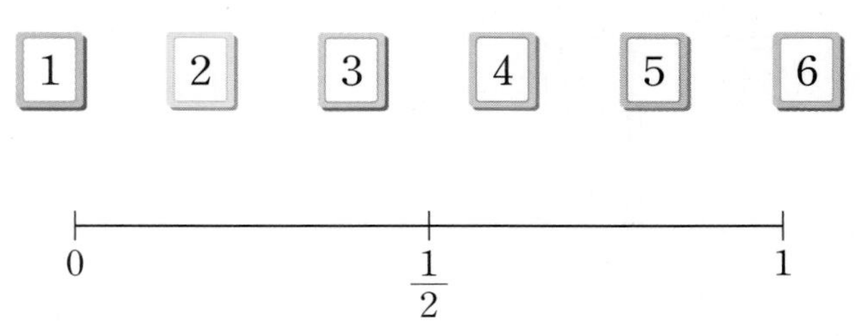

4주 5일

누구나 100점 맞는 테스트

1 직육면체에서 색칠한 두 면이 평행하면 ○표, 수직으로 만나면 △표 하세요.

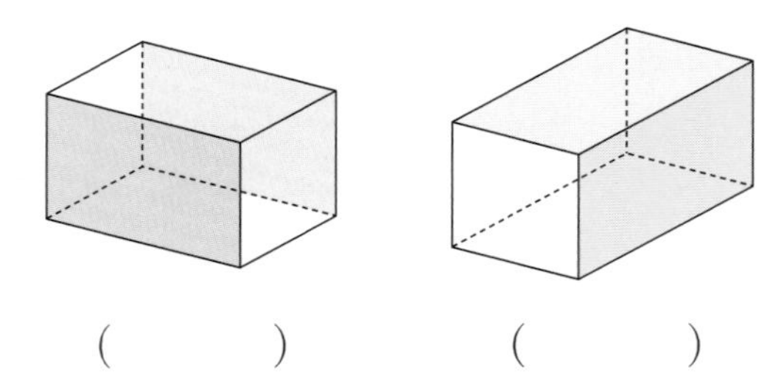

( ) ( )

2 모형을 옮겨 모형의 수를 고르게 나타낸 것을 보고 평균을 구해 보세요.

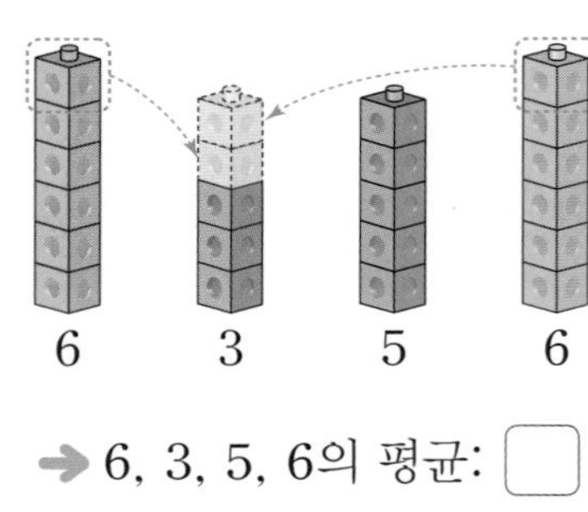

➔ 6, 3, 5, 6의 평균: □

3 직육면체의 겨냥도를 그리는 방법을 잘못 설명한 사람의 이름을 써 보세요.

( )

4 직육면체를 보고 주어진 면과 평행한 면을 찾아 써 보세요.

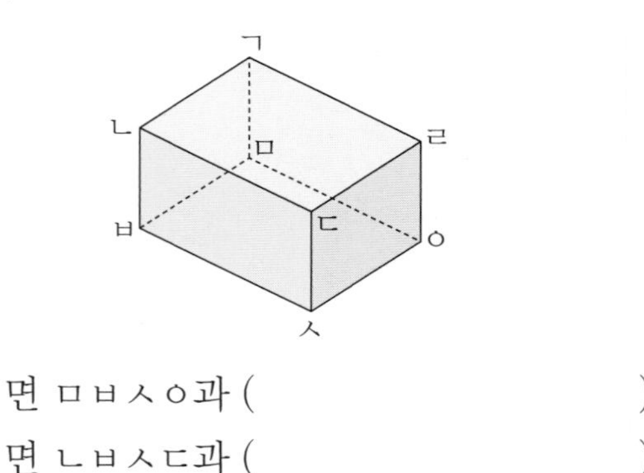

면 ㅁㅂㅅㅇ과 ( )

면 ㄴㅂㅅㄷ과 ( )

면 ㄷㅅㅇㄹ과 ( )

5 은영이가 5일 동안 강아지와 산책을 한 시간입니다. 5일 동안 산책한 전체 시간과 요일별 산책한 시간의 평균은 각각 몇 분인가요?

산책한 시간

요일	월	화	수	목	금
시간(분)	35	40	46	43	51

산책한 전체 시간 ( )

평균 ( )

▶정답 및 풀이 31쪽

6 직육면체의 전개도를 접었을 때 면 나와 수직인 면을 모두 찾아 써 보세요.

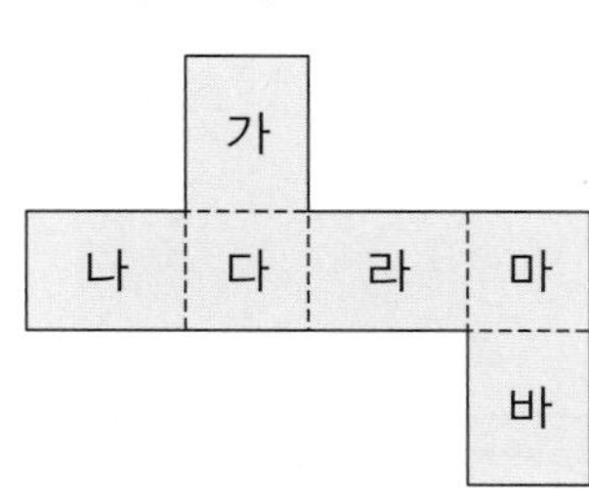

( )

7 상자 안에는 1번부터 10번까지의 번호표가 있습니다. 상자 안에서 번호표를 1개 꺼낼 때 가능성을 말로 표현해 보세요.

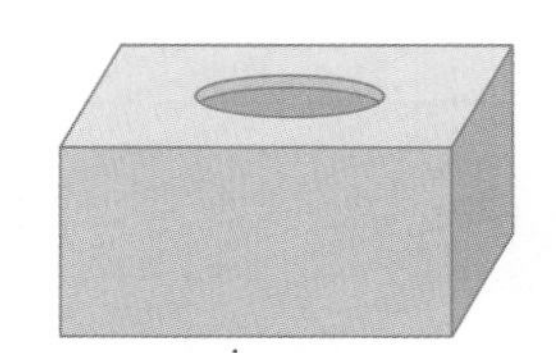

상자 안에서 20번 번호표를 꺼내는 것은

____

8 회전판을 돌릴 때 화살이 초록색에 멈출 가능성을 ↓로 나타내어 보세요.

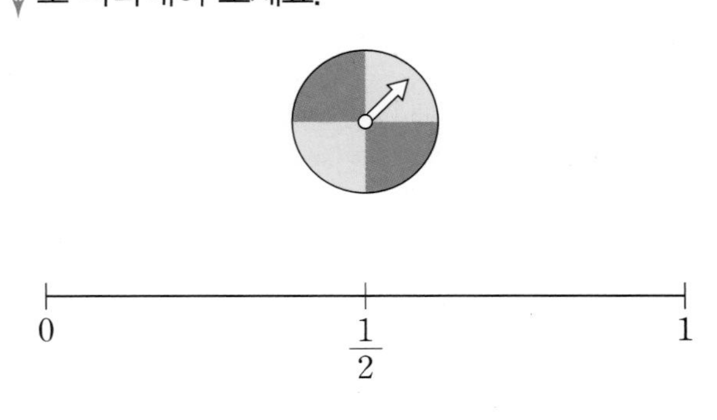

9 직육면체를 보고 전개도를 완성해 보세요.

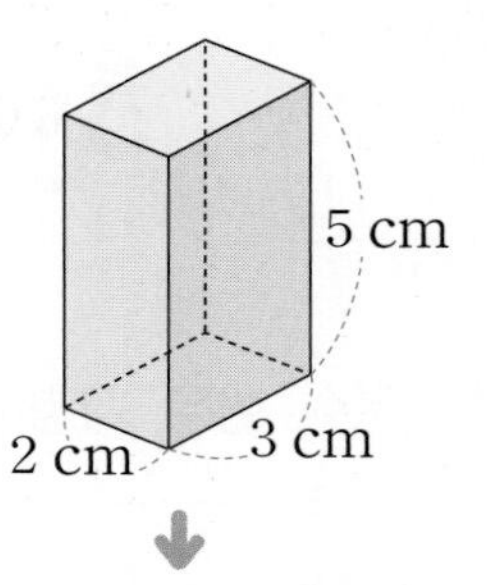

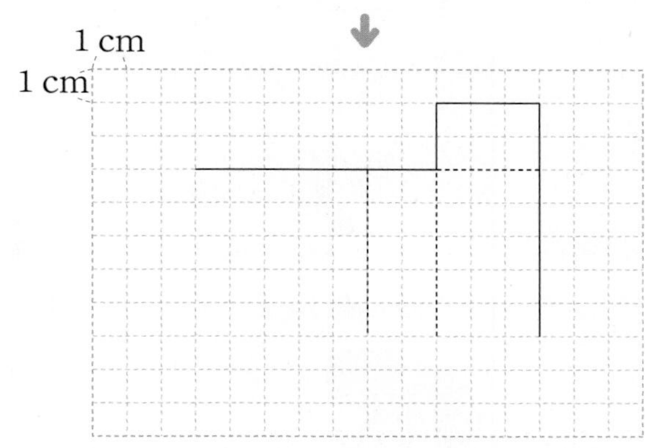

10 4일 동안 날짜별 전시장의 입장객 수입니다. 하루 평균 입장객 수가 80명일 때 9일의 전시장 입장객은 몇 명인가요?

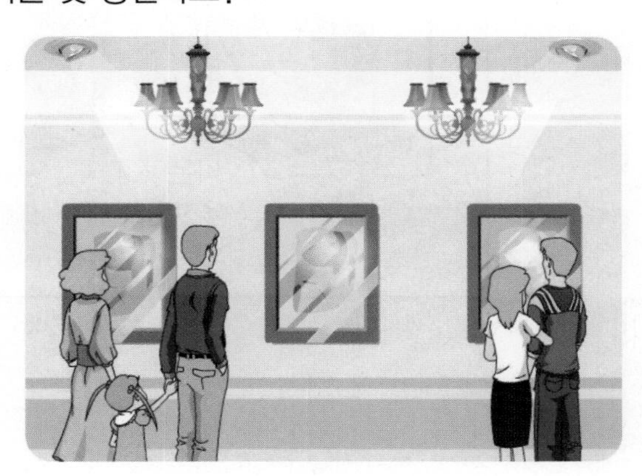

전시장의 입장객 수

날짜	6일	7일	8일	9일
입장객 수(명)	72	83	88	

( )

현우가 원하는 우산을 살 수 있을까?

은수, 현우, 지영이가 롤러스케이트를 타면서 놀고 있어요.

현우가 우산을 하나 살 때
원하는 색깔의 우산을 살 가능성을 수로 표현해 봐~

답 ________________

▶정답 및 풀이 32쪽

빼리, 빠빠는 우주선을 타고 지구로 가려고 합니다.

지구로 가는 길을
바르게 표시한 것에 ○표 해 봐~

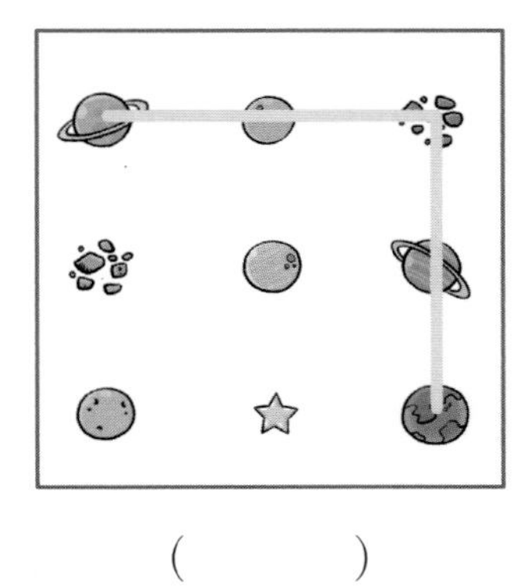

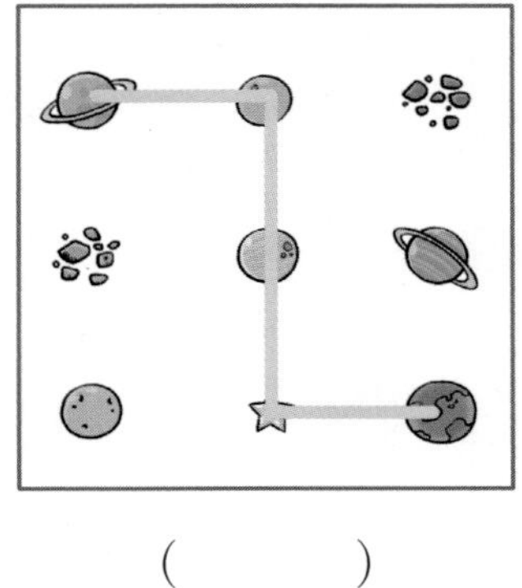

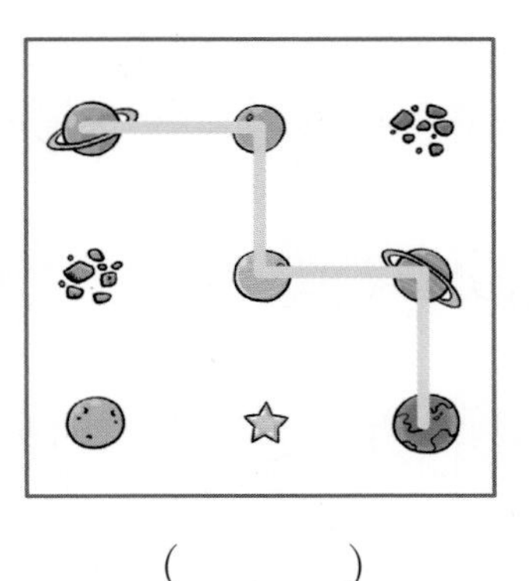

(　　　)　(　　　)　(　　　)

4주 특강

창의 3 민하와 정우가 고리 던지기 놀이를 하고 있습니다. 각자 고리를 1개 던져 막대에 걸었습니다. □ 안에 알맞은 수를 써넣으세요.

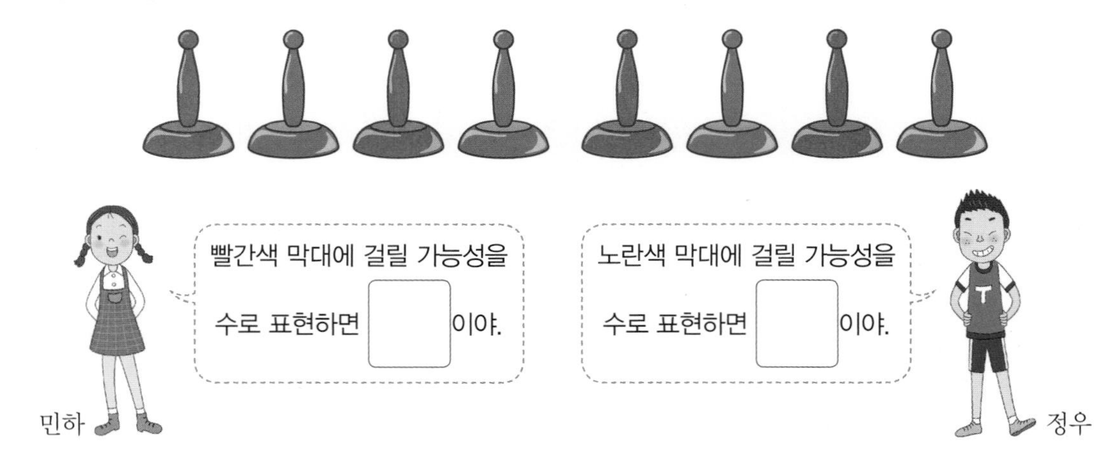

창의 4 윤수와 아라는 회전판 돌리기 놀이를 하여 다음과 같이 점수를 얻게 됩니다. 공정한 놀이가 되도록 회전판의 각 칸에 음식 또는 운동의 종류를 써넣어 회전판을 완성해 보세요.

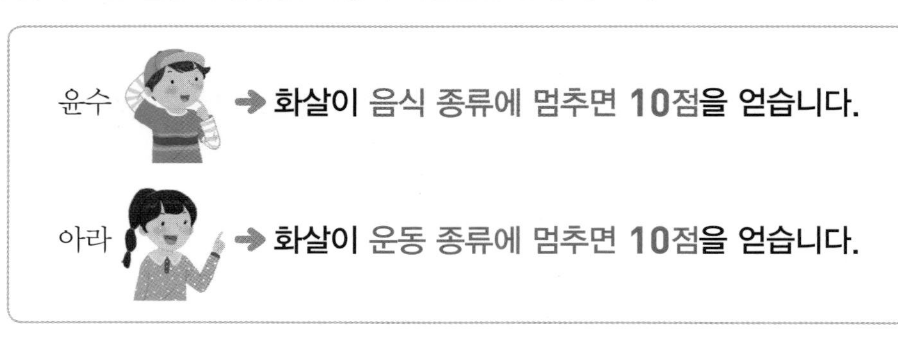

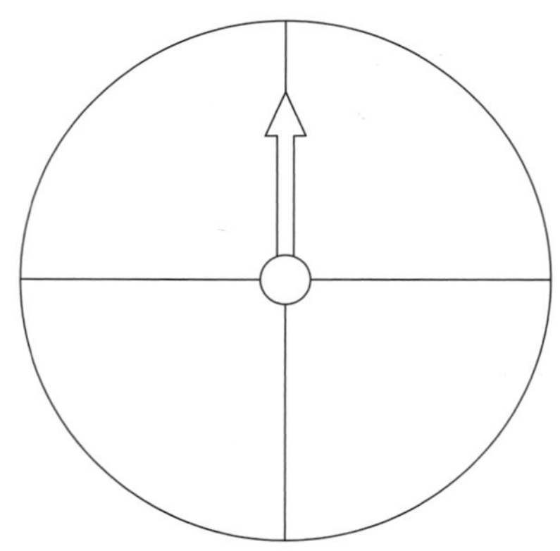

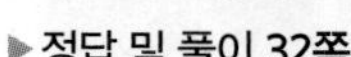

▶정답 및 풀이 32쪽

[5~6] 주사위에서 서로 평행한 두 면의 눈의 수의 합은 7입니다. 보기 와 같이 화살표 방향으로 주사위를 굴렸을 때 바닥에 닿는 면의 눈의 수를 각 칸에 써넣으세요.

보기

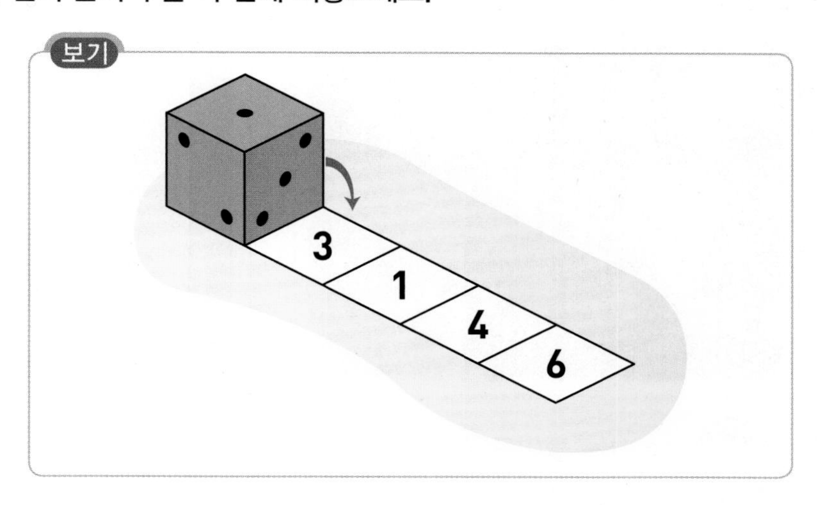

융합 5

처음 바닥에 닿는 면의
눈의 수는 5야~

융합 6

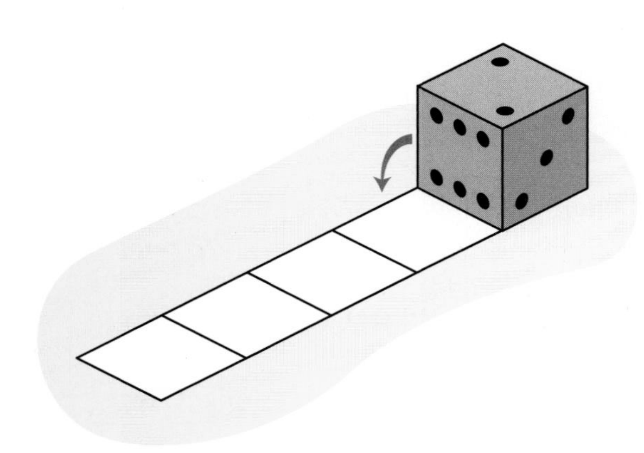

서로 평행한 두 면의
눈의 수의 합이 7임을 이용해서
바닥에 닿는 면의 눈의 수를
생각해 봐~

다음은 축제 동영상과 공연 동영상의 조회 수를 나타낸 것입니다. 하루 평균 조회 수가 더 많은 동영상은 어느 것인지 구해 보세요.

(1) 축제 동영상의 하루 평균 조회 수는 몇 회인가요?

답 ______________

(2) 공연 동영상의 하루 평균 조회 수는 몇 회인가요?

답 ______________

(3) 하루 평균 조회 수가 더 많은 동영상은 어느 것인가요?

답 ______________

[8~9] 정육면체의 전개도를 접었을 때 서로 마주 보는 면을 같은 색으로 칠하려고 합니다. 다음 명령어를 보고 로봇의 명령을 완성해 보세요.

코딩 8

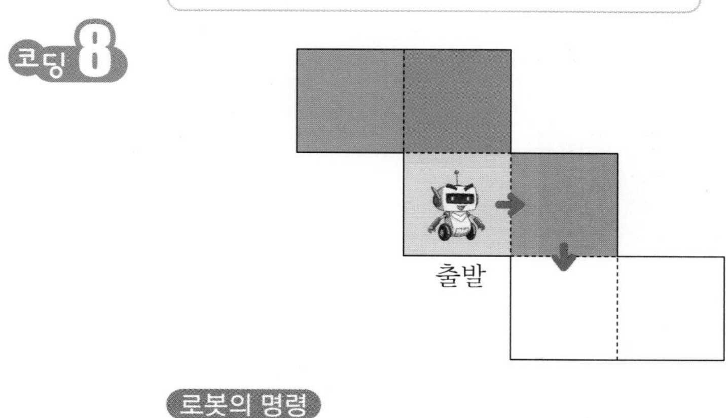

로봇의 명령

→ R ↓ □ □ □

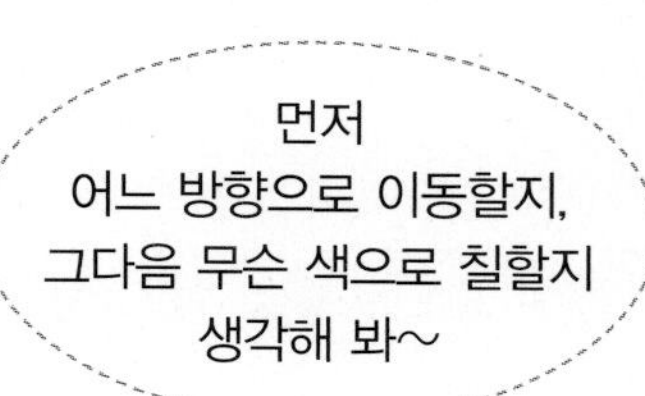

코딩 9

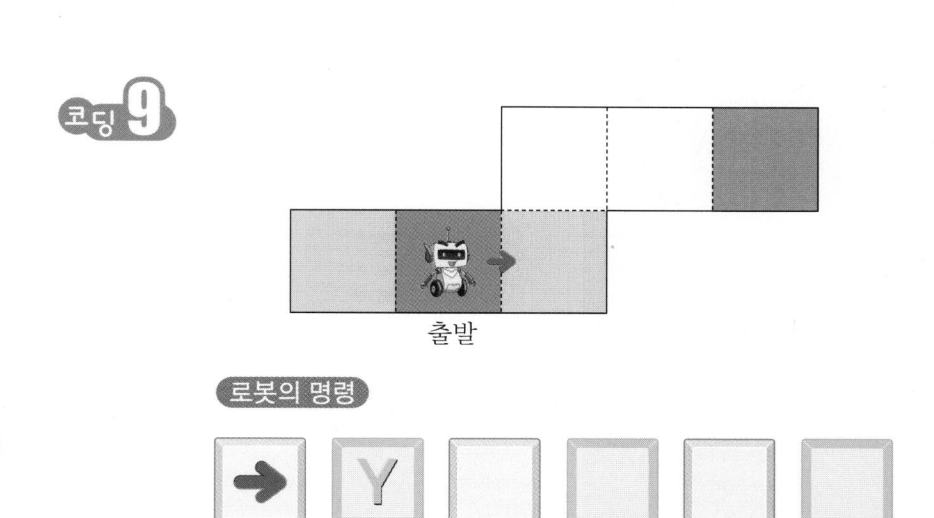

쉽다!

10분이면 하루치 공부를 마칠 수 있는 커리큘럼으로,
아이들이 초등 학습에 쉽고 재미있게 접근할 수 있도록 구성하였습니다.

재미있다!

교과서는 물론 생활 속에서 쉽게 접할 수 있는 다양한 소재와
재미있는 게임 형식의 문제로 흥미로운 학습이 가능합니다.

똑똑하다!

초등학생에게 꼭 필요한 학습 지식 습득은 물론
창의력 확장까지 가능한 교재로 올바른 공부습관을 가지는 데 도움을 줍니다.

정답 및 풀이

똑똑한
하루 수학

초등 수학 5·2

천재교육

정답 및 풀이
포인트 3가지

- OX 퀴즈로 쉬어가며 개념 확인
- 혼자서도 이해할 수 있는 문제 풀이
- 참고, 주의 등 자세한 풀이 제시

정답 및 풀이

1주 수의 범위와 어림하기 / 분수의 곱셈

개념 ○✕ 퀴즈

옳으면 ○에, 틀리면 ✕에 ○표 하세요.

퀴즈 1

5, 5.1, 6, 10 등은
5 초과인 수입니다.

○ 

퀴즈 2

$\frac{2}{3}\times 2=1\frac{1}{3}$

정답은 8쪽에서 확인하세요.

6~7쪽 1주에는 무엇을 공부할까?②

1-1 (1) < (2) > **1-2** (1) > (2) <

2-1 390000, 392000, 396000, 400000,
작습니다에 ○표

2-2 520000, 525000, 527000, 530000,
큽니다에 ○표

3-1 $\frac{9}{12}$, $\frac{6}{8}$, $\frac{3}{4}$ **3-2** $\frac{8}{20}$, $\frac{4}{10}$, $\frac{2}{5}$

4-1 **4-2**

2-1 수직선에서 왼쪽에 있을수록 더 작은 수입니다.

2-2 수직선에서 오른쪽에 있을수록 더 큰 수입니다.

3-1 18과 24의 공약수: 1, 2, 3, 6

➔ $\frac{18}{24}=\frac{9}{12}$, $\frac{18}{24}=\frac{6}{8}$, $\frac{18}{24}=\frac{3}{4}$

3-2 16과 40의 공약수: 1, 2, 4, 8

➔ $\frac{16}{40}=\frac{8}{20}$, $\frac{16}{40}=\frac{4}{10}$, $\frac{16}{40}=\frac{2}{5}$

4-1 $\frac{2}{6}=\frac{2\div 2}{6\div 2}=\frac{1}{3}$

$\frac{10}{18}=\frac{10\div 2}{18\div 2}=\frac{5}{9}$

$\frac{24}{32}=\frac{24\div 8}{32\div 8}=\frac{3}{4}$

4-2 $\frac{8}{12}=\frac{8\div 4}{12\div 4}=\frac{2}{3}$

$\frac{9}{15}=\frac{9\div 3}{15\div 3}=\frac{3}{5}$

$\frac{12}{16}=\frac{12\div 4}{16\div 4}=\frac{3}{4}$

9쪽 개념 · 원리 확인

1-1 이상에 ○표 **1-2** 이하에 ○표

2-1 40, 38에 ○표 **2-2** 82, 78에 ○표

3-1 41 **3-2** 이하

4-1 31 32 33 34 35 36

4-2 143 144 145 146 147 148

2-1 36 이상인 수: 36과 같거나 큰 수

2-2 82 이하인 수: 82와 같거나 작은 수

3-1 41과 같거나 큰 수를 나타냅니다.
➔ 41 이상인 수

3-2 118과 같거나 작은 수를 나타냅니다.
➔ 118 이하인 수

4-1 33에 ●을 이용하여 나타내고 오른쪽으로 선을 긋습니다.

4-2 145에 ●을 이용하여 나타내고 왼쪽으로 선을 긋습니다.

정답 풀이

11쪽 **개념 · 원리 확인**

1-1 초과에 ○표 **1-2** 미만에 ○표
2-1 42, 48에 ○표 **2-2** 160, 165에 ○표
3-1 38 **3-2** 미만
4-1 10 11 12 13 14 15
4-2 144 145 146 147 148 149

2-1 41 초과인 수: 41보다 큰 수

2-2 168 미만인 수: 168보다 작은 수

3-1 38보다 큰 수를 나타냅니다. ➜ 38 초과인 수

3-2 110보다 작은 수를 나타냅니다. ➜ 110 미만인 수

4-1 11에 ○을 이용하여 나타내고 오른쪽으로 선을 긋습니다.

4-2 147에 ○을 이용하여 나타내고 왼쪽으로 선을 긋습니다.

12~13쪽 **기초 집중 연습**

1-1 12 13 14 15 16 17
1-2 47 48 49 50 51 52
2-1 47, 39, 38 **2-2** 18, 13
3-1 서희, 승기 **3-2** 은혜, 민주
4-1 30권, 19권
4-2 150.1 cm, 152.4 cm
기초 90, 94에 ○표 **5-1** 슬기, 현지
5-2 정은, 소진 **5-3** 지민, 경호

1-1 15 이상인 수는 15와 같거나 큰 수,
15 이하인 수는 15와 같거나 작은 수입니다.

1-2 50 초과인 수는 50보다 큰 수,
50 미만인 수는 50보다 작은 수입니다.

2-1 38 이상인 수: 38과 같거나 큰 수

2-2 20 미만인 수: 20보다 작은 수

4-1 30 이하인 수는 30과 같거나 작은 수입니다.
30권 이하인 학생이 읽은 책의 수
➜ 서희: 30권, 승기: 19권

4-2 145 초과인 수는 145보다 큰 수입니다.
145 cm 초과인 학생의 키
➜ 은혜: 150.1 cm, 민주: 152.4 cm

5-1 90 이상인 수: 90과 같거나 큰 수
수학 점수가 90점과 같거나 높은 학생은 슬기, 현지입니다.

5-2 70 초과인 수: 70보다 큰 수
훌라후프 횟수가 70회보다 많은 학생은 정은, 소진입니다.

5-3 12 미만인 수: 12보다 작은 수
나이가 12세보다 적은 사람은 지민, 경호입니다.

15쪽 **개념 · 원리 확인**

1-1 25, 26, 27에 ○표 **1-2** 11, 12에 ○표
2-1 (○) ( ) **2-2** ( ) (○)
3-1 이상, 이하 **3-2** 초과, 미만
4-1 43 44 45 46 47 48
4-2 30 31 32 33 34 35

1-1 25 이상 27 이하인 수에는 25와 27이 포함됩니다.

1-2 10 초과 13 미만인 수에는 10과 13이 포함되지 않습니다.

2-1 3과 6이 포함됩니다.

2-2 7과 9가 포함되지 않습니다.

3-1 17과 20이 포함됩니다. ➜ 17 이상 20 이하인 수

3-2 23과 26이 포함되지 않습니다.
➜ 23 초과 26 미만인 수

4-1 수직선에 45와 48을 ●을 이용하여 나타내고 선으로 연결합니다.

4-2 수직선에 31과 35를 ○을 이용하여 나타내고 선으로 연결합니다.

참고
이상, 이하는 기준이 되는 수가 포함되고 초과, 미만은 기준이 되는 수가 포함되지 않습니다.

17쪽 **개념 · 원리 확인**

1-1 47, 45　　**1-2** 26, 30
2-1 (　)　　**2-2** (　)
(◯)　　(◯)
3-1 이상, 미만에 ◯표　　**3-2** 초과, 이하에 ◯표
4-1 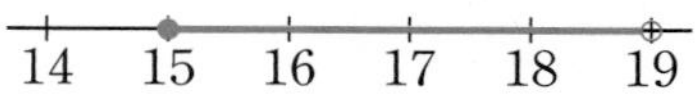

4-2 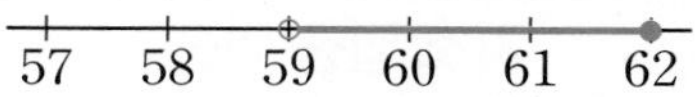

1-1 45 이상 48 미만인 수에는 45는 포함되고 48은 포함되지 않습니다.

1-2 24 초과 30 이하인 수에는 24는 포함되지 않고 30은 포함됩니다.

3-1 30은 포함되고 34는 포함되지 않습니다.
➔ 30 이상 34 미만인 수

3-2 119는 포함되지 않고 122는 포함됩니다.
➔ 119 초과 122 이하인 수

4-1 수직선에 15는 ●을, 19는 ○을 이용하여 나타내고 선으로 연결합니다.

4-2 수직선에 59는 ○을, 62는 ●을 이용하여 나타내고 선으로 연결합니다.

18~19쪽 **기초 집중 연습**

1-1 27 이상 30 이하인 수
1-2 52 초과 56 이하인 수
2-1 ㉠　　**2-2** ㉡
3-1 22, 23, 24　　**3-2** 15, 16, 17
4-1 2명　　**4-2** 2명
기초 25초 이상 30초 미만
5-1 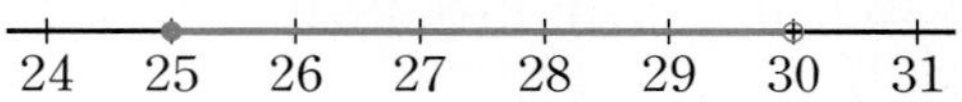

5-2 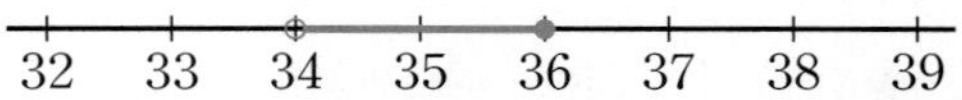

5-3 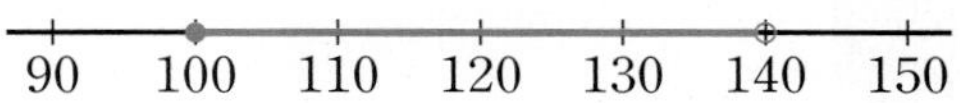

1-1 27과 30이 포함됩니다.

1-2 52는 포함되지 않고 56은 포함됩니다.

2-1 수직선에 나타낸 수의 범위는 77 초과 81 미만인 수이므로 77보다 크고 81보다 작은 수를 찾습니다.

2-2 수직선에 나타낸 수의 범위는 42 이상 46 미만인 수이므로 42와 같거나 크고 46보다 작은 수를 찾습니다.

3-1 21보다 크고 24와 같거나 작은 자연수
➔ 22, 23, 24

3-2 15와 같거나 크고 18보다 작은 자연수
➔ 15, 16, 17

4-1 국어 점수가 80점과 같거나 높고 90점과 같거나 낮은 학생은 현기, 지선으로 모두 2명입니다.

4-2 공 던지기 기록이 25 m보다 멀고 30 m보다 가까운 학생은 영후, 민우로 모두 2명입니다.

주의
30.0=30이므로 민지의 기록(30.0 m)은 25 m 초과 30 m 미만에 속하지 않습니다.

5-1 27초가 속한 등급의 기록의 범위는 25초 이상 30초 미만입니다.
수직선에 25는 ●을, 30은 ○을 이용하여 나타내고 선으로 연결합니다.

5-2 35 kg이 속한 체급의 몸무게의 범위는 34 kg 초과 36 kg 이하입니다.
수직선에 34는 ○을, 36은 ●을 이용하여 나타내고 선으로 연결합니다.

5-3 138 cm가 속한 놀이 기구의 탑승 가능한 키의 범위는 100 cm 이상 140 cm 미만입니다.
수직선에 100은 ●을, 140은 ○을 이용하여 나타내고 선으로 연결합니다.

21쪽 **개념 · 원리 확인**

1-1 220　　**1-2** 300
2-1 140에 ◯표　　**2-2** 290에 ◯표
3-1 8, 0　　**3-2** 0, 0
4-1 200　　**4-2** 800

1-1 10개씩 묶음으로 산다면 최소 220개를 사야 합니다.

1-2 100개씩 묶음으로 산다면 최소 300개를 사야 합니다.

2-1 138에서 십의 자리 아래 수인 8을 10으로 보고 올림하면 140이 됩니다.

2-2 284에서 십의 자리 아래 수인 4를 10으로 보고 올림하면 290이 됩니다.

3-1 476에서 십의 자리 아래 수인 6을 10으로 보고 올림하면 480이 됩니다.

3-2 305에서 백의 자리 아래 수인 5를 100으로 보고 올림하면 400이 됩니다.

4-1 159에서 백의 자리 아래 수인 59를 100으로 보고 올림하면 200이 됩니다.

4-2 713에서 백의 자리 아래 수인 13을 100으로 보고 올림하면 800이 됩니다.

23쪽 개념 · 원리 확인

1-1 24000	1-2 20000
2-1 590에 ○표	2-2 1360에 ○표
3-1 8, 0	3-2 7, 0, 0
4-1 400	4-2 6500

1-1 최대 24000원까지는 1000원짜리 지폐로 바꿀 수 있고, 350원은 바꿀 수 없습니다.

1-2 최대 20000원까지는 10000원짜리 지폐로 바꿀 수 있고, 4350원은 바꿀 수 없습니다.

2-1 594에서 십의 자리 아래 수인 4를 0으로 보고 버림하면 590이 됩니다.

2-2 1368에서 십의 자리 아래 수인 8을 0으로 보고 버림하면 1360이 됩니다.

3-1 883에서 십의 자리 아래 수인 3을 0으로 보고 버림하면 880이 됩니다.

3-2 3742에서 백의 자리 아래 수인 42를 0으로 보고 버림하면 3700이 됩니다.

4-1 469에서 백의 자리 아래 수인 69를 0으로 보고 버림하면 400이 됩니다.

4-2 6503에서 백의 자리 아래 수인 3을 0으로 보고 버림하면 6500이 됩니다.

24~25쪽 기초 집중 연습

1-1 770, 800	1-2 920, 900
2-1 4000	2-2 1000
3-1 민하	3-2 윤수
4-1 ㉡	4-2 ㉡
기초 44000	5-1 44000원
5-2 31000원	5-3 8대

1-1 • 763을 올림하여 십의 자리까지 나타내기 위해서 십의 자리 아래 수인 3을 10으로 보고 올림하면 770이 됩니다.
• 763을 올림하여 백의 자리까지 나타내기 위해서 백의 자리 아래 수인 63을 100으로 보고 올림하면 800이 됩니다.

1-2 • 925를 버림하여 십의 자리까지 나타내기 위해서 십의 자리 아래 수인 5를 0으로 보고 버림하면 920이 됩니다.
• 925를 버림하여 백의 자리까지 나타내기 위해서 백의 자리 아래 수인 25를 0으로 보고 버림하면 900이 됩니다.

2-1 3415에서 천의 자리 아래 수인 415를 1000으로 보고 올림하면 4000이 됩니다.

2-2 1370에서 천의 자리 아래 수인 370을 0으로 보고 버림하면 1000이 됩니다.

3-1 605 ➔ 610, 4861 ➔ 4870
올립니다. 올립니다.

3-2 362 ➔ 360, 5814 ➔ 5810
버립니다. 버립니다.

4-1 ㉠ 7602 ➔ 7700 ㉡ 7599 ➔ 7600
올립니다. 올립니다.
㉢ 7480 ➔ 7500
올립니다.

4-2 ㉠ 4759 ➜ 4700
버립니다.
㉡ 4803 ➜ 4800
버립니다.
㉢ 4685 ➜ 4600
버립니다.

기초 43500 ➜ 44000
올립니다.

5-1 운동화값 43500원을 1000원짜리 지폐로만 낸다면 최소 44000원을 내고 500원의 거스름돈을 받게 됩니다.

5-2 모은 동전 31720원을 1000원짜리 지폐로 바꾸면 최대 31000원까지 바꿀 수 있고, 720원은 바꿀 수 없습니다.

5-3 배 759상자를 트럭 한 대에 100상자씩 싣는다면 트럭 7대에 700상자를 싣고 남은 상자를 실을 트럭 한 대가 더 필요합니다.
따라서 배 상자를 트럭에 모두 실으려면 트럭은 최소 8대 필요합니다.

27쪽 개념 · 원리 확인

1-1 348 (340, 350 눈금) / 350, 350

1-2 348 (300, 400 눈금) / 300, 300

2-1 160에 ◯표	**2-2** 480에 ◯표
3-1 5, 0	**3-2** 6, 0, 0
4-1 600	**4-2** 3000

1-1 340과 350 사이가 눈금 10칸으로 나누어져 있으므로 눈금 한 칸은 1을 나타냅니다.

1-2 300과 400 사이가 눈금 10칸으로 나누어져 있으므로 눈금 한 칸은 10을 나타냅니다.

2-1 162에서 일의 자리 숫자가 2이므로 버림하여 160이 됩니다.

2-2 479에서 일의 자리 숫자가 9이므로 올림하여 480이 됩니다.

3-1 553에서 일의 자리 숫자가 3이므로 버림하여 550이 됩니다.

3-2 1564에서 십의 자리 숫자가 6이므로 올림하여 1600이 됩니다.

4-1 608에서 십의 자리 숫자가 0이므로 버림하여 600이 됩니다.

4-2 2716에서 백의 자리 숫자가 7이므로 올림하여 3000이 됩니다.

29쪽 개념 · 원리 확인

1-1 8.8에 ◯표	**1-2** 3.3에 ◯표
2-1 2.95에 색칠	**2-2** 5.72에 색칠
3-1 1, 7	**3-2** 7
4-1 1.8	**4-2** 3.17
5-1 6	**5-2** 7

1-1 8.75에서 소수 첫째 자리 아래 수를 0.1로 보고 올림하면 8.8이 됩니다.

1-2 3.248에서 소수 첫째 자리 아래 수를 0.1로 보고 올림하면 3.3이 됩니다.

2-1 2.956에서 소수 둘째 자리 아래 수를 0으로 보고 버림하면 2.95가 됩니다.

2-2 5.724에서 소수 둘째 자리 아래 수를 0으로 보고 버림하면 5.72가 됩니다.

3-1 9.163에서 소수 둘째 자리 아래 수를 0.01로 보고 올림하면 9.17이 됩니다.

3-2 8.765에서 소수 첫째 자리 아래 수를 0으로 보고 버림하면 8.7이 됩니다.

4-1 1.77에서 소수 둘째 자리 숫자가 7이므로 올림하여 1.8이 됩니다.

4-2 3.165에서 소수 셋째 자리 숫자가 5이므로 올림하여 3.17이 됩니다.

5-1 5.402에서 일의 자리 아래 수를 1로 보고 올림하면 6이 됩니다.

5-2 7.156에서 소수 첫째 자리 숫자가 1이므로 버림하여 7이 됩니다.

30~31쪽 기초 집중 연습

1-1 8300, 8000 **1-2** 3.1, 3.05
2-1 6.6 **2-2** 5
3-1 3924에 ○표 **3-2** 1651에 ○표
4-1 7.8, 7.7 **4-2** 3.26, 3.26
기초 59000 **5-1** 59000명
5-2 36 kg **5-3** 7 cm

1-1 • 8276을 반올림하여 백의 자리까지 나타내면 십의 자리 숫자가 7이므로 올림하여 8300이 됩니다.
• 8276을 반올림하여 천의 자리까지 나타내면 백의 자리 숫자가 2이므로 버림하여 8000이 됩니다.

1-2 • 3.051을 반올림하여 소수 첫째 자리까지 나타내면 소수 둘째 자리 숫자가 5이므로 올림하여 3.1이 됩니다.
• 3.051을 반올림하여 소수 둘째 자리까지 나타내면 소수 셋째 자리 숫자가 1이므로 버림하여 3.05가 됩니다.

2-1 6.529에서 소수 첫째 자리 아래 수를 0.1로 보고 올림하면 6.6이 됩니다.

2-2 5.926에서 일의 자리 아래 수를 0으로 보고 버림하면 5가 됩니다.

3-1 3930 ➔ 3930, 3927 ➔ 3930, 3924 ➔ 3920
버립니다. 올립니다. 버립니다.

3-2 1762 ➔ 1800, 1651 ➔ 1700, 1804 ➔ 1800
올립니다. 올립니다. 버립니다.

4-1 올림 : 7.724 ➔ 7.8 버림 : 7.724 ➔ 7.7
올립니다. 버립니다.

4-2 올림 : 3.258 ➔ 3.26 반올림 : 3.258 ➔ 3.26
올립니다. 올립니다.

기초 58631에서 백의 자리 숫자가 6이므로 올림하여 59000이 됩니다.

5-2 36.4에서 소수 첫째 자리 숫자가 4이므로 버림하여 36이 됩니다.

5-3 색 테이프의 길이는 6.7 cm입니다.
6.7에서 소수 첫째 자리 숫자가 7이므로 올림하여 7이 됩니다. ➔ 약 7 cm

33쪽 개념 · 원리 확인

1-1 1, 1, 1, 3, 3, 1, 1 **1-2** 4, 4, 2, 8, 1, 3
2-1 방법 1 2, 2 방법 2 1, 1, 2
2-2 방법 1 21, 21, 5, 1 방법 2 3, 3, 21, 5, 1
3-1 $\frac{5}{6}\times 10=\frac{5\times 10}{6}=\frac{\cancel{50}^{25}}{\cancel{6}_{3}}=\frac{25}{3}=8\frac{1}{3}$
3-2 $\frac{9}{10}\times 4=\frac{9\times 4}{10}=\frac{\cancel{36}^{18}}{\cancel{10}_{5}}=\frac{18}{5}=3\frac{3}{5}$

1-1 $\frac{1}{2}\times 3$은 $\frac{1}{2}$을 3번 더한 것과 같습니다.

1-2 $\frac{4}{5}\times 2$는 $\frac{4}{5}$를 2번 더한 것과 같습니다.

3-1 보기와 같이 분자와 자연수를 곱한 후 약분하여 계산합니다.

35쪽 개념 · 원리 확인

1-1 4, 8, 2, 2 **1-2** 2, 2, 2
2-1 5, 5, 15, 3, 3 **2-2** 19, 19, 95, 11, 7
2-3 7, 7, 42, 8, 2 **2-4** 11, 11, 77, 12, 5
3-1 $\frac{2}{9}$, 4, 9, $4\frac{8}{9}$
3-2 3, $\frac{2}{7}$, 3, 6, $\frac{6}{7}$, $6\frac{6}{7}$

1-1 대분수를 가분수로 바꾸어 계산합니다.

1-2 대분수를 자연수 부분과 진분수 부분으로 구분하여 계산합니다.

2-1 $1\frac{1}{4}$을 가분수로 바꾼 후 3을 곱하여 계산합니다.

3-1 $1\frac{2}{9}$를 1과 $\frac{2}{9}$의 합으로 보고 각각 4를 곱하여 계산합니다.

3-2 $2\frac{2}{7}$를 2와 $\frac{2}{7}$의 합으로 보고 각각 3을 곱하여 계산합니다.

36~37쪽 기초 집중 연습

1-1 $2\frac{2}{3}$

1-2 $6\frac{3}{7}$

2-1 $4\frac{1}{2}$

2-2 $7\frac{2}{9}$

3-1 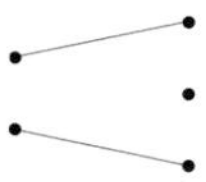

3-2 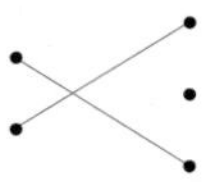

4-1 수현

4-2 영탁

연산 $\frac{1}{6}$

5-1 $\frac{1}{18}\times3=\frac{1}{6}$, $\frac{1}{6}$ m

5-2 $\frac{9}{10}\times4=3\frac{3}{5}$, $3\frac{3}{5}$ cm

5-3 $1\frac{1}{7}\times6=6\frac{6}{7}$, $6\frac{6}{7}$ cm

1-2 $2\frac{1}{7}\times3=\frac{15}{7}\times3=\frac{45}{7}=6\frac{3}{7}$

2-1 $\frac{9}{\cancel{14}_{2}}\times\cancel{7}^{1}=\frac{9}{2}=4\frac{1}{2}$

2-2 $1\frac{4}{9}\times5=\frac{13}{9}\times5=\frac{65}{9}=7\frac{2}{9}$

3-1 $\frac{1}{6}\times13=\frac{1\times13}{6}=\frac{13}{6}=2\frac{1}{6}$

$\frac{3}{8}\times12=\frac{\cancel{36}^{9}}{\cancel{8}_{2}}=\frac{9}{2}=4\frac{1}{2}$

3-2 $2\frac{3}{4}\times15=(2\times15)+\left(\frac{3}{4}\times15\right)$

$=30+\frac{45}{4}=30+11\frac{1}{4}=41\frac{1}{4}$

$3\frac{1}{9}\times10=(3\times10)+\left(\frac{1}{9}\times10\right)$

$=30+\frac{10}{9}=30+1\frac{1}{9}=31\frac{1}{9}$

4-1 민호: $\frac{1}{\cancel{9}_{3}}\times\cancel{21}^{7}=\frac{7}{3}=2\frac{1}{3}$ (×)

수현: $\frac{4}{\cancel{15}_{3}}\times\cancel{5}^{1}=\frac{4}{3}=1\frac{1}{3}$ (◯)

4-2 태연: $2\frac{5}{6}\times4=\frac{17}{\cancel{6}_{3}}\times\cancel{4}^{2}=\frac{34}{3}=11\frac{1}{3}$ (◯)

영탁: $2\frac{3}{5}\times3=\frac{13}{5}\times3=\frac{39}{5}=7\frac{4}{5}$ (×)

5-1 (정삼각형의 둘레)=(한 변의 길이)×3

$=\frac{1}{\cancel{18}_{6}}\times\cancel{3}^{1}=\frac{1}{6}$ (m)

5-2 (정사각형의 둘레)=(한 변의 길이)×4

$=\frac{9}{\cancel{10}_{5}}\times\cancel{4}^{2}=\frac{18}{5}=3\frac{3}{5}$ (cm)

5-3 (정육각형의 둘레)=(한 변의 길이)×6

$=1\frac{1}{7}\times6=\frac{8}{7}\times6$

$=\frac{48}{7}=6\frac{6}{7}$ (cm)

참고

정다각형은 모든 변의 길이가 같습니다.

➔ (정다각형의 둘레)=(한 변의 길이)×(변의 수)

38~39쪽 누구나 100점 맞는 테스트

1 이상

2 2100에 ◯표

3 5.39

4 $\frac{8}{\cancel{15}_{3}}\times\cancel{20}^{4}=\frac{8\times4}{3}=\frac{32}{3}=10\frac{2}{3}$

5 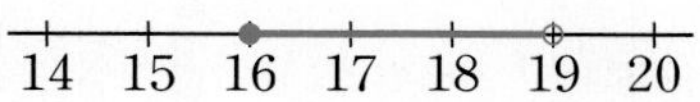

6 52 초과 57 미만인 수

7 2000명

8 $5\frac{1}{10}$

9 민호, 지아

10 준희

2 2156에서 백의 자리 아래 수인 56을 0으로 보고 버림하면 2100이 됩니다.

3 5.392에서 소수 셋째 자리 숫자가 2이므로 버림하여 5.39가 됩니다.

정답 풀이

4 칠판에 적은 방법과 같이 분모와 자연수를 약분하여 계산합니다.

5 수직선에 16은 ●을, 19는 ○을 이용하여 나타내고 선으로 연결합니다.

6 52와 57이 포함되지 않습니다.
➡ 52 초과 57 미만인 수

7 1638에서 백의 자리 숫자가 6이므로 올림하여 2000이 됩니다. ➡ 2000명

8 $1\frac{7}{10}\times3=\frac{17}{10}\times3=\frac{51}{10}=5\frac{1}{10}$

9 80 초과인 수는 80보다 큰 수입니다.
줄넘기 횟수가 80회보다 많은 학생은 민호, 지아입니다.

10 2021 ➡ 3000, 7103 ➡ 8000
올립니다. 올립니다.

40~45쪽 특강 창의 · 융합 · 코딩

창의 1 300, 빨간색, 노란색 / 파란색
창의 2 (위에서부터) ×, ×, ○ / ○, ×, × / 주호
융합 3 2 초과 5 이하
융합 4 나쁨
코딩 5 0
융합 6 나무 국자
창의 7 46300 km
융합 8 $11\frac{1}{4}$ cm
창의 9 (1) 530, 80
(2)

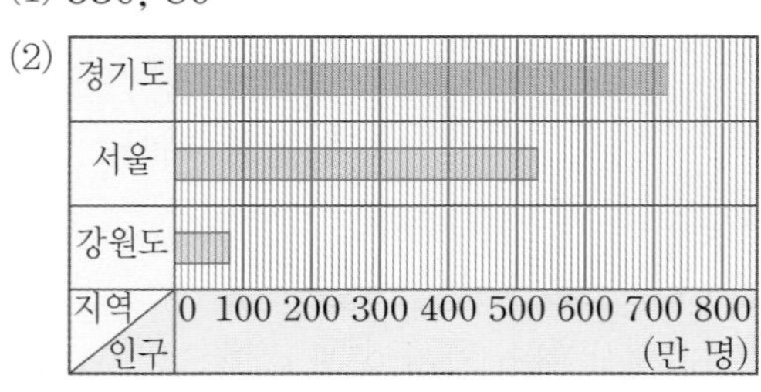

창의 1 높이가 300 cm보다 낮은 차만 터널을 통과할 수 있으므로 높이가 300 cm인 파란색 자동차는 통과할 수 없습니다.

창의 2

이름 \ 키운 기간	2년	3년	4년
주호	×	×	○
선희	×	○	×
정수	○	×	×

융합 3 오늘의 날씨는 구름 조금이므로 2 초과 5 이하입니다.

융합 4 60 마이크로그램은 36 마이크로그램 이상 75 마이크로그램 이하에 속하므로 나쁨입니다.

코딩 5 $\frac{4}{5}\times10=8$ ➡ 8<10이므로 0이 출력됩니다.

다른 풀이
10에 1보다 작은 수를 곱하면 계산 결과는 10보다 작아집니다. ➡ 0이 출력됩니다.

융합 6 뜨거워질 때까지 걸린 시간이 15초보다 길고 30초와 같거나 짧은 국자를 찾으면 나무 국자입니다.

창의 7 46250에서 십의 자리 숫자가 5이므로 올림하여 46300이 됩니다.

융합 8 (별 ㉡과 북극성 사이의 거리)
$=2\frac{1}{4}\times5=\frac{9}{4}\times5=\frac{45}{4}=11\frac{1}{4}$ (cm)

창의 9 (1) 경기도: 7195000 ➡ 7200000
올립니다.
서울: 5290000 ➡ 5300000
올립니다.
강원도: 839000 ➡ 800000
버립니다.

개념 ○× 퀴즈 정답

퀴즈 1 ○ ⊗
퀴즈 2 ◎ ×

퀴즈 1 5, 5.1, 6, 10 등은 5 이상인 수입니다.

퀴즈 2 $\frac{2}{3}\times2=\frac{2\times2}{3}=\frac{4}{3}=1\frac{1}{3}$

2주 • 분수의 곱셈 / 합동과 대칭

개념 ○✕ 퀴즈

옳으면 ○에, 틀리면 ✕에 ○표 하세요.

퀴즈 1

$\frac{5}{12}\times\frac{3}{7}=\frac{8}{19}$

퀴즈 2

서로 합동인 두 도형에서 각각의 대응변의 길이가 같습니다.

정답은 16쪽에서 확인하세요.

48~49쪽 2주에는 무엇을 공부할까?②

1-1 $\frac{14}{15}$ **1-2** $\frac{1}{6}$

2-1 $6\frac{1}{2}+2\frac{4}{5}=\frac{13}{2}+\frac{14}{5}=\frac{65}{10}+\frac{28}{10}$
$=\frac{93}{10}=9\frac{3}{10}$

2-2 $5\frac{5}{6}-2\frac{2}{3}=\frac{35}{6}-\frac{8}{3}=\frac{35}{6}-\frac{16}{6}$
$=\frac{19}{6}=3\frac{1}{6}$

3-1 다 **3-2** 가

4-1 2개 **4-2** 9개

1-1 $\frac{1}{3}+\frac{3}{5}=\frac{5}{15}+\frac{9}{15}=\frac{14}{15}$

1-2 $\frac{5}{6}-\frac{2}{3}=\frac{5}{6}-\frac{4}{6}=\frac{1}{6}$

2-1 대분수를 가분수로 바꾸어 통분하여 덧셈을 합니다.

2-2 대분수를 가분수로 바꾸어 통분하여 뺄셈을 합니다.

3-1 가, 나: 사각형
다: 오각형

3-2 가: 육각형, 나: 삼각형, 다: 사각형

4-1 ⊠ ➔ 대각선: 2개

4-2 ⬡ ➔ 대각선: 9개

51쪽 개념 · 원리 확인

1-1 6 **1-2** $\frac{4}{5}$

2-1 1, 4 **2-2** 3, 15, $3\frac{3}{4}$

3-1 8 **3-2** $5\frac{3}{5}$

4-1 $4\times\frac{7}{8}=\frac{\overset{1}{\cancel{4}}\times 7}{\underset{2}{\cancel{8}}}=\frac{7}{2}=3\frac{1}{2}$

4-2 $6\times\frac{4}{5}=\frac{6\times 4}{5}=\frac{24}{5}=4\frac{4}{5}$

1-1 8을 4등분 한 것 중 3만큼이므로 6입니다.

1-2 각각의 1을 5등분 한 것 중 2만큼을 두 번 색칠하면 $\frac{4}{5}$입니다.

3-1 $\overset{2}{\cancel{10}}\times\frac{4}{\underset{1}{\cancel{5}}}=8$

3-2 $\overset{4}{\cancel{8}}\times\frac{7}{\underset{5}{\cancel{10}}}=\frac{28}{5}=5\frac{3}{5}$

정답
풀이

53쪽 개념 · 원리 확인

1-1 4, 4 / 8, $2\frac{2}{3}$　　**1-2** 2, 1 / 2, $2\frac{2}{3}$

2-1 13　　**2-2** $5\frac{1}{4}$

3-1 $28\frac{1}{2}$　　**3-2** $8\frac{3}{4}$

4-1 $4\times1\frac{2}{9}=(4\times1)+\left(4\times\frac{2}{9}\right)=4+\frac{8}{9}=4\frac{8}{9}$

4-2 $6\times1\frac{2}{3}=\overset{2}{\cancel{6}}\times\frac{5}{\underset{1}{\cancel{3}}}=10$

2-1 $6\times2\frac{1}{6}=\overset{1}{\cancel{6}}\times\frac{13}{\underset{1}{\cancel{6}}}=13$

2-2 $3\times1\frac{3}{4}=3\times\frac{7}{4}=\frac{21}{4}=5\frac{1}{4}$

3-1 $9\times3\frac{1}{6}=\overset{3}{\cancel{9}}\times\frac{19}{\underset{2}{\cancel{6}}}=\frac{57}{2}=28\frac{1}{2}$

3-2 $2\times4\frac{3}{8}=\overset{1}{\cancel{2}}\times\frac{35}{\underset{4}{\cancel{8}}}=\frac{35}{4}=8\frac{3}{4}$

4-1 대분수를 자연수 부분과 분수 부분으로 구분하여 계산합니다.

4-2 대분수를 가분수로 바꾸어 계산합니다.

54~55쪽 기초 집중 연습

1-1 20　　**1-2** $22\frac{1}{2}$

2-1　　**2-2**

3-1 ㉢　　**3-2** (　)(○)(△)

연산 12　　**4-1** $15\times\frac{4}{5}=12$, 12장

4-2 $9\times\frac{7}{9}=7$, 7 m　　**4-3** $14\times\frac{3}{7}=6$, 6 m^2

1-1 $14\times1\frac{3}{7}=\overset{2}{\cancel{14}}\times\frac{10}{\underset{1}{\cancel{7}}}=20$

1-2 $10\times2\frac{1}{4}=\overset{5}{\cancel{10}}\times\frac{9}{\underset{2}{\cancel{4}}}=\frac{45}{2}=22\frac{1}{2}$

2-1 $\overset{4}{\cancel{8}}\times\frac{3}{\underset{5}{\cancel{10}}}=\frac{12}{5}=2\frac{2}{5}$

$9\times1\frac{1}{6}=\overset{3}{\cancel{9}}\times\frac{7}{\underset{2}{\cancel{6}}}=\frac{21}{2}=10\frac{1}{2}$

2-2 $3\times2\frac{1}{2}=3\times\frac{5}{2}=\frac{15}{2}=7\frac{1}{2}$

$\overset{3}{\cancel{6}}\times\frac{7}{\underset{4}{\cancel{8}}}=\frac{21}{4}=5\frac{1}{4}$

3-1 곱하는 수가 1보다 더 크면 계산 결과가 곱해지는 수보다 커지고, 곱하는 수가 1이면 계산 결과가 변하지 않고, 곱하는 수가 1보다 더 작으면 계산 결과가 곱해지는 수보다 작아집니다.

3에 곱하는 수가 1보다 더 큰 것은 ㉢ $3\times1\frac{1}{4}$이므로 계산 결과가 3보다 큰 것은 ㉢입니다.

3-2
- $5\times1=5$
- $5\times1\frac{1}{2}$ ➔ $1\frac{1}{2}$이 1보다 더 크므로 계산 결과는 5보다 큽니다.
- $5\times\frac{8}{9}$ ➔ $\frac{8}{9}$이 1보다 더 작으므로 계산 결과는 5보다 작습니다.

연산 $\overset{3}{\cancel{15}}\times\frac{4}{\underset{1}{\cancel{5}}}=12$

4-1 (사용한 도화지 수)=(전체 도화지 수)$\times\frac{4}{5}$

$=\overset{3}{\cancel{15}}\times\frac{4}{\underset{1}{\cancel{5}}}=12$(장)

4-2 $\overset{1}{\cancel{9}}\times\frac{7}{\underset{1}{\cancel{9}}}=7$ (m)

4-3 $\overset{2}{\cancel{14}}\times\frac{3}{\underset{1}{\cancel{7}}}=6$ (m^2)

57쪽 **개념 · 원리 확인**

1-1 5, 20

1-2 (위에서부터) 3, 4, $\frac{3}{16}$

2-1 8, 3, $\frac{1}{24}$　**2-2** 5, 2, $\frac{3}{10}$

3-1 (1) $\frac{1}{10}$ (2) $\frac{3}{8}$　**3-2** $\frac{5}{63}$

4-1 (　)(○)　**4-2** ㉡

2-1 분자는 분자끼리, 분모는 분모끼리 곱합니다.

3-1 (1) $\frac{1}{2}\times\frac{1}{5}=\frac{1\times1}{2\times5}=\frac{1}{10}$

(2) $\frac{3}{4}\times\frac{1}{2}=\frac{3\times1}{4\times2}=\frac{3}{8}$

3-2 $\frac{5}{9}\times\frac{1}{7}=\frac{5}{63}$

4-1 $\frac{4}{7}\times\frac{1}{3}=\frac{4\times1}{7\times3}=\frac{4}{21}$

4-2 ㉠ $\frac{1}{4}\times\frac{1}{5}=\frac{1}{4\times5}=\frac{1}{20}$

59쪽 **개념 · 원리 확인**

1-1 (위에서부터) 2, 7, $\frac{10}{21}$

1-2 (위에서부터) 3, 4, 5, $\frac{3}{40}$

2-1 15, $\frac{15}{28}$　**2-2** 8, $\frac{3}{64}$

3-1 $\frac{3}{10}$에 ○표　**3-2** $\frac{5}{12}$에 ○표

4-1 $\frac{8}{9}\times\frac{3}{4}=\frac{\overset{2}{\cancel{8}}\times\overset{1}{\cancel{3}}}{\underset{3}{\cancel{9}}\times\underset{1}{\cancel{4}}}=\frac{2}{3}$

4-2 $\frac{\overset{2}{\cancel{6}}}{7}\times\frac{2}{\underset{1}{\cancel{3}}}=\frac{4}{7}$

2-2 세 분수의 곱셈은 앞의 두 분수의 곱셈 $\frac{3}{4}\times\frac{1}{2}$을 먼저 계산한 후 $\frac{1}{8}$을 곱하여 계산할 수 있습니다.

3-1 $\frac{\overset{1}{\cancel{2}}}{5}\times\frac{3}{\underset{2}{\cancel{4}}}=\frac{3}{10}$

3-2 $\frac{\overset{1}{\cancel{3}}}{\underset{2}{\cancel{4}}}\times\frac{\overset{1}{\cancel{2}}}{\underset{1}{\cancel{3}}}\times\frac{5}{6}=\frac{5}{12}$

60~61쪽 **기초 집중 연습**

1-1 $\frac{1}{35}$　**1-2** $\frac{5}{18}$

2-1 $\frac{1}{72}$　**2-2** $\frac{1}{12}$

3-1 ㉠　**3-2** ㉡

4-1 $<$　**4-2** $=$

연산 $\frac{1}{12}$

5-1 $\frac{1}{3}\times\frac{1}{4}=\frac{1}{12}$, $\frac{1}{12}$ m^2

5-2 $\frac{2}{5}\times\frac{1}{8}=\frac{1}{20}$, $\frac{1}{20}$ m^2

5-3 $\frac{9}{10}\times\frac{2}{3}=\frac{3}{5}$, $\frac{3}{5}$ m^2

1-1 $\frac{1}{5}\times\frac{1}{7}=\frac{1}{35}$

1-2 $\frac{5}{6}\times\frac{1}{3}=\frac{5}{18}$

2-1 ㉠×㉡$=\frac{1}{9}\times\frac{1}{8}=\frac{1}{72}$

2-2 ㉠×㉡$=\frac{\overset{1}{\cancel{3}}}{4}\times\frac{1}{\underset{3}{\cancel{9}}}=\frac{1}{12}$

3-1 ㉠ $\frac{\overset{1}{\cancel{7}}}{\underset{4}{\cancel{8}}}\times\frac{\overset{3}{\cancel{6}}}{\underset{1}{\cancel{7}}}=\frac{3}{4}$　㉡ $\frac{\overset{1}{\cancel{4}}}{\underset{3}{\cancel{9}}}\times\frac{\overset{1}{\cancel{3}}}{\underset{1}{\cancel{4}}}=\frac{1}{3}$

정답
풀이

3-2 ㉠ $\frac{2}{3}\times\frac{4}{7}=\frac{8}{21}$ ㉡ $\frac{2}{\underset{1}{\cancel{3}}}\times\frac{\overset{1}{\cancel{3}}}{\underset{1}{\cancel{4}}}\times\frac{\overset{1}{\cancel{4}}}{7}=\frac{2}{7}$

4-1 어떤 수에 진분수를 곱하면 곱한 결과는 어떤 수보다 작습니다.

따라서 $\frac{1}{5}\times\frac{1}{2}$은 $\frac{1}{5}$보다 작습니다.

4-2 (진분수)×(진분수)는 분자는 분자끼리 곱하고, 분모는 분모끼리 곱하므로 두 분수의 순서를 바꾸어 곱하여도 계산 결과는 같습니다.

따라서 $\frac{3}{4}\times\frac{1}{7}$과 $\frac{1}{7}\times\frac{3}{4}$의 계산 결과는 같습니다.

5-1 (천의 넓이)=(가로)×(세로)

$=\frac{1}{3}\times\frac{1}{4}=\frac{1}{12}\ (\mathrm{m}^2)$

5-2 $\frac{\overset{1}{\cancel{2}}}{5}\times\frac{1}{\underset{4}{\cancel{8}}}=\frac{1}{20}\ (\mathrm{m}^2)$

5-3 $\frac{\overset{3}{\cancel{9}}}{\underset{5}{\cancel{10}}}\times\frac{\overset{1}{\cancel{2}}}{\underset{1}{\cancel{3}}}=\frac{3}{5}\ (\mathrm{m}^2)$

63쪽	개념 · 원리 확인
1-1 7, 14, $4\frac{2}{3}$	**1-2** 1, 4 / 1 / 2, $4\frac{2}{3}$
2-1 (1) $4\frac{1}{5}$ (2) $4\frac{3}{8}$	**2-2** $2\frac{2}{3}$
3-1 $8\frac{1}{4}$	**3-2** 6

2-1 (1) $1\frac{4}{5}\times2\frac{1}{3}=\frac{\overset{3}{\cancel{9}}}{5}\times\frac{7}{\underset{1}{\cancel{3}}}=\frac{21}{5}=4\frac{1}{5}$

(2) $3\frac{3}{4}\times1\frac{1}{6}=\frac{\overset{5}{\cancel{15}}}{4}\times\frac{7}{\underset{2}{\cancel{6}}}=\frac{35}{8}=4\frac{3}{8}$

2-2 $1\frac{5}{7}\times1\frac{5}{9}=\frac{\overset{4}{\cancel{12}}}{\underset{1}{\cancel{7}}}\times\frac{\overset{2}{\cancel{14}}}{\underset{3}{\cancel{9}}}=\frac{8}{3}=2\frac{2}{3}$

3-1 $4\frac{1}{2}\times1\frac{5}{6}=\frac{\overset{3}{\cancel{9}}}{2}\times\frac{11}{\underset{2}{\cancel{6}}}=\frac{33}{4}=8\frac{1}{4}$

3-2 $3\frac{1}{3}\times1\frac{4}{5}=\frac{\overset{2}{\cancel{10}}}{\underset{1}{\cancel{3}}}\times\frac{\overset{3}{\cancel{9}}}{\underset{1}{\cancel{5}}}=6$

65쪽	개념 · 원리 확인
1-1 ○	**1-2** ×
2-1 $\frac{1}{12}$	**2-2** 4
3-1 2, 2 / 6, $1\frac{1}{5}$	
3-2 (위에서부터) 5, 5, 7 / 20, $2\frac{6}{7}$	
4-1 $\frac{4}{9}\times\frac{1}{2}=\frac{\overset{2}{\cancel{4}}\times1}{9\times\underset{1}{\cancel{2}}}=\frac{2}{9}$	
4-2 예 $3\frac{1}{2}\times2\frac{4}{5}=\frac{7}{\underset{1}{\cancel{2}}}\times\frac{\overset{7}{\cancel{14}}}{5}=\frac{49}{5}=9\frac{4}{5}$	

1-2 $\frac{3}{7}\times\frac{9}{10}=\frac{3\times9}{7\times10}=\frac{27}{70}$

2-1 $\frac{\overset{1}{\cancel{5}}}{6}\times\frac{1}{\underset{2}{\cancel{10}}}=\frac{1}{12}$

2-2 $3\frac{1}{2}\times1\frac{1}{7}=\frac{\overset{1}{\cancel{7}}}{\underset{1}{\cancel{2}}}\times\frac{\overset{4}{\cancel{8}}}{\underset{1}{\cancel{7}}}=4$

3-1 자연수 2를 가분수 $\frac{2}{1}$로 나타낼 수 있습니다.

3-2 자연수 5를 가분수 $\frac{5}{1}$로 나타낼 수 있습니다.

4-1 분자는 분자끼리 곱하고, 분모는 분모끼리 곱해야 합니다.

4-2 대분수를 가분수로 바꾼 후 약분하여 계산해야 합니다.

66~67쪽 기초 집중 연습

1-1 $7\frac{1}{2}$에 ○표
1-2 $\frac{2}{5}$에 ○표
2-1 ㉢
2-2 ㉡
3-1 $12\frac{1}{2}$ cm^2
3-2 $\frac{1}{16}$ m^2
4-1 $2\frac{4}{5}$
4-2 $10\frac{1}{2}$
연산 $\frac{5}{27}$
5-1 $\frac{2}{9}\times\frac{5}{6}=\frac{5}{27}$, $\frac{5}{27}$
5-2 $\frac{1}{2}\times\frac{3}{4}=\frac{3}{8}$, $\frac{3}{8}$
5-3 $\frac{1}{6}\times\frac{3}{5}\times\frac{1}{4}=\frac{1}{40}$, $\frac{1}{40}$

1-1 $\overset{3}{\cancel{9}}\times\frac{5}{\underset{2}{\cancel{6}}}=\frac{15}{2}=7\frac{1}{2}$

1-2 $\frac{\overset{2}{\cancel{4}}}{5}\times\frac{1}{\underset{1}{\cancel{2}}}=\frac{2}{5}$

2-1 (진분수)×(진분수)는 분자는 분자끼리 곱하고, 분모는 분모끼리 곱하므로 두 분수의 순서를 바꾸어 곱해도 계산 결과는 같습니다.
➔ ㉠ $\frac{3}{5}\times\frac{3}{4}$과 ㉢ $\frac{3}{4}\times\frac{3}{5}$의 계산 결과는 같습니다.

2-2 ㉠ $3\times1\frac{2}{3}=3\times\frac{5}{3}$

3-1 $5\times2\frac{1}{2}=5\times\frac{5}{2}=\frac{25}{2}=12\frac{1}{2}$ (cm^2)

3-2 $\frac{1}{4}\times\frac{1}{4}=\frac{1}{16}$ (m^2)

4-1 가장 큰 수: $2\frac{1}{3}$, 가장 작은 수: $1\frac{1}{5}$
➔ $2\frac{1}{3}\times1\frac{1}{5}=\frac{7}{\underset{1}{\cancel{3}}}\times\frac{\overset{2}{\cancel{6}}}{5}=\frac{14}{5}=2\frac{4}{5}$

4-2 가장 큰 수: $4\frac{1}{2}$, 가장 작은 수: $2\frac{1}{3}$
➔ $4\frac{1}{2}\times2\frac{1}{3}=\frac{\overset{3}{\cancel{9}}}{2}\times\frac{7}{\underset{1}{\cancel{3}}}=\frac{21}{2}=10\frac{1}{2}$

5-1 $\frac{\overset{1}{\cancel{2}}}{9}\times\frac{5}{\underset{3}{\cancel{6}}}=\frac{5}{27}$

5-2 $\frac{1}{2}\times\frac{3}{4}=\frac{3}{8}$

5-3 $\frac{1}{\underset{2}{\cancel{6}}}\times\frac{\overset{1}{\cancel{3}}}{5}\times\frac{1}{4}=\frac{1}{40}$

69쪽 개념 · 원리 확인

1-1 (○)( )
1-2 ( )(○)
2-1 합동
2-2 합동
3-1 나
3-2 다
4-1 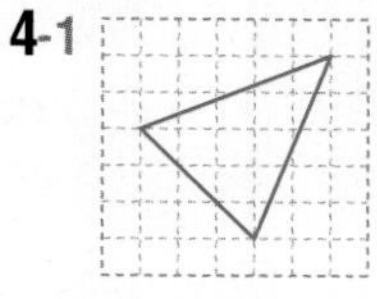
4-2 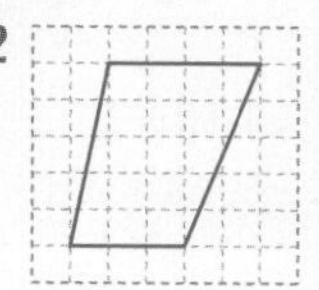

1-1 왼쪽 도형과 포개었을 때 완전히 겹치는 도형을 찾습니다.

2-2 모양과 크기가 같아서 포개었을 때 완전히 겹치는 두 도형을 서로 합동이라고 합니다.

3-1 왼쪽 도형과 포개었을 때 완전히 겹치는 도형은 나입니다.

3-2 왼쪽 도형과 포개었을 때 완전히 겹치는 도형은 다입니다.

4-1 주어진 도형과 포개었을 때 완전히 겹치도록 그립니다.

71쪽 개념 · 원리 확인

1-1 대응변
1-2 대응점
2-1 (1) ㅁㅂ에 ○표 (2) ㅁㅇㅅ에 ○표
2-2 ㄹ, ㄱㄷ, ㄴㄷㄱ
3-1 3쌍
3-2 3쌍, 3쌍
4-1 5 cm
4-2 60°

정답 풀이

1-1 서로 합동인 두 도형을 포개었을 때 완전히 겹치는 변을 대응변이라고 합니다.

1-2 서로 합동인 두 도형을 포개었을 때 완전히 겹치는 점을 대응점이라고 합니다.

2-1 (1) 변 ㄱㄴ과 완전히 겹치는 변은 변 ㅁㅂ입니다.
(2) 각 ㄱㄹㄷ과 완전히 겹치는 각은 각 ㅁㅇㅅ입니다.

2-2 점 ㄱ과 완전히 겹치는 점은 점 ㄹ, 변 ㄹㅂ과 완전히 겹치는 변은 변 ㄱㄷ, 각 ㅁㅂㄹ과 완전히 겹치는 각은 각 ㄴㄷㄱ입니다.

3-1 두 도형은 서로 합동인 삼각형이므로 대응점은 3쌍 있습니다.

3-2 두 도형은 서로 합동인 삼각형이므로 대응변, 대응각은 각각 3쌍 있습니다.

4-1 변 ㅁㅇ의 대응변은 변 ㄹㄱ이므로 변 ㅁㅇ은 5 cm 입니다.

4-2 각 ㄱㄷㄴ의 대응각은 각 ㄹㅂㅁ이므로 각 ㄱㄷㄴ은 60°입니다.

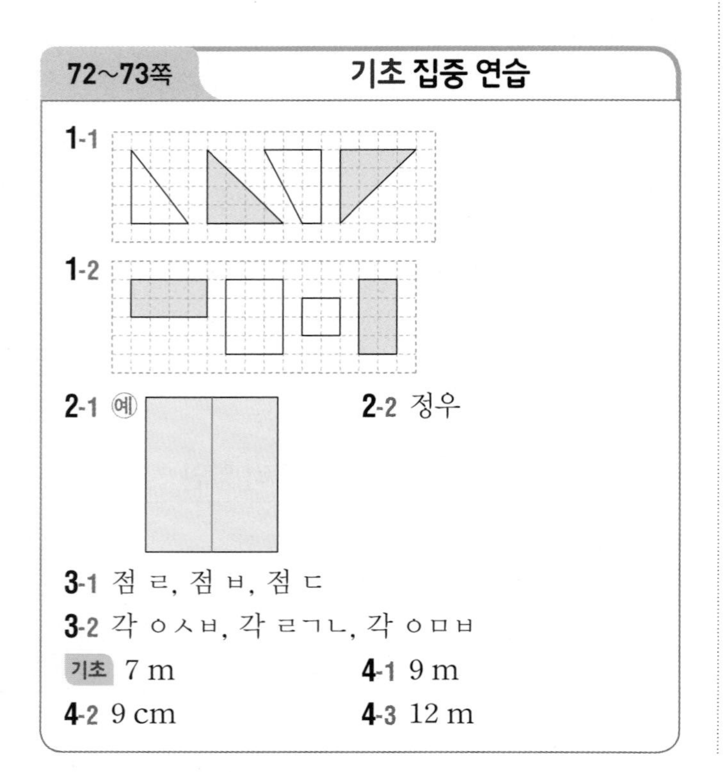

1-1 모양과 크기가 같아서 포개었을 때 완전히 겹치는 두 도형을 찾아 색칠합니다.

2-1 잘라서 포개었을 때 완전히 겹치도록 선을 긋습니다.

2-2 잘라서 포개었을 때 완전히 겹치도록 만든 사람은 정우입니다.

3-1 서로 합동인 두 도형을 포개었을 때 완전히 겹치는 점을 찾습니다.

3-2 서로 합동인 두 도형을 포개었을 때 완전히 겹치는 각을 찾습니다.

기초 변 ㅂㅅ의 대응변은 변 ㄴㄷ이므로 7 m입니다.

4-1 변 ㅇㅅ의 대응변은 변 ㄹㄷ이므로 9 m입니다.

4-2 변 ㄹㅁ의 대응변은 변 ㄴㄷ이므로 9 cm입니다.

4-3 (변 ㄹㅂ)=(변 ㄱㄷ)=5 m
➔ 3+4+5=12 (m)

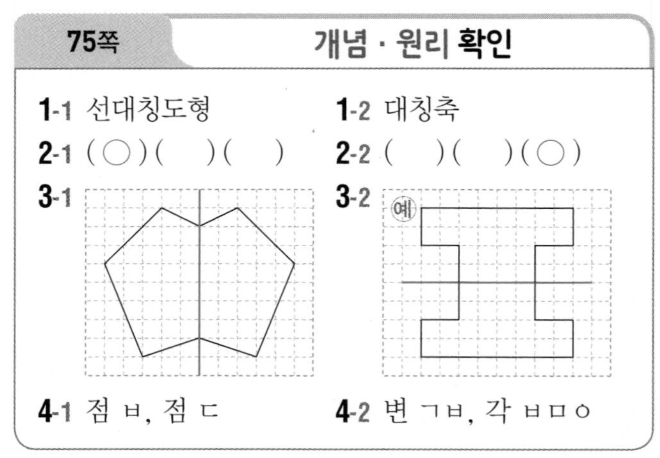

2-1 한 직선을 따라 접었을 때 완전히 겹치는 도형을 찾습니다.

4-1 대칭축을 따라 접었을 때 점 ㄴ과 점 ㅂ, 점 ㅁ과 점 ㄷ이 겹칩니다.

4-2 대칭축을 따라 접었을 때 변 ㄴㄷ과 변 ㄱㅂ, 각 ㄷㄹㅇ과 각 ㅂㅁㅇ이 겹칩니다.

77쪽 개념 · 원리 확인

1-1 6, 6 / 같습니다에 ○표

1-2 70, 70 / 같습니다에 ○표

2-1 수직

2-2 90°

3-1
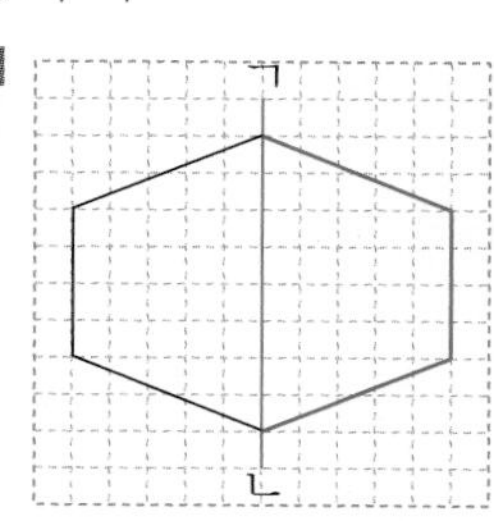

3-2
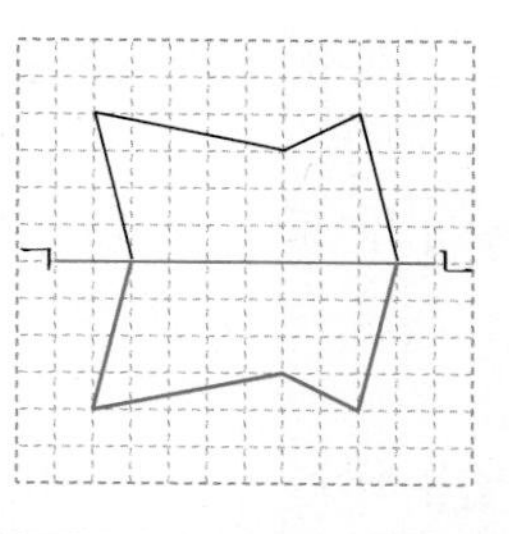

2-2 점 ㄷ과 대응점 ㅂ을 이은 선분 ㄷㅂ은 대칭축과 수직으로 만나므로 만나서 이루는 각은 90°입니다.

3-1 대응점을 모두 찾아 표시한 후 자를 사용하여 대응점을 차례로 이어 선대칭도형을 완성합니다.

78~79쪽 기초 집중 연습

1-1 점 ㄷ, 점 ㅇ

1-2 각 ㅂㅁㄹ, 각 ㅇㄱㄴ

2-1
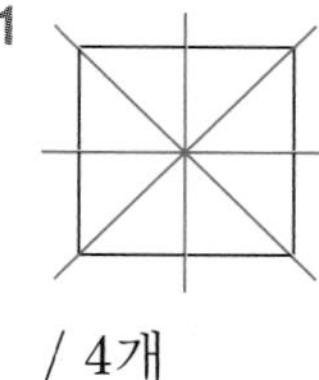
/ 4개

2-2
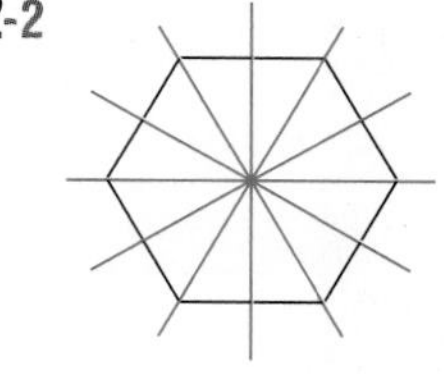
/ 6개

3-1
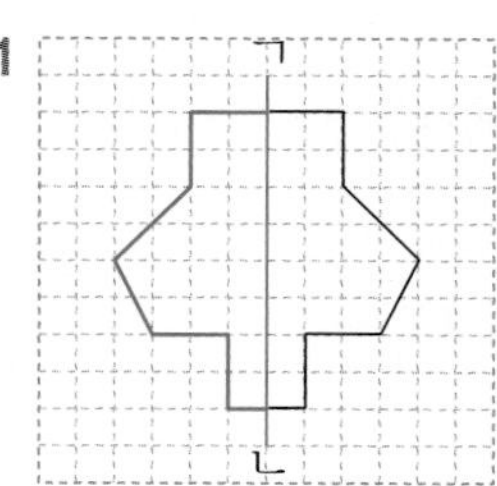

3-2
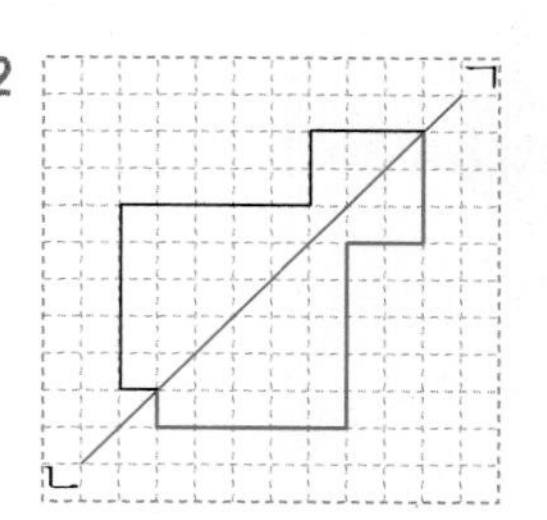

기초 대칭축

4-1 3 cm

4-2 4 cm

4-3 8 cm

3-1 ① 대응점을 모두 찾아 표시합니다.
② 자를 사용하여 대응점을 차례로 이어 선대칭도형을 완성합니다.

4-1 선대칭도형의 대칭축은 대응점끼리 이은 선분을 둘로 똑같이 나누므로
(선분 ㅁㄴ)=(선분 ㅁㄹ)=3 cm입니다.

4-2 선대칭도형에서 대칭축은 대응점끼리 이은 선분을 둘로 똑같이 나누므로
(선분 ㄴㅈ)=(선분 ㅂㅈ)=4 cm입니다.

4-3 선대칭도형에서 대칭축은 대응점끼리 이은 선분을 둘로 똑같이 나누므로
(선분 ㄱㅅ)=(선분 ㅁㅅ)=4 cm입니다.
➜ (선분 ㄱㅁ)=4+4=8 (cm)

80~81쪽 누구나 100점 맞는 테스트

1 2, 11 / 22, $4\frac{2}{5}$

2 (　)(○)(　)

3 (1) $2\frac{1}{2}$ (2) $25\frac{1}{2}$

4 120°

5 $1\frac{1}{10}$ kg

6 (1) 점 ㅂ (2) 변 ㄱㅇ (3) 각 ㄱㄴㄷ

7
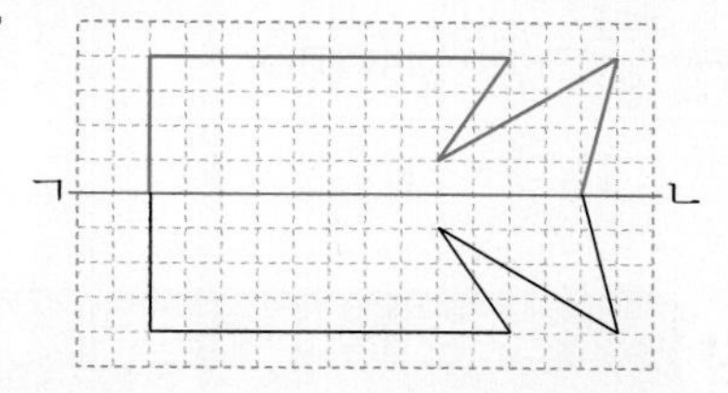

8 정우

9 ㉢

10 $10\frac{1}{2}\times5\frac{1}{4}=55\frac{1}{8}$, $55\frac{1}{8}$ cm²

3 (1) $\overset{1}{\cancel{4}}\times\frac{5}{\underset{2}{\cancel{8}}}=\frac{5}{2}=2\frac{1}{2}$

(2) $12\times2\frac{1}{8}=\overset{3}{\cancel{12}}\times\frac{17}{\underset{2}{\cancel{8}}}=\frac{51}{2}=25\frac{1}{2}$

4 각 ㄴㄱㄹ의 대응각은 각 ㅅㅇㅁ이므로 각 ㄴㄱㄹ은 120°입니다.

5 $\frac{2}{5}\times2\frac{3}{4}=\frac{\overset{1}{\cancel{2}}}{5}\times\frac{11}{\underset{2}{\cancel{4}}}=\frac{11}{10}=1\frac{1}{10}$ (kg)

6 대칭축을 따라 접었을 때 겹치는 점, 겹치는 변, 겹치는 각을 찾아봅니다.

7 대칭축을 따라 접었을 때 완전히 겹치도록 그립니다.

8 민하: $\frac{\overset{1}{\cancel{5}}}{\underset{2}{\cancel{6}}}\times\frac{\overset{1}{\cancel{3}}}{\underset{2}{\cancel{10}}}=\frac{1}{4}$

정우: $\frac{\overset{1}{\cancel{3}}}{\underset{2}{\cancel{4}}}\times\frac{\overset{1}{\cancel{3}}}{5}\times\frac{\overset{1}{\cancel{2}}}{\underset{\underset{1}{\cancel{3}}}{\cancel{9}}}=\frac{1}{10}$

9 6에 진분수를 곱하면 계산 결과는 6보다 작아집니다. ➜ ㉢

다른 풀이

㉠ $6\times1=6$

㉡ $6\times1\frac{1}{5}=6\times\frac{6}{5}=\frac{36}{5}=7\frac{1}{5}$

㉢ $\overset{2}{\cancel{6}}\times\frac{7}{\underset{3}{\cancel{9}}}=\frac{14}{3}=4\frac{2}{3}$

따라서 계산 결과가 6보다 작은 식은 ㉢입니다.

10 (사진의 넓이)=(가로)×(세로)

$=10\frac{1}{2}\times5\frac{1}{4}=\frac{21}{2}\times\frac{21}{4}$

$=\frac{441}{8}=55\frac{1}{8}$ (cm^2)

82~87쪽 특강 창의 · 융합 · 코딩

  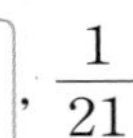, $\frac{1}{21}$

창의 2 합동, 프랑스 / 프랑스

창의 3 예 융합 4 32 cm

융합 5 선대칭도형입니다.
/ 예 한 직선을 따라 접으면 완전히 겹치기 때문입니다.

코딩 6 (1) (2)

융합 7 $10\frac{2}{5}$ 코딩 8 $\frac{5}{14}$

코딩 9 1 cm

1 cm 출발

창의 1

	다이아몬드 모양	하트 모양	클로버 모양
리아	×	×	○
수진	×	○	×
희성	○	×	×

희성: 다이아몬드 모양 카드 ➜ $\frac{1}{7}\times\frac{1}{3}=\frac{1}{21}$

창의 3 두 도형은 서로 합동이므로 수현이는 풍선을 터뜨릴 수 있습니다.

융합 4 $\overset{16}{\cancel{48}}\times\frac{2}{\underset{1}{\cancel{3}}}=32$ (cm)

융합 5 한 직선을 따라 접었을 때 완전히 겹치는 도형을 선대칭도형이라고 합니다.

코딩 6 (1) $7\times\frac{5}{7}$는 곱하는 수 $\frac{5}{7}$가 1보다 더 작으므로 계산 결과는 7보다 작습니다.

다른 풀이

$\overset{1}{\cancel{7}}\times\frac{5}{\underset{1}{\cancel{7}}}=5$ ➜ $5<7$

(2) $7\times1\frac{1}{2}$은 곱하는 수 $1\frac{1}{2}$이 1보다 더 크므로 계산 결과는 7보다 큽니다.

다른 풀이

$7\times1\frac{1}{2}=7\times\frac{3}{2}=\frac{21}{2}=10\frac{1}{2}$ ➜ $10\frac{1}{2}>7$

융합 7 (다보탑의 높이)=(석가탑의 높이)×$1\frac{11}{41}$

$=8\frac{1}{5}\times1\frac{11}{41}=\frac{\overset{1}{\cancel{41}}}{5}\times\frac{52}{\underset{1}{\cancel{41}}}$

$=\frac{52}{5}=10\frac{2}{5}$ (m)

코딩 8 ① $\frac{\overset{1}{\cancel{4}}}{7}\times\frac{3}{\underset{1}{\cancel{4}}}=\frac{3}{7}$ ② $\frac{\overset{1}{\cancel{3}}}{7}\times\frac{5}{\underset{2}{\cancel{6}}}=\frac{5}{14}$ ➜ $\frac{5}{14}$

개념 OX 퀴즈 정답

3주 합동과 대칭 / 소수의 곱셈 / 직육면체

개념 ○× 퀴즈

옳으면 ○에, 틀리면 ×에 ○표 하세요.

퀴즈 1

어떤 점을 중심으로 180° 돌렸을 때 처음 도형과 완전히 겹치는 도형을 점대칭도형이라고 합니다.

○ 

퀴즈 2

$3\times1.4=5.2$

○ 

정답은 24쪽에서 확인하세요.

90~91쪽 3주에는 무엇을 공부할까?②

1-1 0.5, 영 점 오 **1**-2 2.4, 이 점 사

2-1 (1) 7 (2) 43 **2**-2 (1) 0.3 (2) 6.8

3-1 (○)( ) **3**-2 (○)( )

4-1 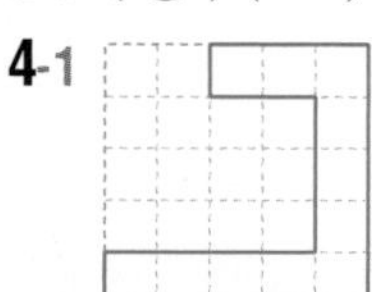 **4**-2 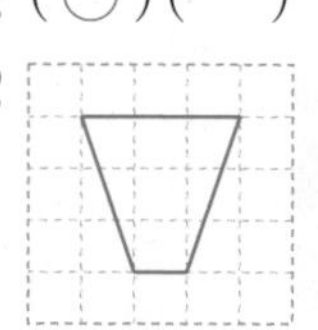

3-1 도형의 위쪽 부분이 아래쪽으로, 오른쪽 부분이 왼쪽으로 바뀐 모양을 찾습니다.

3-2 도형의 위쪽 부분이 왼쪽으로, 오른쪽 부분이 위쪽으로 바뀐 모양을 찾습니다.

4-1 도형의 위쪽 부분이 왼쪽으로, 오른쪽 부분이 위쪽으로 바뀐 모양을 그립니다.

4-2 도형의 위쪽 부분이 아래쪽으로, 오른쪽 부분이 왼쪽으로 바뀐 모양을 그립니다.

93쪽 개념 · 원리 확인

1-1 ㅇ, 점대칭

1-2 점대칭도형, 대칭의 중심

2-1 ( )(○)( ) **2**-2 다

3-1 ③ **3**-2 ②

4-1 (1) 점 ㄹ (2) 변 ㄹㅁ (3) 각 ㅁㄹㄷ

4-2 (1) 점 ㅂ (2) 변 ㄱㄴ (3) 각 ㅂㅅㅇ

2-1 어떤 점을 중심으로 180° 돌렸을 때 처음 도형과 완전히 겹치는 도형을 찾습니다.

3-1 대응점끼리 각각 이은 선분이 만나는 점이 대칭의 중심입니다.

4-1 대칭의 중심을 중심으로 180° 돌렸을 때 겹치는 점, 변, 각이 각각 대응점, 대응변, 대응각입니다.

95쪽 개념 · 원리 확인

1-1 (1) 변 ㄹㅁ (2) 각 ㄹㅁㅂ (3) 선분 ㅁㅇ

1-2 (1) 변 ㅂㄱ (2) 각 ㅂㄱㄴ (3) 선분 ㅂㅇ

2-1 ○ **2**-2 ×

3-1 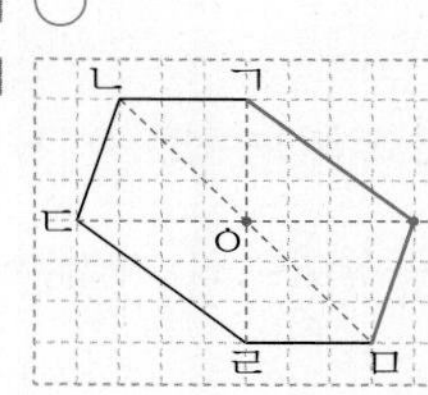

3-2 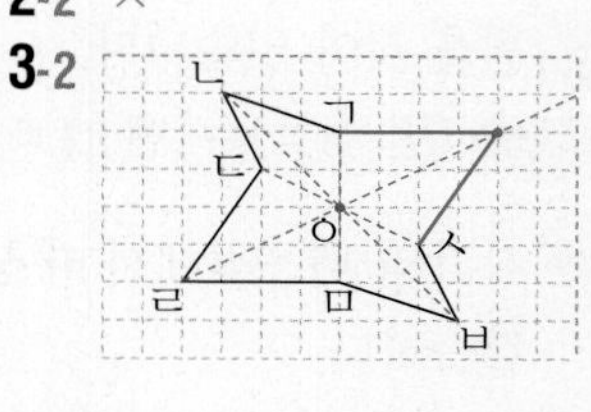

1-1 (1) 각각의 대응변의 길이는 서로 같습니다.
➔ (변 ㄱㄴ)=(변 ㄹㅁ)
(2) 각각의 대응각의 크기는 서로 같습니다.
➔ (각 ㄱㄴㄷ)=(각 ㄹㅁㅂ)
(3) 각 대응점에서 대칭의 중심까지의 거리는 서로 같습니다. ➔ (선분 ㄴㅇ)=(선분 ㅁㅇ)

2-1 점대칭도형은 각각의 대응각의 크기가 서로 같습니다.

2-2 대칭의 중심은 대응점끼리 이은 선분을 둘로 똑같이 나눕니다.

3-1 점 ㄷ에서 대칭의 중심까지의 길이가 같도록 대응점을 찾아 표시한 다음 대응점을 차례로 이어 점대칭 도형을 완성합니다.

96~97쪽 기초 집중 연습

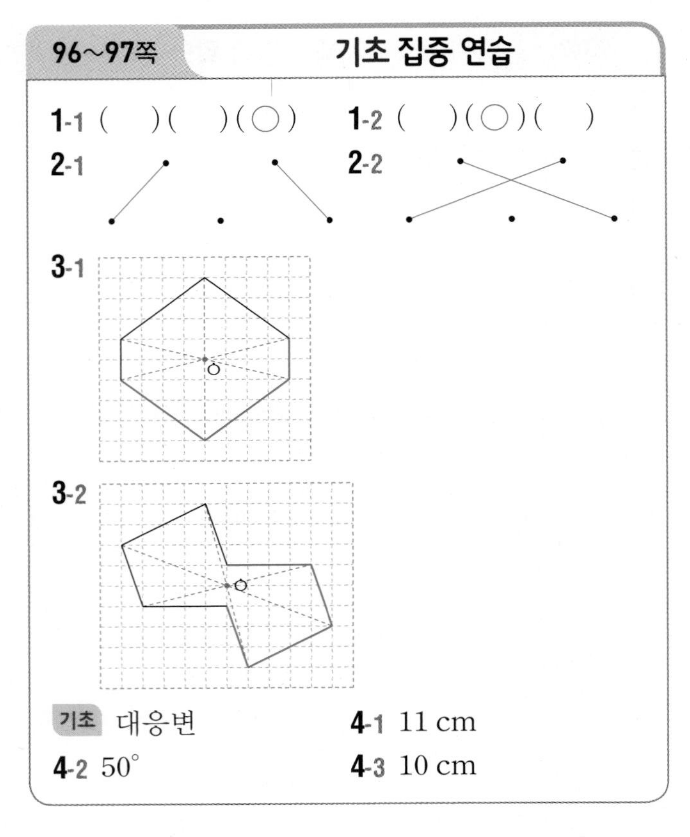

기초 대응변 4-1 11 cm
4-2 50° 4-3 10 cm

1-1 어떤 점을 중심으로 180° 돌렸을 때 처음 문자와 완전히 겹치는 문자를 찾습니다.

2-1 각각의 대응변의 길이가 서로 같으므로 각각의 대응변을 찾아 잇습니다.
➔ (변 ㄱㄴ)=(변 ㅁㅂ), (변 ㄹㅁ)=(변 ㅇㄱ)

2-2 각각의 대응점에서 대칭의 중심까지의 거리는 서로 같습니다.
➔ (선분 ㄱㅈ)=(선분 ㅁㅈ), (선분 ㄷㅈ)=(선분 ㅅㅈ)

3-1 각 점에서 대칭의 중심을 지나는 선을 그어 대응점을 찾아 표시한 다음 대응점을 차례로 이어 점대칭도형을 완성합니다.

4-1 점대칭도형은 각각의 대응변의 길이가 서로 같습니다.
➔ (변 ㄷㄹ)=(변 ㄱㄴ)=11 cm

4-2 점대칭도형은 각각의 대응각의 크기가 서로 같습니다.
➔ (각 ㅂㄱㄴ)=(각 ㄷㄹㅁ)=50°

4-3 점대칭도형은 대칭의 중심에서 각 대응점까지의 거리가 서로 같습니다.
➔ (선분 ㄴㅇ)=(선분 ㄹㅇ)=10 cm

99쪽 개념 · 원리 확인

1-1 0.8, 0.8, 3.2 **1-2** 2.52, 2.52, 7.56
2-1 3, 15, 15, 1.5
2-2 18, 18, 126, 126, 12.6
3-1 54, 54, 432, 43.2 **3-2** 12, 12, 72, 0.72
4-1 3.6 **4-2** 6.34

1-1 0.8×4는 0.8을 4번 더한 것과 같습니다.
➔ $0.8+0.8+0.8+0.8=3.2$

1-2 2.52×3은 2.52를 3번 더한 것과 같습니다.
➔ $2.52+2.52+2.52=7.56$

3-1 5.4를 분모가 10인 분수로 나타내어 계산합니다.

3-2 0.12를 분모가 100인 분수로 나타내어 계산합니다.

4-1 $0.4\times9=\frac{4}{10}\times9=\frac{4\times9}{10}=\frac{36}{10}=3.6$

101쪽 개념 · 원리 확인

1-1 2, 4, 0.4 **1-2** 1.2, 1.2, 5.2
2-1 3.5 **2-2** 642, 6.42
3-1 8, 8, 88, 8.8
3-2 314, 314, 1570, 15.7
4-1 0.96 **4-2** 14.4

2-1 35의 $\frac{1}{10}$배는 3.5입니다.

참고
곱하는 수가 $\frac{1}{10}$배가 되면 계산 결과도 $\frac{1}{10}$배가 됩니다.

2-2 $6\times107=642$이고, 642의 $\frac{1}{100}$배는 6.42입니다.

참고
곱하는 수가 $\frac{1}{100}$배가 되면 계산 결과도 $\frac{1}{100}$배가 됩니다.

3-1 0.8을 분모가 10인 분수로 나타내어 계산합니다.

3-2 3.14를 분모가 100인 분수로 나타내어 계산합니다.

4-1 $8\times12=96$ ➔ $8\times0.12=0.96$

102~103쪽 기초 집중 연습

1-1 $0.4\times9=\frac{4}{10}\times9=\frac{4\times9}{10}=\frac{36}{10}=3.6$

1-2 $1.73\times6=\frac{173}{100}\times6=\frac{173\times6}{100}=\frac{1038}{100}$
$=10.38$

2-1 6.5　**2-2** 1.12
3-1 34.8　**3-2** 25.2
4-1 5.04　**4-2** 36.1
연산 4.9　**5-1** $0.7\times7=4.9$, 4.9 kg
5-2 $0.38\times3=1.14$, 1.14 kg
5-3 $120.5\times4=482$, 482 g

1-1 0.4를 분모가 10인 분수로 나타내어 계산합니다.

1-2 1.73을 분모가 100인 분수로 나타내어 계산합니다.

2-1 $13\times5=65$
$\frac{1}{10}$배 ↓ ↓ $\frac{1}{10}$배
$13\times0.5=6.5$

2-2 $4\times28=112$
$\frac{1}{100}$배 ↓ ↓ $\frac{1}{100}$배
$4\times0.28=1.12$

3-1 $11.6\times3=34.8$

3-2 $14\times1.8=25.2$

4-1 $0.63\times8=5.04$

4-2 $5\times7.22=36.1$

연산 $0.7\times7=\frac{7}{10}\times7=\frac{7\times7}{10}=\frac{49}{10}=4.9$

5-1 (농구공 7개의 무게)
=(농구공 1개의 무게)×7
$=0.7\times7=4.9$ (kg)

5-2 (오렌지 3개의 무게)
=(오렌지 1개의 무게)×3
$=0.38\times3=1.14$ (kg)

5-3 (쌀 4컵의 무게)
=(쌀 1컵의 무게)×4
$=120.5\times4=482$ (g)

105쪽 개념 · 원리 확인

1-1 0.24　**1-2** 0.4
2-1 4, 28, 0.28　**2-2** 6, 22, 132, 0.132
3-1 18, 0.18　**3-2** $\frac{1}{1000}$, 0.119
4-1 0.16　**4-2** 0.225

1-1 0.01이 24칸이므로 $0.4\times0.6=0.24$입니다.

1-2 0.01이 40칸이므로 $0.8\times0.5=0.4$입니다.

2-1 0.7과 0.4를 각각 분모가 10인 분수로 나타내어 계산합니다.

2-2 0.6을 분모가 10인 분수로, 0.22를 분모가 100인 분수로 나타내어 계산합니다.

3-1 $6\times3=18$이고, 0.6×0.3은 $6\times3=18$의 $\frac{1}{10}\times\frac{1}{10}=\frac{1}{100}$(배)이므로 0.18입니다.

3-2 $7\times17=119$이고, 0.7×0.17은 $7\times17=119$의 $\frac{1}{10}\times\frac{1}{100}=\frac{1}{1000}$(배)이므로 0.119입니다.

4-1 소수의 크기를 생각하여 계산합니다.

$$\begin{array}{r} 2 \\ \times\ 8 \\ \hline 16 \end{array} \rightarrow \begin{array}{r} 0.2 \\ \times\ 0.8 \\ \hline 0.16 \end{array}$$

4-2

$$\begin{array}{r} 25 \\ \times\ 9 \\ \hline 225 \end{array} \rightarrow \begin{array}{r} 0.25 \\ \times\ 0.9 \\ \hline 0.225 \end{array}$$

107쪽 개념 · 원리 확인

1-1 23, 368, 3.68
1-2 385, 12, 4620, 4.62
2-1 $\frac{1}{100}$, 7.56　**2-2** $\frac{1}{1000}$, 6.285
3-1 408, 4.08　**3-2** 3375, 3.375

1-1 1.6과 2.3을 각각 분모가 10인 분수로 나타내어 계산합니다.

1-2 3.85를 분모가 100인 분수로, 1.2를 분모가 10인 분수로 나타내어 계산합니다.

2-1 2.1×3.6은 $21\times36=756$의 $\frac{1}{10}\times\frac{1}{10}=\frac{1}{100}$(배)이므로 7.56입니다.

2-2 1.5×4.19는 $15\times419=6285$의 $\frac{1}{10}\times\frac{1}{100}=\frac{1}{1000}$(배)이므로 6.285입니다.

108~109쪽 기초 집중 연습

1-1 0.56 **1-2** 4.94

2-1 $0.2\times0.6=\frac{2}{10}\times\frac{6}{10}=\frac{12}{100}=0.12$

2-2 $3.4\times1.75=\frac{34}{10}\times\frac{175}{100}=\frac{5950}{1000}=5.95$

3-1 $\begin{array}{r} 0.16 \\ \times\ 0.9 \\ \hline 0.144 \end{array}$ **3-2** $\begin{array}{r} 2.5 \\ \times\ 1.3 \\ \hline 3.25 \end{array}$

4-1 0.287 **4-2** 2.52

연산 0.54

5-1 $0.9\times0.6=0.54$, 0.54 L

5-2 $40.8\times1.3=53.04$, 53.04 kg

5-3 $2.15\times1.6=3.44$, 3.44 km

1-1 $\begin{array}{r} 7 \\ \times\ 8 \\ \hline 56 \end{array} \rightarrow \begin{array}{r} 0.7 \\ \times\ 0.8 \\ \hline 0.56 \end{array}$

1-2 $\begin{array}{r} 26 \\ \times\ 19 \\ \hline 494 \end{array} \rightarrow \begin{array}{r} 2.6 \\ \times\ 1.9 \\ \hline 4.94 \end{array}$

2-1 보기 는 분수의 곱셈으로 계산한 것입니다.
0.2를 $\frac{2}{10}$로, 0.6을 $\frac{6}{10}$으로 나타내어 계산합니다.

2-2 3.4를 $\frac{34}{10}$로, 1.75를 $\frac{175}{100}$로 나타내어 계산합니다.

3-1 $16\times9=144$인데 0.16에 0.9를 곱하면 0.16보다 작은 값이 나와야 하므로 계산 결과는 0.144입니다.

3-2 $25\times13=325$인데 2.5에 1.3을 곱하면 2.5보다 조금 큰 값이 나와야 하므로 계산 결과는 3.25입니다.

4-1 $0.7\times0.41=\frac{7}{10}\times\frac{41}{100}=\frac{287}{1000}=0.287$

다른 풀이
자연수의 곱셈으로 계산할 수도 있습니다.
$7\times41=287$
$\frac{1}{10}$배, $\frac{1}{100}$배, $\frac{1}{1000}$배
$0.7\times0.41=0.287$

4-2 $1.4\times1.8=\frac{14}{10}\times\frac{18}{10}=\frac{252}{100}=2.52$

다른 풀이
자연수의 곱셈으로 계산할 수도 있습니다.
$14\times18=252$
$\frac{1}{10}$배, $\frac{1}{10}$배, $\frac{1}{100}$배
$1.4\times1.8=2.52$

5-1 (주스의 양)=(우유의 양)$\times0.6$
$=0.9\times0.6=0.54$ (L)

5-2 (민하 어머니의 몸무게)=(민하의 몸무게)$\times1.3$
$=40.8\times1.3=53.04$ (kg)

5-3 (집에서 공원까지의 거리)
=(집에서 학교까지의 거리)$\times1.6$
$=2.15\times1.6=3.44$ (km)

111쪽 개념 · 원리 확인

1-1 오른쪽에 ○표 **1-2** 왼쪽에 ○표

2-1 216.3, 2163 **2-2** 371.5, 37.15, 3.715

3-1 **3-2**

2-1 곱하는 수의 0이 하나씩 늘어날 때마다 곱의 소수점이 오른쪽으로 한 칸씩 옮겨집니다.

2-2 곱하는 소수의 소수점 아래 자리 수가 하나씩 늘어날 때마다 곱의 소수점이 왼쪽으로 한 칸씩 옮겨집니다.

3-1 $0.486\times10=4.86$
$0.486\times100=48.6$
$0.486\times1000=486$

3-2 $520\times0.1=52$
$520\times0.01=5.2$
$520\times0.001=0.52$

113쪽 개념 · 원리 확인

1-1	0.0035	1-2	0.1104
2-1	0.01, 6.56	2-2	0.01, 0.001, 0.288
3-1	2, 0.32	3-2	3, 0.051
4-1	(1) 21.28 (2) 2.128	4-2	(1) 4.5 (2) 0.45

1-1 $7\times5=35$에서 소수점을 왼쪽으로 4칸 옮겨 표시하면 0.0035입니다.

2-1 $41\times16=656$이고, 4.1은 41의 0.1배, 1.6은 16의 0.1배이므로 4.1×1.6은 656의 0.01배인 6.56입니다.

2-2 $9\times32=288$이고, 0.9는 9의 0.1배, 0.32는 32의 0.01배이므로 0.9×0.32는 288의 0.001배인 0.288입니다.

4-1 (1) 7.6과 2.8의 소수점 아래 자리 수의 합은 2이므로 2128에서 소수점을 왼쪽으로 2칸 옮깁니다.
(2) 0.76과 2.8의 소수점 아래 자리 수의 합은 3이므로 2128에서 소수점을 왼쪽으로 3칸 옮깁니다.

4-2 (1) 1.25와 3.6의 소수점 아래 자리 수의 합은 3이므로 4500에서 소수점을 왼쪽으로 3칸 옮깁니다.
(2) 1.25와 0.36의 소수점 아래 자리 수의 합은 4이므로 4500에서 소수점을 왼쪽으로 4칸 옮깁니다.

114~115쪽 기초 집중 연습

1-1	6.6 5	1-2	2.4 9 1
2-1	(1) 0.001 (2) 10	2-2	(1) 0.01 (2) 100
3-1	6.7	3-2	0.16
4-1	×	4-2	○
연산	2.5		
5-1	$0.25\times10=2.5$, 2.5 L		
5-2	$10.6\times100=1060$, 1060원		
5-3	$146\times0.1=14.6$, 14.6 cm		

1-1 1.9와 3.5의 소수점 아래 자리 수의 합은 2이므로 665에서 소수점을 왼쪽으로 2칸 옮깁니다.

1-2 0.47과 5.3의 소수점 아래 자리 수의 합은 3이므로 2491에서 소수점을 왼쪽으로 3칸 옮깁니다.

2-1 (1) 6의 소수점이 왼쪽으로 3칸 옮겨졌으므로 □ 안에 알맞은 수는 0.001입니다.
(2) 2.38의 소수점이 오른쪽으로 1칸 옮겨졌으므로 □ 안에 알맞은 수는 10입니다.

2-2 (1) 750의 소수점이 왼쪽으로 2칸 옮겨졌으므로 □ 안에 알맞은 수는 0.01입니다.
(2) 0.14의 소수점이 오른쪽으로 2칸 옮겨졌으므로 □ 안에 알맞은 수는 100입니다.

3-1 2.5는 25의 0.1배인데 16.75는 1675의 0.01배이므로 □ 안에 알맞은 수는 67의 0.1배인 6.7입니다.

3-2 1.83은 183의 0.01배인데 0.2928은 2928의 0.0001배이므로 □ 안에 알맞은 수는 16의 0.01배인 0.16입니다.

4-1 0.51×10은 5.1입니다.
51×0.01은 0.51입니다.

4-2 730의 0.1배는 73입니다.
0.73의 100배는 73입니다.

연산 10을 곱했으므로 0.25의 소수점을 오른쪽으로 1칸 옮깁니다.

5-1 (10일 동안 마신 우유의 양)
=(하루에 마신 우유의 양)×10
$=0.25\times10=2.5$ (L)

5-2 (젤리 100 g의 가격)=(젤리 1 g의 가격)×100
$=10.6\times100=1060$(원)

5-3 (다희가 키우는 식물의 키)=(다희의 키)×0.1
$=146\times0.1$
$=14.6$ (cm)

117쪽 개념 · 원리 확인

1-1	직육면체	1-2	직육면체
2-1	( )( )(○)	2-2	( )(○)( )
3-1	모서리, 꼭짓점	3-2	(왼쪽부터) 면, 모서리

2-1 직사각형 6개로 둘러싸인 도형을 찾습니다.

2-2 직사각형 6개로 둘러싸인 물건을 찾습니다.

정답 풀이

119쪽 개념 · 원리 확인

1-1 정육면체　　1-2 정육면체
2-1 다　　2-2 가
3-1 ○　　3-2 ○
4-1 3　　4-2 9, 3

2-1 정사각형 6개로 둘러싸인 도형을 찾습니다.

2-2 정사각형 6개로 둘러싸인 물건을 찾습니다.

3-1 정육면체의 면의 모양은 정사각형입니다.

3-2 정육면체의 면의 모양인 정사각형은 직사각형이라고 할 수 있으므로 정육면체는 직육면체라고 할 수 있습니다.

4-1 정육면체에서 보이지 않는 면은 3개입니다.

4-2 정육면체에서 보이는 모서리는 9개이고, 보이지 않는 모서리는 3개입니다.

120~121쪽 기초 집중 연습

1-1 나, 다, 마　　1-2 다, 라
2-1 (　)
(○)　　2-2 (○)
(　)
3-1 6, 12, 8　　3-2 6, 12, 8
기초 12　　4-1 $3\times12=36$, 36 cm
4-2 $4\times12=48$, 48 cm
4-3 $60\div12=5$, 5 cm

1-1 직사각형 6개로 둘러싸인 물건을 찾으면 나, 다, 마입니다.

1-2 정사각형 6개로 둘러싸인 도형을 찾으면 다, 라입니다.

2-1 직육면체에서 면과 면이 만나는 선분을 모서리라고 합니다.

2-2 정육면체는 6개의 면으로 둘러싸여 있습니다.

3-1 직육면체의 면은 6개, 모서리는 12개, 꼭짓점은 8개입니다.

3-2 정육면체의 면은 6개, 모서리는 12개, 꼭짓점은 8개입니다.

참고
정육면체의 면, 모서리, 꼭짓점의 수는 직육면체와 같습니다.

기초 정육면체는 모서리의 길이가 모두 같고 모서리의 수는 12개입니다.

4-1 정육면체는 모서리의 길이가 모두 같으므로
(모든 모서리 길이의 합)
=(한 모서리의 길이)×(모서리의 수)
$=3\times12=36$ (cm)입니다.

4-2 정육면체는 모서리의 길이가 모두 같으므로
(모든 모서리 길이의 합)
=(한 모서리의 길이)×(모서리의 수)
$=4\times12=48$ (cm)입니다.

4-3 정육면체는 모서리의 길이가 모두 같으므로
(한 모서리의 길이)
=(모든 모서리 길이의 합)÷(모서리의 수)
$=60\div12=5$ (cm)입니다.

122~123쪽 누구나 100점 맞는 테스트

1 0.6, 0.6, 0.6, 2.4 / 6, 6, 4, 24, 2.4
2 (1) (2)
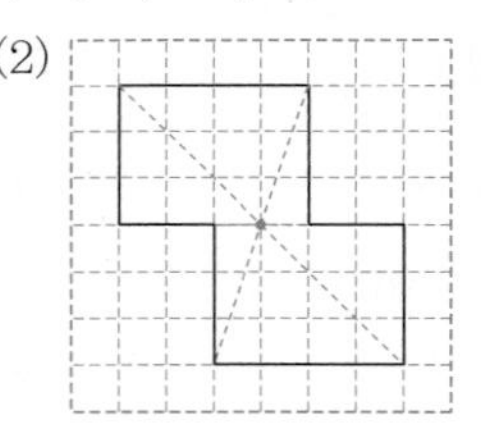
3 ②, ⑤
4 $12\times0.8=12\times\frac{8}{10}=\frac{12\times8}{10}=\frac{96}{10}=9.6$
5 3.75
6
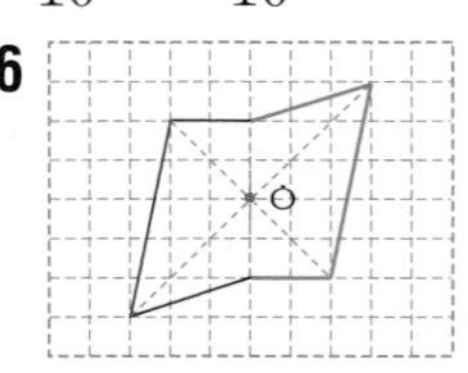
7 (1) 76.86 (2) 0.7686　8 영탁
9 $1.45\times5=7.25$, 7.25 L
10 $0.72\times0.4=0.288$, 0.288 m^2

1 덧셈식으로 계산하기

0.6×4는 0.6을 4번 더한 것과 같습니다.

➔ $0.6\times4=0.6+0.6+0.6+0.6=2.4$

분수의 곱셈으로 계산하기

0.6을 분모가 10인 분수로 나타내어 계산합니다.

➔ $0.6\times4=\frac{6}{10}\times4=\frac{6\times4}{10}=\frac{24}{10}=2.4$

2 대칭의 중심은 대응점끼리 이은 선분이 만나는 점입니다.

3 직사각형 6개로 둘러싸인 도형을 찾으면 ②, ⑤입니다.

4 보기 는 0.9를 $\frac{9}{10}$로 고쳐 분수의 곱셈으로 계산한 것입니다.
0.8을 분모가 10인 분수로 나타내어 계산합니다.

5
$$\begin{array}{r} 15 \\ \times\ 25 \\ \hline 375 \end{array} \rightarrow \begin{array}{r} 1.5 \\ \times\ 2.5 \\ \hline 3.75 \end{array}$$

6 각 점에서 대칭의 중심을 지나는 선을 그어 대응점을 찾아 표시한 다음 대응점을 차례로 잇습니다.

7 (1) 42.7과 1.8의 소수점 아래 자리 수의 합은 2이므로 7686에서 소수점을 왼쪽으로 2칸 옮깁니다.
(2) 4.27과 0.18의 소수점 아래 자리 수의 합은 4이므로 7686에서 소수점을 왼쪽으로 4칸 옮깁니다.

8 직육면체와 정육면체의 모서리의 수는 각각 12개로 같습니다.

주의

직사각형은 정사각형이라고 할 수 없으므로 직육면체는 정육면체라고 할 수 없습니다. 하지만 정육면체는 직육면체라고 할 수 있습니다.

직육면체 ⇄ 정육면체 (→ ×, ← ○)

9 (소연이가 5일 동안 꽃밭에 준 물의 양)
=(하루에 준 물의 양)×5
$=1.45\times5=7.25$ (L)

10 (직사각형의 넓이)
=(가로)×(세로)
$=0.72\times0.4=0.288$ (m^2)

124~129쪽 특강 창의 · 융합 · 코딩

창의 1 (○)(　)(　)(　)
창의 2 40 kg / 6.8 kg　융합 3 77.4 L
창의 4 1.05, 1　창의 5 나
코딩 6 (1) 3500, 350 (2) 70, 0.7
융합 7 13.97 cm　창의 8 6
코딩 9 시작 3.5 cm 3.5 cm / 14 cm
코딩 10 1.5 cm 1.5 cm 시작 / 6 cm

창의 1 두 마법사의 말을 겹쳐 보면 "정육면체 모양의 상자에 있어"입니다.
따라서 진짜 선물이 들어 있는 상자는 정육면체 모양의 첫 번째 상자입니다.

창의 2
- 하윤이가 웃음 사이로 한 말은 "그럼 내 몸무게는 원래 40 kg인데 여기서는 몇 kg인 거지?"입니다.
- 달에서 잰 몸무게는 지구에서 잰 몸무게의 약 0.17만큼이므로 달에서 잰 하윤이의 몸무게는 약 $40\times0.17=6.8$ (kg)입니다.

융합 3 희수네 가족이 하루에 변기에서 사용하는 물은 258 L이므로 아낄 수 있는 물의 양은
$258\times0.3=77.4$ (L)입니다.

창의 4 우유가 필요한 날은 월요일, 화요일, 목요일로 0.35 L씩 3일 필요합니다.
➔ $0.35\times3=1.05$ (L)
주스가 필요한 날은 수요일, 금요일로 0.5 L씩 2일 필요합니다.
➔ $0.5\times2=1$ (L)

창의 5 책상 서랍 자물쇠의 열쇠 구멍 모양은 점대칭도형입니다.
자물쇠의 열쇠 구멍 모양이 점대칭도형인 것을 찾으면 나입니다.

정답 풀이

코딩 6 (1) 35 ⇨ 3.5 ➡ ㉠ ⇨ 35 ➡ ㉡

㉠ $3.5\times1000=3500$
㉡ $35\times10=350$

(2) 0.7 ➡ ㉠ ➡ 700 ⇨ ㉡ ⇨ 0.07

㉠ $0.7\times100=70$
㉡ $700\times0.001=0.7$

융합 7 윤수 휴대 전화 화면의 대각선 길이는 5.5인치이므로 $5.5\times2.54=13.97$ (cm)입니다.

창의 8
1 ─ O → 점대칭도형
　 ─ N → 점대칭도형
　 ─ E → 점대칭도형 아님.

2 ─ T → 점대칭도형 아님.
　 ─ W → 점대칭도형 아님.
　 ─ O → 점대칭도형

6 ─ S → 점대칭도형
　 ─ I → 점대칭도형 ➡ 모두 점대칭도형
　 ─ X → 점대칭도형

코딩 9 보기와 같이 코딩을 하면 한 변의 길이가 3.5 cm인 정사각형이 그려집니다.
➡ (정사각형의 둘레)$=3.5\times4$
$=14$ (cm)

코딩 10 보기와 같이 코딩을 하면 한 변의 길이가 1.5 cm인 정사각형이 그려집니다.
➡ (정사각형의 둘레)$=1.5\times4$
$=6$ (cm)

개념 OX 퀴즈 정답

퀴즈 1 ◎ ×
퀴즈 2 ○ ⊗

퀴즈 2 $3\times1.4=3\times\frac{14}{10}=\frac{3\times14}{10}=\frac{42}{10}=4.2$이므로 틀린 말입니다.

4주 직육면체 / 평균과 가능성

132~133쪽 4주에는 무엇을 공부할까?②

1-1 6명	1-2 8명
2-1 O형	2-2 드라마
3-1 8 kg	3-2 오후 1시
4-1 8, 9	4-2 오전 11, 낮 12

1-1 세로 눈금 한 칸은 1명을 나타냅니다.
A형의 막대의 길이는 세로 눈금 6칸이므로 6명입니다.

1-2 가로 눈금 한 칸은 1명을 나타냅니다.
만화의 막대의 길이는 가로 눈금 8칸이므로 8명입니다.

2-1 막대의 길이가 가장 긴 혈액형은 O형입니다.

2-2 막대의 길이가 가장 짧은 프로그램은 드라마입니다.

3-1 세로 눈금 한 칸의 크기는 1 kg입니다.
7월의 세로 눈금을 읽으면 8 kg입니다.

3-2 기온이 가장 높은 때는 점이 가장 높게 찍힌 때인 오후 1시입니다.

4-1 선이 가장 적게 기울어진 때는 8월과 9월 사이입니다.

4-2 선이 가장 많이 기울어진 때는 오전 11시와 낮 12시 사이입니다.

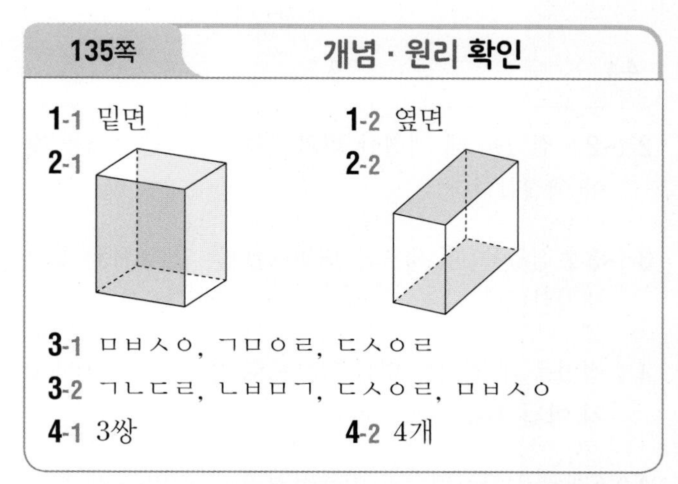

1-1 직육면체에서 서로 평행한 두 면을 직육면체의 밑면이라고 합니다.

1-2 직육면체에서 밑면과 수직인 면을 옆면이라고 합니다.

2-1 색칠한 면과 마주 보는 면을 찾아 색칠합니다.

2-2 색칠한 면과 마주 보는 면을 찾아 색칠합니다.

3-1 서로 마주 보는 3쌍의 면을 찾습니다.

3-2 색칠한 면인 면 ㄴㅂㅅㄷ과 만나는 4개의 면을 찾습니다.

참고
면 ㄴㅂㅅㄷ과 마주 보는 면인 면 ㄱㅁㅇㄹ을 제외한 4개의 면을 찾습니다.

4-1 직육면체에서 서로 마주 보는 면이 3쌍이므로 서로 평행한 면은 3쌍입니다.

4-2 직육면체에서 한 면과 만나는 면이 4개이므로 한 면과 수직인 면은 4개입니다.

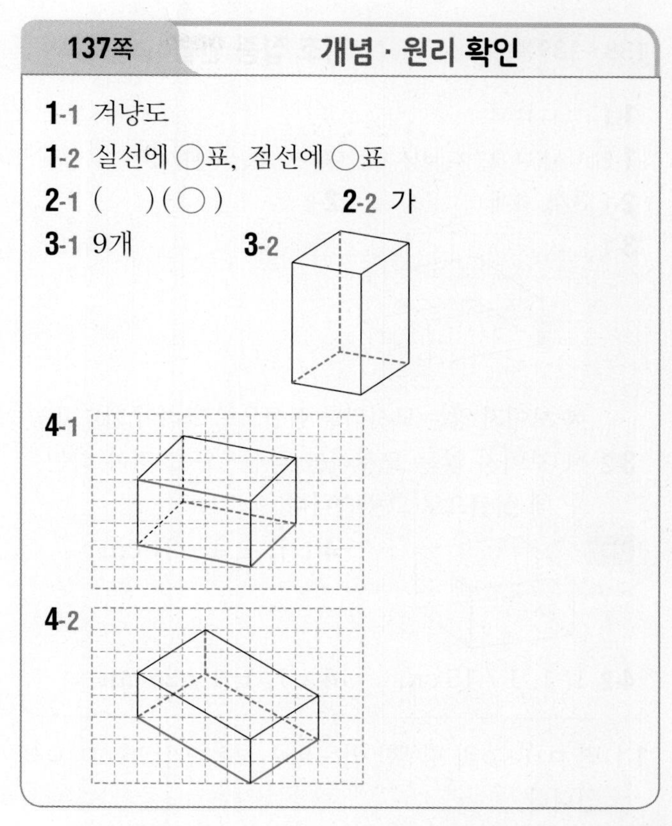

1-1 직육면체의 모양을 잘 알 수 있도록 나타낸 그림을 직육면체의 겨냥도라고 합니다.

1-2 직육면체의 겨냥도를 그릴 때 보이는 모서리는 실선으로, 보이지 않는 모서리는 점선으로 그립니다.

2-1 직육면체의 겨냥도에서는 보이는 모서리는 실선으로, 보이지 않는 모서리는 점선으로 그려야 합니다.

2-2 보이는 모서리는 실선으로, 보이지 않는 모서리는 점선으로 그린 것을 찾으면 가입니다.

3-1 직육면체의 겨냥도에서 보이는 모서리는 9개, 보이지 않는 모서리는 3개입니다.

참고
직육면체의 겨냥도에서 보이는 면은 3개, 보이는 꼭짓점은 7개입니다.

3-2 보이지 않는 3개의 모서리를 점선으로 그려 직육면체의 겨냥도를 완성합니다.

4-1 보이는 모서리는 실선으로, 보이지 않는 모서리는 점선으로 그립니다.

4-2 보이는 모서리는 실선으로, 보이지 않는 모서리는 점선으로 그립니다.

138~139쪽 기초 집중 연습

1-1 ㄱㄴㄷㄹ

1-2 ㄴㅂㅁㄱ, ㄴㅂㅅㄷ, ㄷㅅㅇㄹ, ㄱㅁㅇㄹ

2-1 3개, 3개　　**2-2** ㉡

3-1 / ㉠ 보이지 않는 모서리를 점선으로 그려야 합니다.

3-2 ㉠ 보이지 않는 모서리를 점선으로 그려야 하는데 실선으로 그렸습니다.

기초　　**4-1** 1, 1, 1 / 21 cm

4-2 1, 1, 1 / 15 cm　　**4-3** 1, 1, 1 / 25 cm

1-1 면 ㅁㅂㅅㅇ과 평행한 면은 마주 보는 면인 면 ㄱㄴㄷㄹ입니다.

2-1 직육면체에서 보이는 면과 보이지 않는 면은 각각 3개입니다.

2-2 ㉡ 보이지 않는 꼭짓점은 1개입니다.

3-1 주어진 직육면체의 겨냥도에는 보이지 않는 모서리가 빠져 있습니다. 보이지 않는 모서리를 점선으로 그립니다.

3-2 보이지 않는 모서리 3개를 점선으로 그려야 합니다.

기초 보이지 않는 3개의 모서리를 점선으로 그립니다.

4-1 (보이지 않는 모서리의 길이의 합)
$=5+9+7=21$ (cm)

4-2

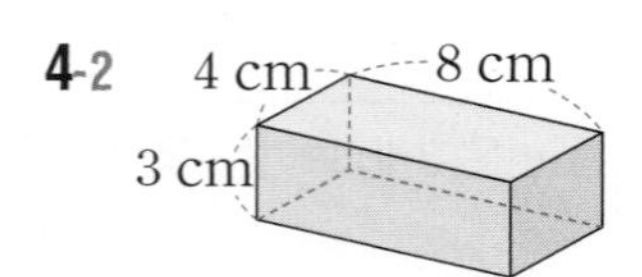

(보이지 않는 모서리의 길이의 합)
$=8+4+3=15$ (cm)

4-3

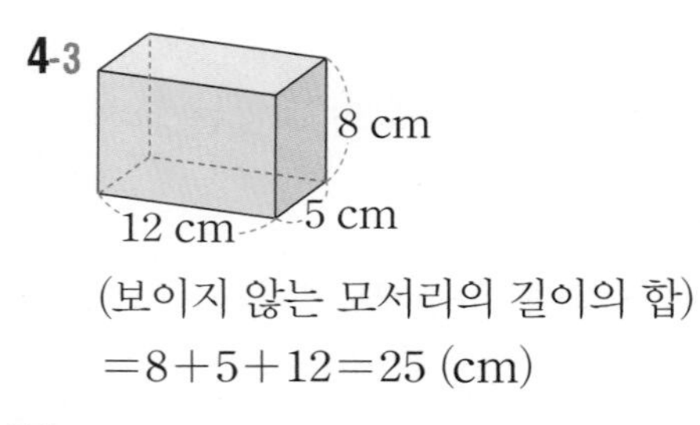

(보이지 않는 모서리의 길이의 합)
$=8+5+12=25$ (cm)

141쪽 개념 · 원리 확인

1-1 전개도　　**1-2** 실, 점

2-1　　**2-2**

3-1　　**3-2**

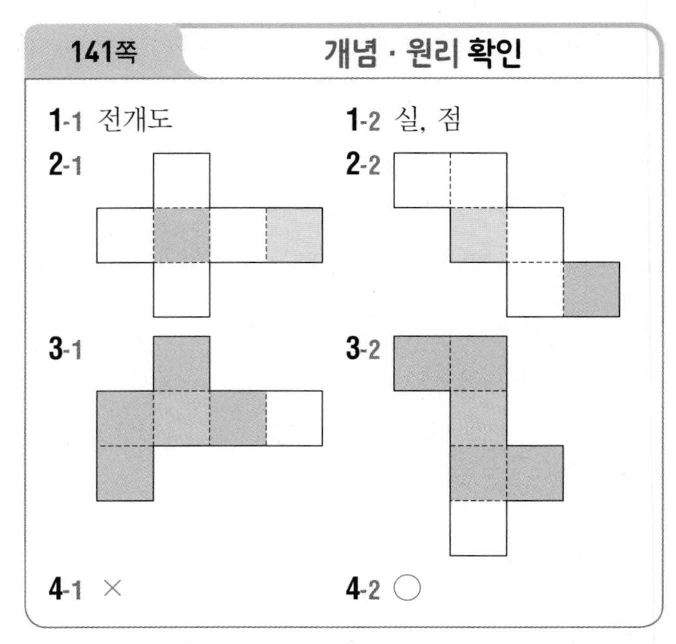

4-1 ×　　**4-2** ○

2-1~2-2 접었을 때 색칠한 면과 마주 보는 면 1개를 찾아 색칠합니다.

3-1~3-2 접었을 때 색칠한 면과 만나는 면 4개를 찾아 색칠합니다.

4-1 접었을 때 겹치는 면이 있으므로 정육면체의 전개도가 아닙니다.

4-2 6개의 정사각형으로 이루어져 있고 접었을 때 정육면체가 만들어지므로 정육면체의 전개도입니다.

143쪽 개념 · 원리 확인

1-1 (1) 마 (2) 나, 라, 바

1-2 (1) 바 (2) 나, 다, 라, 마

2-1 3에 ○표　　**2-2** 같습니다에 ○표

3-1 (왼쪽부터) 4, 5　　**3-2** (왼쪽부터) 6, 9, 7

1-1 (2) 면 다와 수직인 면은 평행한 면인 면 마를 제외한 4개의 면입니다.

1-2 (2) 면 가와 수직인 면은 평행한 면인 면 바를 제외한 4개의 면입니다.

3-1~3-2 전개도를 접었을 때 겨냥도의 모양과 같도록, 서로 만나는 모서리의 길이가 같도록 선분의 길이를 써넣습니다.

144~145쪽 기초 집중 연습

1-1 (◯)(　)　　**1-2** (　)(◯)

2-1 면 라 / 면 가, 면 다, 면 마, 면 바

2-2 ㅋㅌ / ㅈㅇ

3-1 점 ㅌ　　**3-2** 선분 ㅎㄱ

기초 ㉡　　**4-1** 1 cm 1 cm

4-2 예 1 cm 1 cm

4-3 예 1 cm 1 cm

1-1 왼쪽은 5개의 정사각형으로 이루어져 있습니다. 정육면체의 전개도는 6개의 정사각형으로 이루어져 있어야 합니다.

1-2 오른쪽은 접었을 때 서로 겹치는 면이 있습니다. 직육면체의 전개도를 접었을 때 서로 겹치는 면이 없어야 합니다.

2-1 면 나와 평행한 면은 면 라입니다. 면 나와 수직인 면은 평행한 면인 면 라를 제외한 면 가, 면 다, 면 마, 면 바입니다.

2-2 전개도를 접었을 때 선분 ㅍㅌ과 선분 ㅋㅌ이 겹쳐 한 모서리가 되고, 선분 ㄱㄴ과 선분 ㅈㅇ이 겹쳐 한 모서리가 됩니다.

3-1 전개도를 접었을 때 선분 ㅎㅍ과 선분 ㅌㅍ이 겹치므로 점 ㅎ과 만나는 점은 점 ㅌ입니다.

3-2 점 ㅌ과 만나는 점은 점 ㅎ이고, 점 ㅋ과 만나는 점은 점 ㄱ이므로 선분 ㅌㅋ과 겹치는 선분은 선분 ㅎㄱ입니다.

기초 ㉡ 잘린 모서리는 실선으로, 잘리지 않은 모서리는 점선으로 표시합니다.

4-1 전개도를 접었을 때 마주 보는 면끼리 모양과 크기가 같고, 만나는 모서리의 길이가 같도록 점선을 그립니다.

4-2 전개도를 접었을 때 마주 보는 면끼리 모양과 크기가 같고, 만나는 모서리의 길이가 같도록 전개도를 완성합니다.

4-3 6개의 정사각형으로 이루어져 있도록 그리고, 접었을 때 겹치는 면이 없도록 전개도를 완성합니다.

147쪽 개념 · 원리 확인

1-1 7　　**1-2** 6

2-1 4　　**2-2** 5

3-1 예 3 / 예 / 3

하나	지연	소민	성주

3-2 예 4 / 예 / 4

수호	세찬	지민	환희

1-1 구슬의 수를 고르게 하면 구슬이 7개씩 됩니다.
➔ 6, 8, 7의 평균은 7입니다.

1-2 모형의 수를 고르게 하면 모형이 6개씩 됩니다.
➔ 4, 8, 5, 7의 평균은 6입니다.

2-1 종이띠를 반으로 접고 다시 반으로 접어 4등분이 되게 했을 때 접혀서 나뉜 종이띠는 각각 4칸씩이므로 2, 5, 5, 4의 평균은 4입니다.

정답 풀이

2-2 종이띠를 반으로 접고 다시 반으로 접어 4등분이 되게 했을 때 접혀서 나뉜 종이띠는 각각 5칸씩이므로 7, 6, 3, 4의 평균은 5입니다.

3-1 평균을 3권으로 예상한 후, 3권을 기준으로 ○표를 옮겨 고르게 하면 한 명당 3권씩입니다.
➡ 읽은 책 수의 평균은 3권입니다.

3-2 평균을 4개로 예상한 후, 4개를 기준으로 ○표를 옮겨 고르게 하면 한 명당 4개씩입니다.
➡ 투호에 넣은 화살 수의 평균은 4개입니다.

149쪽 개념 · 원리 확인

1-1 20, 19, 72, 18 **1-2** 43, 41, 37, 160, 40
2-1 92, 4, 23 **2-2** 260, 5, 52
3-1 96명, 24명 **3-2** 225분, 45분

1-1 (평균 기록)=(기록을 모두 더한 수)÷(모둠원 수)
=(17+16+20+19)÷4
=72÷4=18(초)

1-2 (평균 기록)=(기록을 모두 더한 수)÷(모둠원 수)
=(39+43+41+37)÷4
=160÷4=40(번)

2-1 (자료의 값을 모두 더한 수)
=15+32+25+20=92
(자료의 수)=4
(평균)=92÷4=23

2-2 (자료의 값을 모두 더한 수)
=48+44+52+61+55=260
(자료의 수)=5
(평균)=260÷5=52

3-1 (전체 학생 수)=22+25+26+23=96(명)
(평균)=(전체 학생 수)÷(반 수)
=96÷4=24(명)

3-2 (숙제한 전체 시간)
=50+45+55+35+40=225(분)
(평균)=(숙제한 전체 시간)÷(날수)
=225÷5=45(분)

150~151쪽 기초 집중 연습

1-1 35 **1-2** 310

2-1 예 3 / 예

			○
○			○
○	○	○	○
○	○	○	○
○	○	○	○
1회	2회	3회	4회

/ 3

2-2 4, 1, 2, 5, 12 / 12, 4, 3
3-1 55분 **3-2** 40분
기초 ○ **4-1** 나갈 수 있습니다.
4-2 통과할 수 없습니다. **4-3** 시청할 수 있습니다.

1-1 (평균)=(34+40+29+37)÷4
=140÷4=35

1-2 (평균)=(320+296+314)÷3
=930÷3=310

2-1 평균을 3점으로 예상한 후, 3점을 기준으로 ○표를 옮겨 고르게 하면 한 회당 3점씩입니다.
➡ 얻은 점수의 평균은 3점입니다.

2-2 (얻은 점수의 평균)
=(얻은 점수를 모두 더한 수)÷(횟수)
=12÷4=3(점)

3-1 (하루 평균 수학 공부를 한 시간)
=(수학 공부를 한 전체 시간)÷(날수)
=275÷5=55(분)

3-2 일주일은 7일입니다.
(하루 평균 배드민턴을 친 시간)
=(배드민턴을 친 전체 시간)÷(날수)
=280÷7=40(분)

기초 (평균)=(38+42+43+45)÷4
=168÷4=42
➡ 평균 42는 40보다 큽니다.

4-1 (세은이 기록의 평균)
=(38+42+43+45)÷4
=168÷4=42(번)
➡ 세은이 기록의 평균이 40번 이상이므로 세은이는 반 대표로 대회에 나갈 수 있습니다.

4-2 (현민이네 모둠 기록의 평균)
$=(18+17+16+21)\div 4$
$=72\div 4=18$(번)
➔ 현민이네 모둠 기록의 평균이 20번 이상이 아니므로 현민이네 모둠은 예선을 통과할 수 없습니다.

4-3 (민선이의 TV 시청 시간의 평균)
$=(40+55+45+50+55)\div 5$
$=245\div 5=49$(분)
➔ TV 시청 시간의 평균이 50분 이하이므로 민선이는 다음 주에 TV를 시청할 수 있습니다.

153쪽 개념 · 원리 확인

1-1 74 / 486, 6, 81 / 은채
1-2 510, 85 / 5, 88 / 혁우
2-1 7개, 8개　　2-2 12초, 11초
3-1 지호네 모둠　　3-2 희주네 모둠

1-1 기록의 평균을 비교하면 $74<81$이므로 은채네 모둠의 왕복 오래달리기 기록의 평균이 더 많습니다.

1-2 점수의 평균을 비교하면 $85<88$이므로 혁우네 모둠의 수행평가 점수의 평균이 더 높습니다.

2-1 (민서네 모둠의 평균)
$=(8+7+6)\div 3=21\div 3=7$(개)
(지호네 모둠의 평균)
$=(9+6+8+9)\div 4=32\div 4=8$(개)

2-2 (현지네 모둠의 평균)
$=(12+11+13)\div 3=36\div 3=12$(초)
(희주네 모둠의 평균)
$=(13+9+12+10)\div 4=44\div 4=11$(초)

3-1 넣은 화살 수의 평균을 비교하면 $7<8$이므로 지호네 모둠이 투호를 더 잘했다고 할 수 있습니다.

3-2 기록의 평균을 비교하면 $12>11$이므로 희주네 모둠이 50 m 달리기를 더 잘했다고 할 수 있습니다.

주의
더 빨리 달릴수록 기록의 수가 작으므로
기록의 수가 작을수록 달리기를 더 잘한 것입니다.

155쪽 개념 · 원리 확인

1-1 16, 64　　1-2 37, 111
2-1 64, 15　　2-2 111, 38, 40
3-1 25 ℃　　3-2 160명
4-1 5 ℃　　4-2 33명

1-1 (4개 수의 합)=(4개 수의 평균)×(수의 개수)
$=16\times 4=64$

1-2 (3개 수의 합)=(3개 수의 평균)×(수의 개수)
$=37\times 3=111$

2-1 ● $=64-(12+20+17)$
$=64-49=15$

2-2 ▲ $=111-(33+38)$
$=111-71=40$

3-1 (최저 기온의 평균)×(날수)$=5\times 5=25$ (℃)

3-2 (하루 평균 입장객 수)×(날수)$=40\times 4=160$(명)

4-1 (화요일의 최저 기온)$=25-(2+4+6+8)$
$=25-20=5$ (℃)

4-2 (15일의 미술관 입장객 수)$=160-(42+36+49)$
$=160-127=33$(명)

156~157쪽 기초 집중 연습

1-1 13　　1-2 23
2-1 5, 7　　2-2 9, 10
3-1 모둠 3　　3-2 현수
기초 123
4-1 $41\times 3=123$, 123 kg
4-2 $35\times 10=350$, 350분
4-3 $5000\times 12=60000$, 60000원

1-1 (칭찬 도장 수의 합)$=16\times 4=64$(개)
(12월에 받은 칭찬 도장 수)$=64-(17+24+10)$
$=64-51=13$(개)

1-2 (과녁 맞히기 점수의 합)$=22\times 4=88$(점)
(4회의 점수)$=88-(22+19+24)$
$=88-65=23$(점)

정답
풀이

2-1 (모둠 2의 읽은 책 수의 평균)$=25\div5=5$(권)
(모둠 3의 읽은 책 수의 평균)$=21\div3=7$(권)

2-2 (도영이 기록의 평균)$=(9+7+11)\div3$
$=27\div3=9$(개)
(재호 기록의 평균)$=(12+6+12)\div3$
$=30\div3=10$(개)

3-1 독서왕 모둠은 읽은 책 수의 평균이 가장 많은 모둠 3입니다.

3-2 턱걸이 대표 선수는 턱걸이 기록의 평균이 가장 많은 현수가 되는 것이 좋습니다.

기초 (세 수의 합)=(세 수의 평균)×(수의 개수)
$=41\times3=123$

4-1 (3명의 몸무게의 합)=(몸무게의 평균)×(사람 수)
$=41\times3=123$ (kg)

4-2 (10일 동안 춤을 춘 시간)
=(하루 평균 춤을 춘 시간)×(날수)
$=35\times10=350$(분)

4-3 (1년 동안 저금한 금액)
=(한 달 평균 저금한 금액)×(달수)
$=5000\times12=60000$(원)

159쪽 개념 · 원리 확인

1-1 에 ○표, '오지 않을'에 ○표 **1-2** 에 ○표, '올'에 ○표
2-1 불가능하다에 ○표 **2-2** 확실하다에 ○표
3-1 ㉢ **3-2** ㉠

2-1 $3\times4=12$이므로 3과 4를 곱했을 때 10이 되는 것은 '불가능하다'입니다.

2-2 7월－8월－9월－10월의 순서대로 오므로 10월이 7월보다 늦게 오는 것은 '확실하다'입니다.

3-1 주사위에는 1부터 6까지의 눈이 있으므로 6 이하로 나올 가능성은 '확실하다'입니다.

3-2 주사위에는 1부터 6까지의 눈이 있으므로 0이 나올 가능성은 '불가능하다'입니다.

161쪽 개념 · 원리 확인

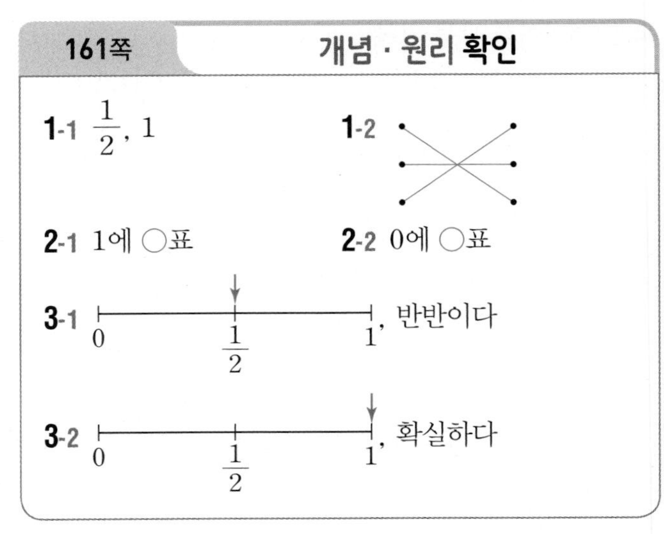

2-1 흰색 바둑돌만 들어 있는 주머니에서 꺼낸 바둑돌이 흰색일 가능성은 '확실하다'이므로 수로 표현하면 1입니다.

2-2 흰색 바둑돌만 들어 있는 주머니에서 꺼낸 바둑돌이 검은색일 가능성은 '불가능하다'이므로 수로 표현하면 0입니다.

3-1 빨간색과 파란색이 반반인 회전판을 돌릴 때 화살이 빨간색에 멈출 가능성은 '반반이다'이므로 수로 표현하면 $\frac{1}{2}$입니다.

3-2 전체가 파란색인 회전판을 돌릴 때 화살이 파란색에 멈출 가능성은 '확실하다'이므로 수로 표현하면 1입니다.

162~163쪽 기초 집중 연습

1-1 확실하다에 ○표 **1-2** 반반이다에 ○표
2-1 (1) 반반이다 (2) $\frac{1}{2}$ **2-2** (1) 불가능하다 (2) 0
3-1 (○)( ) **3-2** ( )(○)

기초 $\frac{1}{2}$

4-1 0 $\frac{1}{2}$ 1 (↓ $\frac{1}{2}$)

4-2 0 $\frac{1}{2}$ 1 (↓ 0)

4-3 0 $\frac{1}{2}$ 1 (↓ $\frac{1}{2}$)

1-1 매일 아침에 동쪽에서 해가 뜨므로 내일 아침에 동쪽에서 해가 뜰 가능성은 '확실하다'입니다.

1-2 번호표의 번호는 홀수 또는 짝수이므로 대기 번호표의 번호가 홀수일 가능성은 '반반이다'입니다.

2-1 주머니에 있는 공 4개 중에서 노란색이 2개이므로 꺼낸 공이 노란색일 가능성은 '반반이다'이고 수로 표현하면 $\frac{1}{2}$입니다.

2-2 상자에 있는 공 4개 중에는 파란색이 없으므로 꺼낸 공이 파란색일 가능성은 '불가능하다'이고 수로 표현하면 0입니다.

참고

• 꺼낸 공이 빨간색일 가능성
상자에 있는 공 4개가 모두 빨간색이므로 꺼낸 공이 빨간색일 가능성은 '확실하다'이고 수로 표현하면 1입니다.

3-1 화살이 빨간색에 멈출 가능성은
왼쪽 회전판: 확실하다
오른쪽 회전판: 반반이다
이므로 가능성이 더 높은 것은 왼쪽 회전판입니다.

3-2 화살이 노란색에 멈출 가능성은
왼쪽 회전판: ~아닐 것 같다
오른쪽 회전판: 반반이다
이므로 가능성이 더 높은 것은 오른쪽 회전판입니다.

기초 100원짜리 동전의 면은 그림 면과 숫자 면이 있으므로 그림 면이 나올 가능성은 '반반이다'이고 수로 표현하면 $\frac{1}{2}$입니다.

4-1 100원짜리 동전의 면은 그림 면과 숫자 면이 있으므로 그림 면이 나올 가능성은 '반반이다'이고 수로 표현하면 $\frac{1}{2}$입니다.

4-2 계산기로 '4+5='을 누르면 9가 나오므로 7이 나올 가능성은 '불가능하다'이고 수로 표현하면 0입니다.

4-3 6장의 수 카드 중 짝수는 2, 4, 6으로 3장이므로 뽑은 카드에 쓰여 있는 수가 짝수일 가능성은 '반반이다'이고 수로 표현하면 $\frac{1}{2}$입니다.

164~165쪽 누구나 100점 맞는 테스트

1 (○)(△) **2** 5 **3** 우석
4 면 ㄱㄴㄷㄹ, 면 ㄱㅁㅇㄹ, 면 ㄴㅂㅁㄱ
5 215분, 43분 **6** 면 가, 면 다, 면 마, 면 바
7 예 불가능합니다.
8

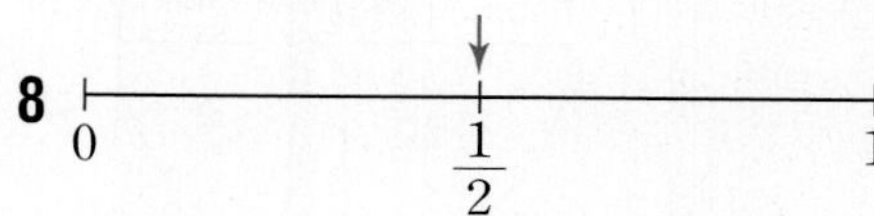

9 예

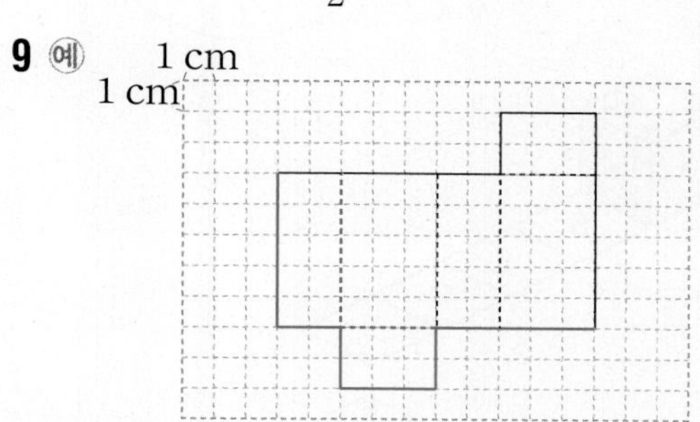

10 77명

3 보이지 않는 모서리만 점선으로 그려야 합니다.

4 서로 마주 보는 3쌍의 면을 찾습니다.

5 (산책한 전체 시간)$=35+40+46+43+51$
$=215$(분)
(평균)$=215\div5=43$(분)

6 전개도를 접었을 때 면 나와 수직인 면은 평행한 면인 면 라를 제외한 4개의 면입니다.

7 상자 안에는 1번부터 10번까지의 번호표가 있으므로 상자 안에서 20번 번호표를 꺼낼 가능성은 '불가능하다'입니다.

8 초록색과 노란색이 반반인 회전판을 돌릴 때 화살이 초록색에 멈출 가능성은 '반반이다'이므로 수로 표현하면 $\frac{1}{2}$입니다.

9 마주 보는 면끼리 모양과 크기가 같고, 만나는 모서리의 길이가 같도록 전개도를 완성합니다.

참고

전개도를 그리는 방법은 여러 가지이므로 다양하게 그릴 수 있습니다.

10 (4일 동안의 입장객 수의 합)$=80\times4=320$(명)
(9일의 전시장 입장객 수)$=320-(72+83+88)$
$=320-243=77$(명)

166~171쪽 특강 창의 · 융합 · 코딩

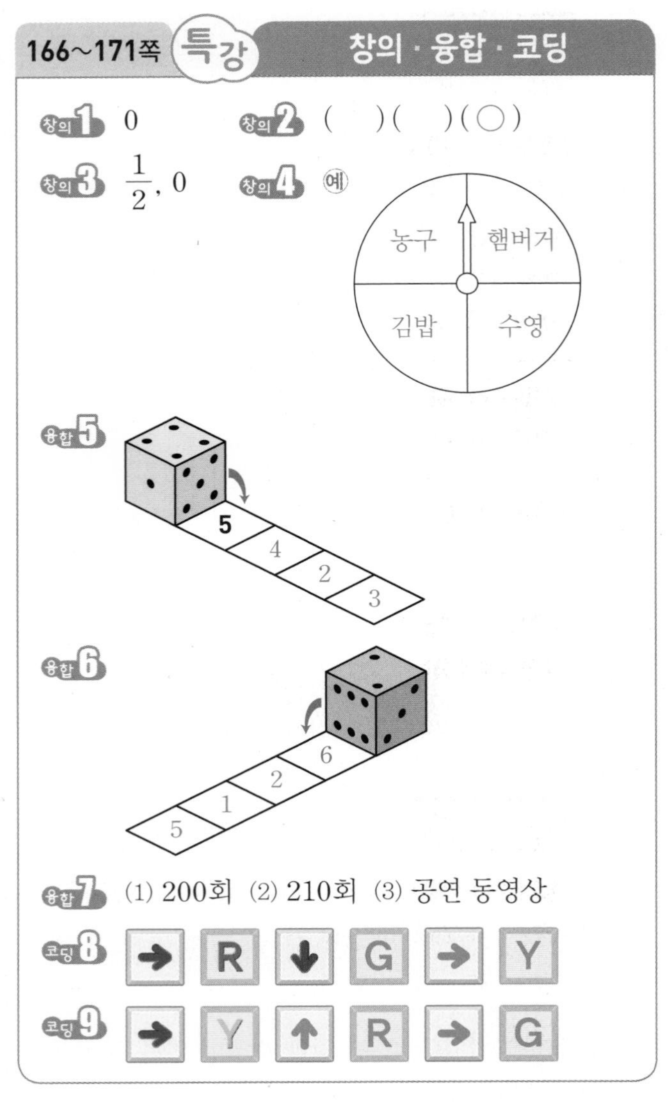

창의 1 우산이 빨간색 2개와 노란색 2개가 있고, 현우가 원하는 색깔은 초록색입니다.
따라서 현우가 초록색 우산을 살 가능성은 '불가능하다'이므로 수로 표현하면 0입니다.

창의 2 첫 번째 길: 운석을 지나게 되므로 잘못 표시한 것
두 번째 길: 별을 지나게 되므로 잘못 표시한 것

창의 3 빨간색 막대 4개와 파란색 막대 4개입니다.
- 고리가 빨간색 막대에 걸릴 가능성은 '반반이다' 이므로 수로 표현하면 $\frac{1}{2}$입니다.
- 고리가 노란색 막대에 걸릴 가능성은 '불가능하다' 이므로 수로 표현하면 0입니다.

창의 4 공정한 놀이가 되려면 음식 종류와 운동 종류가 나올 가능성이 각각 '반반이다'가 되도록 회전판을 완성해야 합니다.
→ 음식 종류 2가지, 운동 종류 2가지를 써넣어 회전판을 완성합니다.

융합 5 ① 처음 바닥에 닿는 면의 눈의 수는 5입니다.
② 두 번째 바닥에 닿는 면은 위쪽 면으로 눈의 수는 4입니다.
③ 세 번째 바닥에 닿는 면은 5와 마주 보는 면으로 눈의 수는 $7-5=2$입니다.
④ 네 번째 바닥에 닿는 면은 4와 마주 보는 면으로 눈의 수는 $7-4=3$입니다.

융합 6 ① 처음 바닥에 닿는 면의 눈의 수는 6입니다.
② 두 번째 바닥에 닿는 면은 위쪽 면으로 눈의 수는 2입니다.
③ 세 번째 바닥에 닿는 면은 6과 마주 보는 면으로 눈의 수는 $7-6=1$입니다.
④ 네 번째 바닥에 닿는 면은 2와 마주 보는 면으로 눈의 수는 $7-2=5$입니다.

융합 7 (1) (전체 조회수)÷(날수)$=1400\div7=200$(회)
(2) (전체 조회수)÷(날수)$=2100\div10=210$(회)
(3) $200<210$이므로 하루 평균 조회수가 더 많은 동영상은 공연 동영상입니다.

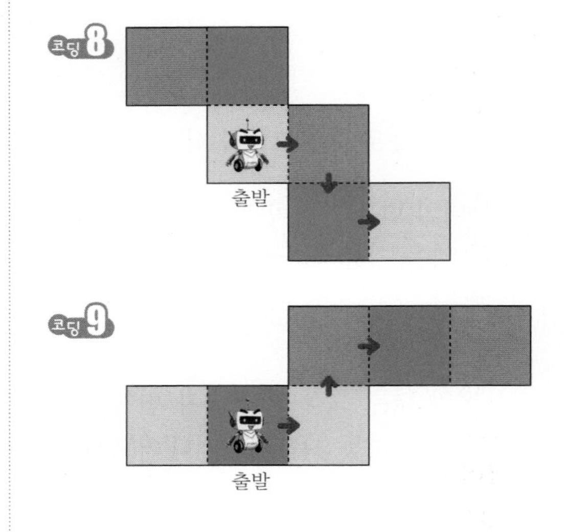

퀴즈 1 직육면체의 겨냥도를 그릴 때 보이는 모서리는 실선으로 그립니다.

정답은
이안에
있어!